GEORGES MONGRÉDIEN

LA VIE QUOTIDIENNE SOUS LOUIS XIV

LIBRAIRIE HACHETTE

OUVRAGES DU MÊME AUTEUR

Étude sur la vie et l'œuvre de Vauquelin des Yveteaux, *Documents inédits*, A. Picard.

Bibliographie des œuvres du facétieux Bruscambille, Giraud-Badin.

Les Grands Comédiens du xviie siècle. (*Épuisé.*)

Bibliographie tabarinique, Giraud-Badin.

Les Poésies de Molière et celles qui lui ont été attribuées, A. Colin.

Le Bourreau du Cardinal de Richelieu, Isaac de Laffemas, *Documents inédits.* (*Épuisé.*)

Le xviie siècle galant, Libertins et Amoureuses, Librairie académique Perrin. Ouvrage couronné par l'Académie française.

Athalie, Collection « Les Grands Événements littéraires », Société française d'Éditions littéraires et techniques.

La Vie privée de Louis XIV, Collection « Les Vies privées », Hachette.

Marion de Lorme et ses amours, Collection « Le Rayon d'histoire », Hachette.

Madeleine de Scudéry et son salon, *Documents inédits*, Tallandier.

La Vie littéraire au xviie siècle, Collection « Histoire de la Vie littéraire », Tallandier.

Histoire et Culture françaises, tableaux synchronisés (en collaboration avec M. Jules Madeline), Éditions de l'Encyclopédie française.

TEXTES PUBLIÉS PAR LE MÊME AUTEUR

Œuvres complètes de Vauquelin des Yveteaux, *Documents inédits*. A. Picard.

Œuvres de Boileau, Garnier.

Bussy-Rabutin, Histoire amoureuse des Gaules, 2 vol., Garnier,

Agrippa d'Aubigné, Les Tragiques, Garnier.

La Bruyère, Les Caractères, Garnier.

Tallemant des Réaux, Les Historiettes, 8 vol, Garnier. Ouvrage couronné par l'Académie française, Prix Saintour 1935.

Cardinal de Retz, Mémoires, 4 vol., Garnier.

Les Précieux et les Précieuses, Mercure de France.

LA VIE QUOTIDIENNE
SOUS
LOUIS XIV

PARUS OU A PARAITRE DANS
« LA VIE QUOTIDIENNE »

*Ouvrages parus**

LA VIE QUOTIDIENNE EN ÉGYPTE *
Par Pierre Montet

LA VIE QUOTIDIENNE A BABYLONE ET EN ASSYRIE
Par G. Contenau

LA VIE QUOTIDIENNE EN GRÈCE
Par Georges Daux

LA VIE QUOTIDIENNE A ROME *
Par Jérôme Carcopino
Membre de l'Institut

LA VIE QUOTIDIENNE EN PALESTINE AU TEMPS DE JÉSUS
Par Jacques Coupry

LA VIE QUOTIDIENNE DES MUSULMANS AU MOYEN AGE (VIIIe ET IXe SIÈCLES)
Par Aly Mazaheri

LA VIE QUOTIDIENNE AU TEMPS DE SAINT LOUIS *
Par Edmond Faral
Membre de l'Institut

LA VIE QUOTIDIENNE AU TEMPS DE LA RENAISSANCE *
Par Abel Lefranc
Membre de l'Institut

LA VIE QUOTIDIENNE EN ANGLETERRE AU TEMPS DE LA REINE ÉLISABETH
Par Léon Lemonnier

LA VIE QUOTIDIENNE AU TEMPS DE LOUIS XIII *
Par Émile Magne

LA VIE QUOTIDIENNE SOUS LOUIS XIV
Par G. Mongrédien

LA VIE QUOTIDIENNE SOUS LOUIS XV
Par Charles Kunstler

LA VIE QUOTIDIENNE EN ANGLETERRE AU XVIIIe SIÈCLE
Par Émile Pons

LA VIE QUOTIDIENNE SOUS LOUIS XVI
Par Charles Kunstler

LA VIE QUOTIDIENNE AU TEMPS DE LA RÉVOLUTION *
Par Jean Robiquet

LA VIE QUOTIDIENNE AU TEMPS DE NAPOLÉON *
Par Jean Robiquet

LA VIE QUOTIDIENNE EN FRANCE EN 1830 *
Par Robert Burnand

LA VIE QUOTIDIENNE SOUS LE SECOND EMPIRE *
Par Maurice Allem

LA VIE QUOTIDIENNE EN FRANCE DE 1870 A 1900 *
Par Robert Burnand

etc., etc...

GEORGES MONGRÉDIEN

LA VIE QUOTIDIENNE SOUS LOUIS XIV

LIBRAIRIE HACHETTE

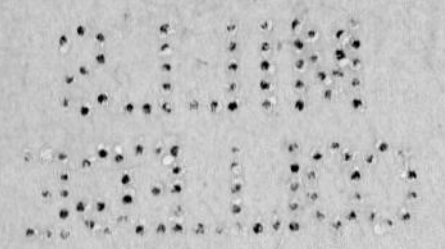

La gravure de couverture représente "La toilette d'une dame de qualité".
(Gravure de Saint-Jean.)

A FRANCIS AMBRIÈRE

ce livre est amicalement dédié.

G. M.

AVANT-PROPOS

Pour rester fidèle à l'esprit de la collection dans laquelle il prend place, le présent ouvrage devait tenter de retracer, d'une manière concrète, la vie des différentes classes sociales au temps de Louis XIV, la manière de vivre des nobles, des bourgeois, des artisans, des ouvriers et des paysans. La difficulté essentielle consistait à n'utiliser que des documents sûrs et se rapportant à l'époque envisagée. Or, dans de nombreux cas — notamment pour l'histoire des ruraux, — ces documents font défaut et il serait hasardeux de tirer de quelques exemples certains, mais particuliers, des conclusions générales. Nous attendons encore, sur le peuple des campagnes, des petites villes de province, les larges publications de documents qui abondent sur la cour de Versailles. Dans l'histoire du règne, on a trop constamment négligé la vie des petites gens, des humbles. Outre les renseignements qu'on peut tirer des livres de raison, quelques excellentes monographies, comme celles de Babeau sur la région de Troyes, d'Henri Sée sur la Bretagne, de Roupnel sur la Bourgogne ou d'Élie Reynier sur la région de Privas, nous apportent des documents d'archives précis et sûrs. Ce n'est que lorsque des ouvrages de ce genre, fruit d'une longue patience, auront étudié les problèmes économiques et sociaux dans nos différentes provinces qu'on pourra tenter une synthèse valable, qui devra d'ailleurs tenir compte des conditions économiques particulières à chaque région.

Nous avons cependant tenu, après une large enquête, à donner la première place au peuple de France ; nous avons voulu pénétrer dans l'intimité de la classe moyenne, de cette bourgeoisie qui ne cesse de monter durant tout le règne ; nous avons suivi son ascension dans la société et déterminé avec autant de précision que possible son genre de vie ; nous avons regardé le bourgeois élever ses enfants, faire ses comptes, vivre, s'habiller, se tenir à table, recevoir ses amis. Nous avons essayé de préciser aussi le genre de vie et le sort des ouvriers et des apprentis dans leurs ateliers, des paysans dans leurs campagnes, sans parti pris d'embellir ou de noircir le tableau. Ce n'est pas notre fait si une enquête assez poussée sur la vie rurale nous a révélé une suite impressionnante de misères et de révoltes, le plus souvent, d'ailleurs, localisées. Nous n'avons tenté ni d'en dissimuler la gravité et la fréquence, ni d'en tirer des conclusions générales. Nous nous sommes contenté d'apporter des documents irréfutables, dont le lecteur tirera lui-même la conclusion. Notre dessein était de peindre et de décrire, non de juger.

Nous n'avons accordé à la cour de Versailles, sur laquelle abondent les renseignements, grâce aux mémoires de l'époque et à de nombreux travaux historiques, qu'un court chapitre. Et encore avons-nous cru devoir mettre l'accent sur la vie collective de la cour, sans faire au Roi-Soleil la place éminente qui lui revient. C'est qu'en effet on trouvera tout ce qui le concerne personnellement dans notre précédent ouvrage sur La Vie privée de Louis XIV, qui contient notamment un chapitre sur « La journée du Roi », où nous avons donné tous les détails désirables sur la vie quotidienne du monarque.

Les lecteurs qui voudront bien prendre la peine de consulter la bibliographie sommaire qui accompagne ces pages, constateront que bon nombre d'ouvrages consacrés aux différentes classes sociales embrassent le plus souvent de longues périodes, parfois tout l'Ancien Régime, du Moyen Age jusqu'à la Révolution. Il peut en résulter de dangereuses confusions dues au rapprochement de textes se référant à des époques très différentes. Dans les pages qui suivent, nous nous sommes efforcé, d'une part, de donner toujours au document d'archives ou au témoignage contemporain le pas sur les commentaires des historiens ; d'autre part, de n'utiliser que des textes sûrement datés et compris entre les années 1660 et 1715, limites de notre sujet. Ainsi espérons-nous avoir échappé aux généralisations hasardeuses de certains de nos prédécesseurs et avoir mis sous les yeux des lecteurs le maximum de faits propres à l'éclairer sur la vie quotidienne des différentes classes de la société à une époque strictement déterminée.

LA VIE QUOTIDIENNE SOUS LOUIS XIV

CHAPITRE PREMIER

LA COUR

Si l'on veut se figurer, avec quelque chance d'exactitude, ce qu'était la vie quotidienne à la cour de Louis XIV, il faut tout d'abord se souvenir que son règne personnel a duré cinquante-cinq ans, de sa jeunesse à sa vieillesse. Or l'attitude personnelle du Roi détermine en grande partie celle de ses courtisans, empressés à lui plaire et, par conséquent, à l'imiter ; il faut donc tenir compte que le jeune roi galant de 1660 ne vivait pas du tout de la même manière que le vieillard morose, accablé de deuils, de 1710. Sans prétendre suivre d'année en année une évolution qui serait malaisée à saisir, on peut admettre qu'il y a la période de la jeunesse et celle de la vieillesse, la coupure se fixant autour des années 1680, qui marquent l'avènement de Mme de Maintenon et la résidence régulière de la cour à Versailles. On verra qu'on peut assez aisément caractériser ces deux périodes de la vie de cour, totalement différentes l'une de l'autre.

Lorsque la poigne de fer de Richelieu cessa de maintenir une ferme et parfois dure discipline, le temps de la « bonne régence » amena la détente qui suit toujours les périodes de forte autorité. C'est l'ère de la facilité, du laisser-aller, de la galanterie, des intrigues politiques et amoureuses de la Fronde. C'est l'heure de Foucquet, qui vit au milieu d'un luxe inouï et dans la cassette duquel on trouvera plus tard des lettres de Mlle du Fouilloux et de Mlle de Menneville, filles d'honneur de la Reine. Ce bataillon volant est le centre des intrigues. On y mêle et parfois on y confond la politique et l'amour. Toutes ces demoiselles sont dévorées d'ambition, dans la main d'intrigantes et d'entremetteuses qui les servent autant qu'elles se servent d'elles. Benserade rime des stances précieuses à leur adresse ; elles sont courtisées de toutes parts et ne pensent qu'à conquérir les muguets, portant toujours leurs vues de plus en plus haut, jusqu'à la jeune Majesté elle-même. Plus tard, elles défrayeront la chronique scandaleuse par leur vie déréglée ; l'*Histoire amoureuse des Gaules* et quelques autres pamphlets sont remplis de leurs exploits et des débordements de leur âge mûr. En ce moment, elles cherchent à se pousser dans le monde et à attraper de riches mariages. Placées là par des mères ambitieuses et sans scrupules, elles savent qu'il ne convient pas, dans leur situation, de montrer une vertu farouche. Les mères et les filles sont prêtes à tous les sacrifices pour parvenir à leurs fins. Bien entendu, le jeune Roi est le principal objet de tous ces désirs. Les plus rares beautés, et même les autres, s'offrent à lui, l'assaillent, l'assiègent ; conquérir ses faveurs, même passagères, est l'ambition que caresse en secret chaque femme et chaque fille, sans aucun scrupule de conscience : « Je dirai une fois pour toutes, écrit un observateur avisé, Primi Visconti, qu'il n'est pas une dame de qualité dont l'ambition ne soit de devenir la maîtresse du Roi. Nombre de femmes, mariées ou non, m'ont déclaré que ce n'était offenser ni son mari, ni son père, ni Dieu que d'arriver à être aimé de son prince. Aussi faut-il avoir quelque indulgence pour le Roi, s'il tombe en faute, avec tant de diables autour de lui, occupés à le tenter. Mais le pis est que les familles, les pères et les mères, et même certains maris, en tireraient vanité. »

Plusieurs des demoiselles d'honneur de la reine Anne

d'Autriche, Mlle de La Mothe-Argencourt et Mlle de La Mothe-Houdancourt, celle-ci poussée par la comtesse de Soissons dans le dessein de détrôner La Vallière, ont connu les faveurs du jeune dieu, avant son mariage ou après. Il a couru chez les filles de la Reine en passant par les gouttières. Il a eu son roman d'amour avec Marie Mancini, à la mode du *Grand Cyrus* et de la *Clélie*. Mais la raison d'État lui a imposé un sacrifice pénible. Il a eu une faiblesse pour Olympe Mancini, autre « mazarinette » qui ne cessera de le circonvenir et, se voyant abandonnée, entrera dans l'opposition et trempera dans l'Affaire des poisons. Un moment, Louis XIV jette ses regards avides sur son aimable belle-sœur, Henriette d'Angleterre, et l'irréparable se serait peut-être consommé si La Vallière n'était apparue, lui apportant les grâces précieuses d'une passion sincère et totale.

La cour, en cette heure, est peu nombreuse ; elle n'est pas fixée ; du Louvre à Saint-Germain, des Tuileries à Fontainebleau, de Saint-Cloud à Chambord, elle utilise toutes les demeures royales.

D'un palais à l'autre, les intrigues sentimentales, enchevêtrées, se poursuivent. Le centre en est l'alcôve de la jeune Henriette d'Angleterre que tout le monde plaint d'être tombée entre les mains de Monsieur, perdu par le vice italien. Elle est coquette et frivole, ne sait pas repousser les galants. « Tous les hommes ne pensaient qu'à lui faire leur cour et toutes les femmes qu'à lui plaire », écrit Mme de Lafayette. Les pamphlets de Hollande sont trop heureux de rapporter — et de grossir — les scandales de la cour de France. Madame accueille les missives enflammées du comte de Guiche, le plus élégant des coquets, bien que gâté par une insupportable vanité, le frère de cette Mme de Monaco, qui fut une des passades du Roi. Lauzun, ce petit homme ambitieux et vaniteux, est la coqueluche des dames de la cour, qu'il traite d'ailleurs avec une insolence incroyable. Olympe Mancini, comtesse de Soissons, a pour amant un autre intrigant, le marquis de Vardes. Toute cette jeunesse libertine et athée n'est occupée que d'intrigues ; Mme de Lafayette s'efforce de les démêler, avec une grande finesse, dans son *Histoire de Madame*, qui est le meilleur témoignage sur la cour galante de 1660. Une compagne de La Vallière, Mlle de Montalais, également fille d'honneur d'Henriette d'Angleterre, mène le branle et noue les fils si serrés qu'elle pense être seule à pouvoir les dénouer. Au dire de Mme de Lafayette, qui, auprès d'Henriette d'Angleterre, a suivi de près toutes ces affaires et qui a pu y puiser une solide connaissance du cœur féminin, Mlle de Montalais « avait naturellement beaucoup d'esprit, un esprit d'intrigue et d'insinuation ; et il s'en fallait de beaucoup que le bon sens et la raison réglassent sa conduite ». Elle avait été jadis, à la cour de la duchesse douairière d'Orléans, la confidente des premières amours de La Vallière avec Bragelonne.

Cette entremetteuse incorrigible commence par servir les desseins du comte de Guiche auprès de Madame. Elle l'introduit un jour dans son cercle, déguisé en diseuse de bonne aventure. Elle lui lit à haute voix les lettres du galant que Madame refuse de recevoir... mais qu'elle écoute avec délices ; Mlle de Montalais les conserve précieusement, pensant bien en tirer parti quelque jour.

Infatigable, Mlle de Montalais se mêle de toutes les affaires de cour ; elle sert le marquis de Marmoutiers auprès de Mlle de Tonnay-Charente, future marquise de Montespan, et conseille son amie La Vallière sur la conduite à tenir auprès du Roi. « Une seule de ces confidences eût pu occuper une personne entière, écrit Mme de Lafayette, et Montalais seule suffisait à toutes. »

Un incident survenu au printemps de 1662, dans cette cour galante, en marque bien l'esprit; c'est l'affaire de la « lettre espagnole ». La comtesse de Soissons, jalouse du nouveau rang accordé aux princes de la maison de Lorraine et furieuse de se voir supplantée par La Vallière dans le cœur du Roi, entreprit de révéler à la Reine la liaison coupable et encore secrète de Louis XIV. Aidée du marquis de Vardes, son amant, elle rédigea donc la lettre qui devait perdre La Vallière ; le comte de Guiche la traduisit en espagnol ; on ramassa dans la chambre de la pauvre Marie-Thérèse une enveloppe provenant de son père, le roi d'Espagne : ainsi espérait-on détourner les soupçons sur l'origine de la dénonciation. La lettre fut remise, comme venant d'Espagne, à la première femme de chambre de la Reine, qui, la trouvant suspecte, l'ouvrit, la lut et alla la porter au Roi. Louis XIV entra dans une violente colère ; Mme de Navailles, soupçonnée à tort, fut disgraciée. Ce n'est que plusieurs années plus tard que Louis XIV, par Madame, connaîtra les vrais coupables. Mlle de Montalais devra alors se retirer à l'abbaye de Fontevrault et Vardes sera jeté en prison.

Le marquis de Vardes s'était d'ailleurs mis en tête de remplacer le comte de Guiche comme « mourant » auprès de Madame, et il avait manœuvré habilement pour le faire éloigner de la cour. Mais la rusée Montalais conservait précieusement les lettres du comte de Guiche et de Madame. Avant d'être enfermée, elle avait pu les remettre à son amant, un certain Malicorne, qui espérait bien en tirer quelque profit en faveur de sa maîtresse. Il négocia donc la remise des lettres compromettantes. Il les remit à Vardes, qui se procura aussi les réponses du comte de Guiche. La restitution se fit, entre Vardes et Madame, au cours d'une entrevue au parloir du couvent de Chaillot, ménagée par la mère de Lafayette. On brûla simultanément les deux paquets, chacun pensant ainsi effacer toute trace de cette passion coupable. On apprit cependant plus tard que Mlle de Montalais, habile manœuvrière, avait fait un tri parmi ces lettres et conservé « toutes celles qui étaient d'importance... ». Nous sommes en plein roman ; la cour de France ressemble à celle d'Ecbatane ou de Suze, dans *Le Grand Cyrus*. Le Roi et son entourage ne se préoccupent que de galanterie.

Jusqu'à présent, toutes ces liaisons restent le secret d'un petit nombre d'initiés ; mais bientôt La Vallière devient maîtresse « déclarée », à partir de 1664 ; le scandale public s'installe à la cour ; Marie-Thérèse est ouvertement bafouée ; elle n'a plus qu'à se retirer dans son oratoire pour prier et pleurer.

Le scandale s'accroît bientôt avec l'arrivée de Mme de Montespan, qui partage un long moment avec La Vallière la faveur du Roi. A cette époque, on peut voir le Roi circuler en carrosse avec la Reine et ses deux maîtresses, qui le suivent en campagne. A la cour, on emploie couramment l'expression collective « les Dames ». Primi Visconti écrit : « Le Roi vivait avec ses favorites, chacune de son côté, comme dans une famille légitime : la Reine recevait leurs visites ainsi que celle des enfants naturels, comme si c'était pour elle un devoir à remplir, car tout doit marcher suivant la qualité de chacune et la volonté du Roi. Lorsqu'elles assistaient à la messe à Saint-Germain, elles se plaçaient sous les yeux du Roi, Mme de Montespan avec ses enfants sur la tribune à gauche, vis-à-vis de tout le monde, et l'autre à droite, tandis qu'à Versailles Mme de Montespan était du côté de l'Évangile et Mlle de Fontanges sur les gradins élevés du côté de l'Épître. Elles priaient, leur chapelet ou leur livre de messe à la main, levant les yeux en extase, comme des saintes. Enfin, la cour est la plus belle comédie du monde. »

Saint-Simon juge avec beaucoup plus de sévérité « cet épouvantable fracas qui retentit avec horreur chez toutes les nations et qui donna au monde le spectacle nouveau de deux maîtresses à la fois », — sans compter les passades.

Les désordres royaux autorisent une licence générale dans cette jeune cour où les Tréville, les Rohan, les Brienne, les Guiche sont tous des jeunes gens avides de plaisir, qui se lancent dans les affaires d'amour et les intrigues, les coteries, avec une égale passion. La Vallière, en particulier, est l'objet de mille petits complots qui tendent à la discréditer auprès du Roi. La naïve jeune fille n'évitera pas toujours ces traquenards dont sa route est parsemée. La Reine mère réprouve ces excès, tente de sauver les apparences, mais ne peut empêcher que l'exemple de son fils soit suivi. Heureusement, la cour est peu nombreuse à cette époque, ce qui facilite les déplacements et circonscrit le mal aux membres des maisons du Roi, des reines et des princes. Le duc d'Enghien écrit à la Reine de Pologne, le 27 juin 1664 : « Il n'y a presque point de femmes ici et fort peu d'hommes. Jamais la cour n'a été si petite et on ne sait quasi à quoi s'occuper. » Le jeu n'est pas encore à la mode ; aussi, parmi cette jeunesse passionnée, l'amour reste-t-il la grande affaire. Et les belles dames n'hésitent pas, pour se rendre Cupidon favorable, à aller quérir des « philtres d'amour » dans les officines louches de la Voisin et de ses acolytes. La cour de France évolue alors dans une atmosphère de roman de cape et d'épée.

Les plaisirs et les jeux forment le cortège ordinaire de l'amour. Aussi la cour de Louis XIV est-elle le théâtre de fêtes magnifiques et sans cesse renouvelées ; le président de Périgny, Saint-Aignan et Benserade passent leur temps à rimer des entrées de ballets où ils célèbrent la beauté des héroïnes du jour ; bals, mascarades, opéras, comédies, loteries, chasses sont autant de spectacles offerts par le Roi à celle à qui il veut plaire.

Au début, tout se faisait pour la séduisante Henriette d'Angleterre. A Fontainebleau, elle était la reine des plaisirs ; la joie rayonnait autour d'elle : « Elle disposait de toutes les parties de divertissement ; elles se faisaient toutes pour elle et il paroissoit que le Roi n'y avoit de plaisir que par celui qu'elle en recevoit... Madame s'alloit baigner tous les jours... ; après souper, on montoit dans des calèches, et, au bruit des violons, on s'alloit promener une partie de la nuit autour du canal », écrit Mme de Lafayette.

Mais ce fut bien autre chose, à partir de la faveur de La Vallière. Le célèbre carrousel de 1662, officiellement donné pour célébrer la naissance du dauphin, était surtout destiné à éblouir la Tourangelle par le faste royal. Il y eut cinq quadrilles ; le Roi parut en empereur, à la tête des Romains, coiffé d'un casque orné de diamants et surmonté d'un panache énorme de plumes couleur de feu ; son frère menait le cortège des Persans, le prince de Condé celui des Turcs, le duc d'Enghien celui des Indiens, le duc de Guise celui des Américains. Costumes resplendissants, évolutions parfaites de chevaux caracolant, toutes les belles de la cour pouvaient admirer leurs galants dans les poses les plus avantageuses.

La plus brillante de ces fêtes de cour fut certainement celle qui est connue sous le nom de *Plaisirs de l'île enchantée*, et qui fut offerte à La Vallière. Elle dura toute une semaine, au printemps de 1664, et réunit six cents invités. Nous en possédons une relation détaillée, ornée de belles gravures d'Israël Silvestre, qui permettent d'en admirer la splendeur. Le thème de ces fêtes était emprunté au *Roland furieux* de l'Arioste, roman fameux que les Précieuses avaient remis à la mode.

Dans le palais de l'enchanteresse Alcine, Louis XIV figurait le paladin Roger, suivi de personnages symboliques représentés par les comédiens de la troupe de Molière et de l'hôtel de Bourgogne. A la course de bagues, ce fut le marquis de La Vallière, le frère de la favorite, qui emporta le prix, une épée et un baudrier garni de diamants que lui remit la Reine mère. Saint-Aignan et Benserade avec leurs ballets ; la musique du Roi ; Vigarini, maître prestigieux des décors et des machines, à qui l'on doit le feu d'artifice final qui embrasa le palais d'Alcine, la troupe de Molière qui joua *La Princesse d'Élide*, *Tartuffe* et *Le Mariage forcé* ; la nature elle-même, qui offrait le cadre unique du parc de Versailles, contribuèrent à donner un éclat jamais égalé à ces fêtes de l'amour.

Quatre ans plus tard, une nouvelle étoile s'était levée au firmament royal, la marquise de Montespan. Louis XIV profita du retour de la paix pour lui offrir à son tour une fête magnifique ; ce fut le *Grand divertissement royal de Versailles*, qui se déroula le 18 juillet 1668. Le compte rendu détaillé de la *Gazette*, le récit de Mlle de Scudéry et celui de Félibien, illustré de gravures de Le Pautre, nous en ont conservé le souvenir. Collation, dîner, cadeaux, feu d'artifice enchantèrent les invités ; ils étaient, cette fois, au nombre de trois mille qui, comparés aux six cents de 1664, permettent de suivre le développement de la cour. Molière y joua, avec beaucoup d'à-propos, *George Dandin* : il est vrai que M. le marquis de Montespan était alors retiré dans ses terres.

Tout le monde applaudissait à ces fêtes magnifiques qui entraînaient des dépenses énormes ; seul l'ambassadeur de Turin, le marquis de Saint-Maurice, maugréait un peu dans son compte rendu : « Jamais il n'y eut de si belles eaux, ni de si beaux feux ; il en coûta au Roi plus de cinq cent mille livres. Tout le monde dit qu'il aurait mieux fait de donner cet argent aux soldats réformés. Les dames et les hommes de qualité ont fait dans leur particulier des dépenses excessives ; il s'est vu des particuliers qui avaient jusqu'à quinze mille livres de point de France ; un seul marchand en a vendu pour quatre-vingt mille livres. Pour moi, ma femme, ma fille et mes enfants, il m'en coûte près de quatre mille livres et, à mon gré, je n'ai jamais fait une dépense si mal à propos ; je m'en console parce qu'avec les fous il faut être fol. »

Ces folies et cette dissipation étaient générales ; tout le monde était pris dans ce tourbillon de fêtes, qui dura jusqu'à la fin du règne éclatant de Mme de Montespan ; les lettres du prince de Condé et du duc d'Enghien, les relations des ambassadeurs sont remplies du récit de ces divertissements royaux. M. de Saint-Maurice écrit, le 16 janvier 1671 : « On ne parle ici que de divertissements et chacun se ruine pour y paraître. Samedi, on dansera le grand ballet, et la semaine prochaine se passera à Vincennes ; il y aura trois jours de suite de fêtes ; le premier jour on sera habillé de ville, le second de chasse et le troisième en masque, et on n'épargne rien pour y paraître à l'envi. » Et six mois plus tard encore : « Jamais l'on ne s'est diverti à la cour comme l'on fait maintenant à Fontainebleau ; le Roi est souvent avec les Dames et au promenoir en différents endroits de la forêt, où ils voient la chasse et la suivent en calèche ; les cadeaux ne manquent pas en tous les endroits, les concerts de voix, d'instruments, et la grande bande des violons. »

Pendant vingt ans, les familiers du Roi vécurent ainsi dans un rêve de féerie et de plaisirs. Le roi amoureux donnait le ton et la cour de France suivait. La jeunesse s'en donnait à cœur joie. Les succès des armes royales justifiaient tant de divertissements somptueux. C'est l'heure du triomphe, l'apothéose du Roi-Soleil. On pouvait croire, espérer que cette vie galante et joyeuse durerait encore de longues années. En 1680, le Roi, en pleine vigueur, n'a que quarante-deux ans et on achève pour lui le château de Versailles.

Cependant, tout va changer brusquement ; à Mme de Montespan succède Mme de Maintenon, et à une fête perpétuelle une retraite dévote, ennuyeuse et pesante, qui semblera attirer sur le Roi les malheurs publics et les deuils privés. La cour perd avant l'âge sa jeunesse turbulente et va sombrer dans l'ennui d'une « mécanique » monotone.

***

En 1682, Louis XIV s'installe à Versailles et abandonne définitivement une capitale qu'il n'a jamais aimée. Il n'y remettra pas les pieds de 1693 à 1700 ; sa dernière visite à Paris date de 1706. A partir de l'installation à Versailles commence pour la cour une vie toute différente de celle que nous venons d'évoquer. Le Roi n'a pas encore quarante-quatre ans, mais, au XVIIe siècle, on vieillissait plus vite que de nos jours : les « barbons » de Molière ont à peine dépassé la quarantaine. Louis XIV, sous l'influence grandissante de Mme de Maintenon, qu'il épousera bientôt, dès qu'il sera veuf, ne songe plus qu'à son salut. Le parti catholique et le clergé l'emportent et recueillent enfin le fruit de tant d'années d'efforts. C'en est fini des fêtes, des carrousels, des maîtresses et des scandaleux adultères. Dans l'ordre spirituel, on assiste donc à un revirement complet du Roi, qui entraîne naturellement une évolution semblable chez les courtisans qui, de libertins, se font volontiers dévots. Dans l'ordre politique, les mêmes préoccupations se retrouvent : c'est le moment où se prépare la Révocation de l'Édit de Nantes et toutes les mesures de rigueur, dragonnades comprises, qui l'accompagnent. Plus on avance dans le règne, avec les difficultés financières, les misères et les révoltes, les revers militaires, les deuils de cour des dernières années, plus s'accuse le caractère morose de cette cour vieillissante, dont les appétits de jouissance, trop longtemps comprimés, éclateront à nouveau sous la Régence.

La vie des courtisans s'en trouva profondément modifiée. A la fantaisie débridée succédera le règne d'une étiquette rigide, qui figera ces figurants de Versailles dans des gestes immuables, quotidiennement renouvelés. Un personnel nombreux est occupé à la cour ; si l'on compte toutes les « maisons » des princes, les soldats, les laquais, les marchands, les parasites, on arrive à un total de 10 000 personnes environ gravitant autour du château, s'entassant dans les hôtels qui s'élèvent chaque jour autour du palais. Versailles devient une vaste machine réglée comme un mouvement d'horlogerie ; chaque jour, à la même heure, on assiste au lever du Roi, à la messe du Roi, au dîner du Roi, à la chasse du Roi, au souper du Roi, au coucher du Roi. La grande affaire devient de savoir qui présentera la chemise au lever, qui tiendra le bougeoir au coucher. On manœuvre pendant des semaines pour obtenir à son tour cet honneur d'un instant ou le droit au fameux « justaucorps à brevet », qui exempte des lois somptuaires. Le Roi sait donner du prix à ces moindres faveurs : « Il sentait, dit Saint-Simon, qu'il n'avait pas à beaucoup près assez de grâces à répandre pour faire un effet continuel. Il en substitua donc aux véritables d'idéales, par la jalousie, les petites préférences qui se trouvaient tous les jours et, pour ainsi dire, à tous moments, par son art. Les espérances que ces petites préférences et ces distinctions faisaient naître, et la considération qu'il s'en tirait, personne ne fut plus ingénieux que lui à inventer ces sortes de choses. »

Le Roi-Soleil n'est plus le jeune dieu galant, le héros de roman de naguère autour duquel se nouaient mille intrigues politiques et galantes. C'est une divinité sclérosée à laquelle on vient, avec ennui, apporter l'encens quotidien. L'atmosphère devient pesante et plus d'un regrette tout bas les plaisirs perdus. Tout doucement, le Roi est parvenu à ses fins ; il a domestiqué, définitivement asservi sa noblesse ; elle se ruine pour tenir son rang à la cour et ne vit que des largesses et pensions royales ; son rôle unique est d'être là, toujours présente, pour faire cortège à la Majesté Royale. « Il réduisit peu à peu tout le monde à dépendre entièrement de ses bienfaits pour subsister », dit encore Saint-Simon. Loin de la cour, on languit. Stendhal avait raison d'écrire : « Le chef-d'œuvre de Louis XIV, ce fut de créer cet ennui de l'exil. » Éloignée de la politique au profit des grandes familles bourgeoises, la noblesse ne participe plus au pouvoir réel ; tout danger d'une nouvelle Fronde est écarté : il ne faut pas oublier les impressions profondes laissées dans l'esprit de Louis XIV enfant par les événements de 1649-1652. Toute sa politique intérieure a consisté à en rendre le retour impossible.

Ce qui domine à la fin du siècle, à Versailles, c'est l'ennui ; personne n'ose s'en plaindre tout haut, mais chacun en soupire tout bas. Les correspondances privées en portent de nombreuses marques. Il n'y a plus aucune place pour la fantaisie, pour l'imprévu, dans cette « mécanique » de cour qui fait de la vie du Roi un spectacle permanent et sans surprise. Mme de Maintenon écrit en 1705 : « Avant que d'être à la cour, je n'avais jamais connu l'ennui, mais j'en ai bien tâté depuis. »

Ruinée par les dépenses de toilette, de table et de jeu, languissante d'ennui, cette cour désœuvrée va porter une grande partie de son activité sur les affaires. C'est un de ses aspects les moins connus, et cependant très caractéristique.

Il faut absolument se procurer de l'argent pour maintenir un train de vie ruineux, un faste extérieur sans lequel on est discrédité. Le seul fait d'être admis à la cour constitue un capital qu'il faut faire fructifier. On exploite son influence auprès du Roi, ou des ministres, ou même de leurs commis. On ne cesse de solliciter pour ses amis ; on se fait « donneur d'avis », c'est-à-dire qu'on guette toutes les places, toutes les successions vacantes de huguenots ou de condamnés et qu'on les signale aux intéressés. On apostille les placets au Roi : tout cela contre honnête rétribution. Un trafic d'argent considérable et assez louche s'institue à la cour autour de tous les emplois, de tous les monopoles, de toutes les grâces royales.

Écrivant à M. de Saint-Mars, qui va prendre le gouvernement de la Bastille, le ministre Barbezieux, après avoir fait miroiter à ses yeux les 25 000 livres d'appointements qui y sont attachées, n'hésite pas à faire état du « profict qui se fait ordinairement sur ce que le Roy donne pour l'entretien des prisonniers, lequel profict peut devenir considérable », ce que n'ignorait d'ailleurs nullement M. de Saint-Mars, qui fit une fortune immense dans sa longue carrière de geôlier.

On négocie les emplois militaires, les changements de garnison. Un capitaine offre 600 livres pour quitter l'Alsace ; libération de prisonniers, négociations matrimoniales, tout se paye ; des gens biens placés font profession d'obtenir des pensions moyennant un pourcentage ; un marquis de Dangeau, enrichi au jeu, s'occupe de faciliter les mariages légitimes, et même les autres ; chacun monnaye sa part d'influence à longueur de journée. Et ce trafic d'intrigues va souvent jusqu'à l'escroquerie pure : les archives de la Bastille sont là pour le prouver. Un Saint-Simon, duc et pair, ayant acheté un régiment, trouve naturel de payer, outre le prix net de 22 500 livres, une commission de 3 500 livres pour « droit d'avis » à celui qui lui a signalé l'affaire. La comtesse de Fiesque se fait fort de procurer, moyennant 2 000 livres de ristourne, une place de capitaine de frégate. Sous l'œil indulgent des ministres, la corruption gagne l'Administration. Les favorites elles-mêmes participent à ces affaires suspectes. Le nombre de placets recommandés par Mlle de la Vallière est incroyable ; on peut penser qu'elle en tirait de substantiels cadeaux. Mme de Montespan et sa sœur, Mme de Thianges, revendiquent avec âpreté et obtiennent, au mépris de tout droit, une part importante sur les boucheries parisiennes. La marquise touche un pot-de-vin de 2 000 livres de d'Aquin, à qui elle a procuré la place de premier médecin du Roi. Il n'y a pas de petits bénéfices. La princesse d'Harcourt, une des principales femmes d'affaires de Versailles, joueuse et tricheuse célèbre par-dessus le marché, reçoit 2 000 écus de la duchesse du Lude pour la faire admettre aux réceptions de Marly. « Son métier, dit Saint-Simon, était de faire des affaires depuis un écu jusqu'aux plus grosses sommes. » La maréchale de Noailles reçoit, en 1703, 50 000 livres de la Compagnie de Saint-Gobain, et sa fille, la duchesse de Guiche, tire 25 000 écus d'une seule affaire, la redevance des boues et lanternes. Les ambassadeurs étrangers participent à ces affaires; Primi Visconti écrit dans ses *Mémoires* : « Deux libraires m'avaient promis 400 pistoles par an si je leur procurais le privilège de faire imprimer un recueil hebdomadaire de tout ce qui arrivait à Paris ; le Roi m'accorda cette faveur... » La famille royale elle-même est atteinte ; Monsieur propose au Roi, en 1695, de tenter une recherche contre les trésoriers de l'extraordinaire des guerres, espérant recevoir un million pour droit d'avis. Princes et princesses, dames d'honneur, femmes de chambre, valets, tout le monde trafique. Écoutez Mme de Motteville : « La maison des rois est comme un grand marché, où il faut nécessairement aller trafiquer pour le soutien de la vie et pour les intérêts de ceux auxquels nous sommes attachés par devoir ou par amitié. »

C'est l'âge d'or des financiers, des fermiers généraux, des partisans, dénoncés par La Bruyère ; le Roi lui-même est entre les mains d'un Samuel Bernard, riche de 60 millions ;

on voit ces manieurs d'argent doter leurs filles de 400, 500 et même 700 000 livres ; la noblesse désargentée court après ces dots extraordinaires ; le duc de Gesvres épouse la fille de Boisfranc, un Cossé celle de Béchameil. Ces nouveaux riches accaparent toutes les charges, qu'ils paient sans discuter ; leur ascension est prodigieuse ; le grand-père était un modeste marchand, le père est un riche financier, le fils siégera au Parlement. A côté de ces rois de la finance rôdent, dans les couloirs de Versailles, une bande inquiétante de financiers douteux, d'aventuriers à la recherche de la fortune et que les scrupules n'étouffent pas. Des sociétés, des associations clandestines se créent pour l'exploitation des charges nouvelles que le Roi ne cesse de créer. Voici un exemple précis : on propose au Roi la création de dix nouveaux sièges présidiaux ; un secrétaire de Pontchartrain, donneur d'avis professionnel, qui finira d'ailleurs à la Bastille pour escroquerie, monte une petite société. Il s'abouche avec un financier, Bourvallais, un abbé, Lignel, qui, par l'intermédiaire de la marquise de Civry, doit procurer une audience avec un intendant des finances, M. Dubuisson ou M. d'Armenonville. La maréchale de Rochefort, dame d'honneur de la Reine, entre dans l'affaire, qu'elle doit présenter au ministre Barbezieux. D'autres dames de la cour serviront d'intermédiaires auprès de Pontchartrain. Tous les ministres seront ainsi circonvenus, assaillis. Si l'affaire réussit, ces grandes dames seront largement récompensées. Ceux qui ont monté l'affaire s'y engagent par un contrat en bonne et due forme : « Promettons et nous obligeons de payer solidairement la somme de 40 000 livres en considération des peines et sollicitations qu'elles (les dames de la cour) ont promis de se donner, tant auprès de Mgr le Contrôleur des Finances, qui sera nommé, pour le crédit et la protection desdites dames obtenir une prompte et favorable réussite des dix sièges présidiaux et chancelleries présidiales dont nous proposons la création, aux conditions qu'il nous sera remis le dixième au dedans des traités... » On ressent quelque inquiétude en lisant au bas de contrats de ce genre le nom des plus grandes familles de France, les Rohan, les Noailles, les Lorraine.

Le Roi ne peut ignorer le trafic qui s'institue autour de toutes les grâces qu'il accorde aux uns et aux autres ; mais cela même entre dans son jeu politique ; c'est un moyen sûr de tenir tout ce monde intéressé qui gravite autour de lui. Derrière le faste et l'éclat de Versailles, source de toute faveur et de toute fortune, on voit ainsi l'âpreté générale déchaînée autour des bénéfices, licites ou illicites ; on devine tout un monde suspect d'intermédiaires véreux, d'hommes d'affaires besogneux et sans scrupules qui, avec la complicité de tout le personnel de la cour, joue des coudes pour atteindre ce qu'on n'appelait pas encore l'« assiette au beurre ».

Cependant, on ne saurait passer tout son temps à ces affaires d'argent. Le Roi lui-même sent la nécessité de distraire les courtisans, les esclaves de sa gloire. Pour cela, il y a d'abord le jeu, qu'on pratique avec passion, avec frénésie, et pas toujours avec loyauté. On triche souvent, même à la table du Roi. D'Antin, fils de Mme de Montespan ; Langlée, fils d'un maltôtier et d'une femme de chambre de la Reine ; Gramont, fameux tricheur ; et Dangeau, surnommé « le valet de carreau », et qui fit sa fortune au jeu, honnêtement d'ailleurs, forment un « brelan carré de la dame de pique » qui écume toutes les tables de jeu. Le reversi, le lansquenet, la bassette, le pharaon, le trente et quarante, tous les jeux sont bons pour s'amuser et surtout pour gagner de l'argent. Dangeau, nous l'avons dit, en fit une véritable profession. De trois à six heures, assidûment, il joue, sans que rien puisse le détourner. « Il a borné là toute sa fortune et ses emplois », dit le marquis de Saint-Maurice. Son adresse faisait l'admiration de Mme de Sévigné : « Je voyais jouer Dangeau, écrit-elle, et j'admirais combien nous sommes sots auprès de lui. Il ne songe qu'à son affaire et gagne où les autres perdent... Aussi les 200 000 francs en dix jours, les 100 000 écus en un mois, tout cela se met sur le livre de sa recette. » Monsieur et

Mgr le Dauphin, de grandes dames, la princesse de Montauban, la marquise de Chaulnes, ne rêvent que de cartes. La princesse d'Harcourt, que nous avons rencontrée parmi les principales dames d'affaires de la cour, demande au jeu un complément de ressources. Pour forcer le destin, elle aidait volontiers le hasard : « Sa hardiesse à voler au jeu était inconcevable, dit Saint-Simon ; au lansquenet, on l'évitait ; à l'hombre, elle y volait tout ce qu'elle pouvait. » Après le jeu du Roi, les parties reprenaient au domicile particulier des joueurs. La duchesse de la Ferté, qui devait finir exilée, avait ouvert un tripot chez elle ; en jouant à l'hombre, elle avait dépouillé son boucher, son boulanger, ses domestiques.

« Je les triche, disait-elle, mais c'est qu'ils me volent ! »

Cependant, les pertes énormes enregistrées au jeu étaient encore, pour le Roi, l'occasion de largesses nouvelles et un moyen de tenir ses courtisans à sa merci ; en 1675, il paye 40 000 écus de dettes de jeu à Monsieur ; en 1699, 50 000 livres à Monseigneur. Écoutez Primi Visconti : « Le jeu préféré de la Reine est l'hombre ; mais elle est si simple qu'elle perd continuellement ; et c'est par le jeu de la Reine qu'est entretenue la pauvre princesse d'Elbeuf. Ce jeu, pour peu qu'il se prolonge, est la plus belle rente de la cour. Mlle d'Elbeuf cherchait toujours à faire partie liée avec Mlle de la Mothe, aujourd'hui marquise de la Vieuville, et avec d'autres contre la Reine. C'est un défaut général en France, surtout chez les dames ; on ne sait ce que c'est qu'un simple entretien ; on cherche un profit, l'un par-ci, l'autre par-là ; le peuple est encore pis. Ce n'est point pour entasser, mais pour faire face aux dépenses de table et de toilette. »

En vains, prédicateurs et sermonnaires stigmatisent cette fureur du jeu, inspirée par l'enfer. Bourdaloue s'époumone inutilement : « Un jeu sans mesure et sans règle, dit-il, qui n'est plus pour vous un divertissement, mais une profession, mais un trafic, mais une attache, mais une passion, mais, si j'ose ainsi parler, une rage et une fureur, et, comme suite nécessaire, l'oubli des devoirs, le dérèglement de la maison, la dissipation des revenus, des tricheries indignes, des friponneries que cause l'avidité du gain, des emportements, des jurements, des désespoirs. » On l'écoute et l'on retourne à la table de jeu.

A partir de 1692, le jeu est reporté de six à dix heures les jours « d'appartement », qui sont le lundi, le mercredi et le samedi. Ces jours-là, c'est une obligation pour tous d'être là, de se montrer, de jouer, d'assister à la partie de billard du Roi, de participer aux loteries royales. Saint-Simon marque bien la volonté du Roi qu'on assistât à ces réunions : « D'abord, il y avait une musique ; puis des tables par toutes les pièces, prêtes pour toutes sortes de jeux ; un lansquenet où Monseigneur et Monsieur jouaient toujours ; en un mot, liberté entière de faire des parties avec qui on voulait, et de demander des tables si elles se trouvaient toutes remplies ; au-delà du billard, il y avait une pièce destinée aux rafraîchissements, et tout parfaitement éclairé. Au commencement que cela fut établi, le Roi y allait et y jouait quelque temps, mais il voulait qu'on y fût assidu et chacun s'empressait à lui plaire. Lui, cependant, passait les soirées chez Mme de Maintenon, à travailler avec différents ministres les uns après les autres. »

Mais Louis XIV lui-même sent la nécessité de détendre, de temps en temps, la mécanique de la cour. Les courtisans ont bien droit à quelque récréation, en récompense de leur assiduité. Pour cela, il y a les petites réceptions intimes à Trianon et surtout à Marly, que le Roi a fait construire pour y recevoir un petit nombre de personnes. C'est une des faveurs les plus recherchées que d'y être admis, car le souverain arrête lui-même la liste de ses invités. La demande se fait au lever du Roi :

« Marly, Sire ! »

Là, c'en est fini du joug de l'étiquette ; le monarque se donne un moment l'illusion de n'être qu'un particulier qui traite quelques amis. La demeure est fort petite ; un seul salon octogonal, entouré de petites salles et de boudoirs, ouvre de plain-pied sur le jardin et les bosquets. Lorsque tout le monde est réuni, avant la promenade dans le parc, le souverain prononce la parole sacramentelle :

« Le chapeau, messieurs ! »

C'est le signal attendu ; chacun se couvre et retrouve du même coup une éphémère liberté ; la promenade et la conversation deviennent libres, on peut suivre le Roi ou le quitter. On cesse un instant de jouer le rôle de figurant dans une pièce immuable.

D'autres cercles, heureusement, doublent la cour royale et offrent, en l'absence du maître du moins, un refuge provisoire au courtisan. Mme de Montespan a son château personnel, à Clagny, construit par Mansart en 1674 ; mais il n'est achevé qu'en 1685, alors qu'elle est déjà disgraciée ! Elle y donne cependant des réceptions où viennent jouer et faire leur cour tous ceux qui ont quelque chose à demander à la favorite, et qui n'est pas solliciteur ?

A Saint-Cloud, à Villers-Cotterets ou au Palais-Royal, où il abrite une magnifique collection de tableaux de maîtres hollandais dédaignés par Louis XIV, Monsieur est chez lui. La Palatine, la lourde Liselotte a remplacé la gracieuse et fine Henriette d'Angleterre. La grosse Allemande faisait avec son efféminé de mari un ménage mal assorti. Elle lui pardonnait mal sa liaison scandaleuse avec le chevalier de Lorraine, centre des intrigues de la petite cour de Philippe d'Orléans, où la mésentente conjugale ne tarda pas à éclater. Le Palais-Royal n'avait cependant plus pour les courtisans le même attrait que du temps de l'aimable et coquette Henriette. Délaissée du Roi, la Palatine consacre toute sa force à une haine virulente et tenace contre Mme de Maintenon, qu'elle appelait en son vert langage « la vieille guenon ». Elle ne contribuait pas à créer une atmosphère agréable au Palais-Royal.

On respirait plus librement dans un autre cercle, celui de Monseigneur, à Meudon. Le dauphin avait pour maîtresse Mlle Choin, une fille petite et laide, mais pleine d'esprit ; elle avait été fille d'honneur de la princesse de

Conti. Vainement, le Roi avait prié son fils de rompre cette liaison indigne de lui ; Monseigneur, piètre personnage, que Bossuet lui-même n'était pas parvenu à décrasser, fit preuve en l'espèce de l'opiniâtreté et de l'entêtement des faibles. Il tint tête au Roi et revit Mlle Choin, un moment éloignée de la cour. Ces visites se firent d'abord en grand secret ; quelques rares intimes, comme le duc et la duchesse de Bourgogne, le duc de Berry, le duc de Noailles, y étaient admis ; on appelait ces réunions les *Parvulo* de Meudon. Peu à peu, l'habile Mlle Choin consolida sa situation ; du grenier où elle se cachait d'abord, elle passa dans le grand appartement et devint une véritable favorite reconnue par toute la cour. La « puante Choin », comme dit Saint-Simon, était devenue une dauphine au petit pied. Peut-être un mariage secret la lia-t-il à Monseigneur. Ce qui est sûr, c'est que l'humble fille du bailli de Bourg-en-Bresse sut conquérir une place de premier plan. Saint-Simon atteste qu' « on la considérait auprès de Monseigneur comme Mme de Maintenon auprès du Roi». Le cercle qu'elle présidait avec grâce et simplicité s'opposait à celui du duc d'Orléans ; les courtisans préparaient auprès d'elle un avenir que la mort prématurée du dauphin devait déjouer : « Toutes les batteries pour le futur étaient dressées et pointées vers elle. »

Les intrigues galantes doublaient naturellement les combinaisons politiques ; en dépit de sa laideur proverbiale, Mlle Choin avait des galants ; le maréchal d'Huxelles lui fit une cour assidue et ridicule, lui envoyant des têtes de lapin pour sa chienne...

Ainsi plusieurs cercles, Clagny, Saint-Cloud, Meudon, Marly reposaient un peu les courtisans de la vie ennuyeuse de Versailles ; mais on n'y pouvait faire que de brefs séjours, car il fallait sans cesse se montrer à Versailles, y tenir sa place et son rang auprès du Roi, sous peine de devenir un inconnu et de laisser échapper quelque faveur. Non, décidément, le métier de courtisan — car c'en est un — n'est pas de tout repos et plus d'un qui l'envie est loin d'en soupçonner toutes les servitudes.

CHAPITRE II

LE DÉCOR DE LA RUE

PARIS, au temps de Louis XIV, reste encore une ville très exiguë. Pour se la représenter, il faut faire abstraction de tous nos quartiers neufs et bien se figurer qu'elle était délimitée, au nord par l'actuelle ligne des boulevards qui, de la porte Saint-Antoine à la porte Saint-Honoré, suivait à peu près l'ancienne enceinte de Charles V ; et, au sud, par notre moderne boulevard Saint-Germain. Picpus, Montmartre, le Roule, Vaugirard, Saint-Marcel et Saint-Victor étaient des faubourgs hors les murs. Dans ce Paris grouillait une population extrêmement dense ; faute de dénombrement systématique, toute évaluation précise est interdite. On sait du moins qu'en 1684 Paris comprenait 23 272 maisons. Pour le nombre des habitants, le chiffre le plus vraisemblable est celui, approximatif, de 500 000. C'est celui que donne Furetière dans son *Dictionnaire*. La ville était divisée en seize quartiers, nombre qui fut porté à vingt en 1702.

Sans doute, pour recueillir une impression fraîche sur l'aspect général de la capitale, est-il légitime de faire appel au témoignage de voyageurs étrangers, qui l'admirent et l'observent d'un œil neuf. Le Parisien, si perspicace soit-il, fait trop étroitement corps avec sa ville pour la juger objectivement. A force de la voir, il ne la regarde plus. Un étranger doit, en principe, être plus nettement frappé de ses particularités qu'un habitant qui y est né. Demandons donc à un médecin anglais, Lister, qui fit un voyage à

Paris en 1698, et semble avoir été un bon observateur, ses impressions de touriste étranger.

Ce qui le frappe d'abord, c'est l'entassement de la population : « La portion de la ville occupée par le petit peuple est, toutes proportions gardées, beaucoup plus peuplée qu'à Londres. Ici nombre de maisons sont habitées par quatre, cinq et jusqu'à dix ménages ou familles, en ne l'entendant toutefois que de certains quartiers commerçants. » Il y a, selon lui, disproportion entre les vastes bâtiments, les cours et les jardins aérés des palais et des couvents, et les maisons du peuple obligées de « s'entasser les unes sur les autres ».

Ainsi, deux sortes de demeures bien différentes bordent les rues de Paris. Les maisons des « personnes de distinction », appartenant à l'aristocratie et à la bourgeoisie enrichie, toutes en pierres de taille, ont des portes cochères pouvant laisser passer les carrosses, des cours intérieures garnies de remises et d'écuries, de vastes appartements à plafond élevé, éclairés de hautes fenêtres ; un portier en livrée accueille et guide le visiteur. Le nom du propriétaire est généralement écrit en lettres d'or sur une plaque de marbre noir placée au-dessus de la porte. Ses armes ornent le chapiteau qui domine la porte cochère. On ne compte guère plus de sept cents de ces immeubles confortables et même somptueux.

Le reste des maisons, consacrées au bas peuple, est quelquefois en pierres de taille, mais le plus souvent à façades de bois enduites de plâtre. Ces façades sont étroites et sombres ; les maisons, peu profondes, se suivent dans un alignement incertain ; le rez-de-chaussée est souvent occupé par une boutique, qui s'ouvre en plein air, car les vitrines sont encore inconnues, et dont l'auvent mord sur la rue étroite. Des multitudes d'enseignes en fer forgé ou peintes se balancent au vent. Elles contribuent largement à encombrer les rues par leur dimension démesurée, qu'on réglementera bientôt, mais elles y jettent une note pittoresque et remplacent la numérotation absente des maisons.

Les unes sont d'inspiration pieuse, les autres gaillardes. Les exemplaires qui en subsistent au musée Carnavalet attestent l'habileté des artisans et parfois leur verve. A la porte des « bouchons », Bacchus à cheval sur un tonneau et couronné de pampres accueille le visiteur. Parfois l'inscription qui accompagne le tableau peint se présente sous la forme d'un rébus ou d'un calembour. Un cygne blanc et une croix doivent se traduire par : *Au signe de la croix*. Tel boutiquier fait peindre sur son enseigne Jésus au mont des Oliviers et y joint cette devise : *Au juste prix*. L'actualité joue parfois son rôle dans ces images cocasses. Au moment de la vogue des romans de Mlle de Scudéry, un plumassier de la rue Saint-Honoré prit pour enseigne le *Grand Cyrus*, qu'il fit peindre, assez ridiculement habillé, « comme le maréchal d'Hocquincourt ». Le chat qui pêche ou qui pelote survit encore dans la nomenclature des voies parisiennes à l'enseigne qui servit à les dénommer.

Si le rez-de-chaussée est à usage d'habitation, les fenêtres, par mesure de sécurité, sont garnies de solides barreaux de fer scellés qui ne contribuent pas à rendre aimables des façades déjà trop souvent lépreuses.

Les places qui aèrent la ville sont rares ; la place Royale, au Marais, est de beaucoup la plus vaste et la plus somptueuse ; les pavillons de pierre et de brique, construits par Henri IV, tous sur le même modèle, lui donnent un aspect particulier, dont la régularité et l'ordonnance plaisent à l'œil. Une grille monumentale sépare l'espace libre du centre de la place de la voie circulaire qui donne accès aux maisons. La place Dauphine et, plus tard, la place des Victoires et la place Vendôme sont les seules qui dépassent les proportions d'un carrefour. Elles s'ornent de statues des derniers rois, Henri IV au Pont-Neuf sur son « cheval de bronze », Louis XIII place Royale et Louis XIV sur les deux autres, à la fin du siècle. Samuel Bernard habitait rue Notre-Dame-des-Victoires. C'est ce qui fit dire à un satirique, quand on érigea la statue de la place des Victoires, en 1686 : « Henri IV est avec son peuple sur le Pont-Neuf ;

Louis XIII, avec les gens de qualité à la place Royale; Louis XIV, avec les maltôtiers à la place des Victoires. » Il n'y a aucune autre statue dans Paris que celles qui ornent la façade de l'Hôtel de Ville.

Quant aux rues de la capitale, elles sont « fort étroites », dit Lister. Les plus larges, la rue Saint-Jacques, la rue Saint-Martin, la rue Saint-Antoine, la rue Saint-Denis, ne dépassent pas cinq à huit mètres. Les quelque six cents autres forment un inextricable dédale de venelles, souvent terminées en culs-de-sac, qui varient de trois à cinq mètres. Les trottoirs sont totalement inconnus ; un ruisseau central laisse écouler, quand la pente est suffisante, les eaux de pluie et les eaux ménagères. Aussi est-il bienséant, lorsqu'on se promène à pied avec une dame, de lui laisser « le haut du pavé ».

Il ne faut pas s'étonner si des rues si étroites sont aisément encombrées et si le thème des « embarras de Paris » se retrouve chez maints poètes et écrivains, de Colletet à Boileau. La rue parisienne offre en effet le spectacle d'un encombrement permanent. Les étalages des boutiques, les « échoppes » en torchis ou en toile, les matériaux des ouvriers l'occupent en partie. Et la circulation est d'une densité extraordinaire.

Il y a d'abord, dès le matin, à l'heure où les crieurs d'eau-de-vie, munis de leurs tonnelets et gobelets, vendent un peu d'alcool à l'artisan qui gagne son atelier, les lourdes charrettes des boulangers de Gonesse et des maraîchers de la banlieue qui se dirigent vers les grandes halles de la paroisse Saint-Eustache ou les marchés de quartiers. En même temps défilent des troupeaux de bœufs, de veaux et de moutons, qui sont dirigés vers les boucheries. Tel est le spectacle que contemple, dès le matin, l'ouvrier qui se rend à son travail.

Un peu plus tard, ce sont les grands coches attelés de quatre ou six chevaux qui partent pour la province ou en arrivent, à heure irrégulière — « Part quand il peut », dit le prospectus des messageries, — les voitures de poste qui emportent une lettre à vingt lieues pour trois sous, les courriers royaux.

En même temps, les voitures publiques et privées commencent à sortir. C'est en 1662 qu'on vit apparaître les fameux « carrosses à cinq sols », ces premières voitures publiques auxquelles Pascal s'intéressa et pour lesquelles il prêta quelque argent au duc de Roannez. C'étaient des voitures assez spacieuses, ornées d'écussons aux armes de la ville, pouvant contenir huit personnes ; il en partait deux par quart d'heure aux divers points de départ. Elles étaient toujours pleines et le voyageur les faisait arrêter à volonté. L'usage en était interdit aux soldats, pages, laquais et autres gens de livrée. Le service commençait dès six heures et demie du matin. La première ligne mise en service reliait la porte Saint-Antoine au Luxembourg ; quatre autres lignes furent successivement créées : Saint-Antoine - Saint-Roch, Saint-Eustache - Luxembourg, rue de Poitou-Luxembourg, et une ligne circulaire qui partait de la rue Neuve-Saint-Paul et y aboutissait. En dépit de la commodité que ces premiers transports publics offraient aux Parisiens, l'entreprise ne prospéra pas. Sans doute la foule se désintéressa-t-elle de voitures toujours pleines dès leur point de départ et inaccessibles en cours de route. Sauval nous apprend que, « trois ou quatre ans après leur établissement, l'usage des carrosses fut si méprisé qu'on ne s'en servait presque plus ». Ils disparurent du pavé parisien dès 1677.

Mais, à défaut de voitures publiques, les voitures particulières, privées ou de louage, se multipliaient. L'usage des carrosses, maintenant ornés de vitres et munis de ressorts, portant valets en livrée, s'était étendu des gentilshommes aux riches bourgeois. Ils étaient moins grands qu'à Londres, nous dit Lister, qui admire cependant leur grande commodité et « leur facilité à tourner dans les rues les plus étroites », grâce à leur col de cygne et à leurs petites roues avant. Le bourgeois qui ne pouvait entretenir cocher et chevaux pouvait louer au mois ou à la journée de bonnes voitures de remise. Ajoutez à ce défilé incessant les fiacres et les chaises à porteurs, « qui sont les plus sales et les plus misérables voitures qu'on puisse imaginer. Elles ne laissent pas d'être aussi chères qu'à Londres, et encore il n'y en a guère. Il y en a pourtant une autre espèce dans cette ville, que j'aurais voulu en premier lieu passer sous silence, la prenant d'abord pour quelque mauvaise plaisanterie. Cela fait un pitoyable contraste avec une cité magnifique. Ce sont les *vinaigrettes*, c'est-à-dire une caisse de voiture sur deux roues, traînée par un homme et poussée par-derrière par une femme ou un enfant, ou bien par tous les deux à la fois. » Ces *vinaigrettes* étaient plus rapides que les chaises à deux porteurs, ces laquais que les Précieuses, en leur langage figuré, appelaient des « mulets baptisés ».

Il n'y avait évidemment aucun service appelé à régler la circulation, si bien que toutes ces voitures, qui allaient grand train, menaçaient sans cesse la sécurité du piéton. De plus, ces voitures, « lancées au grand trot sur le pavé, entre des maisons hautes et retentissantes, font une sorte de musique, qui ne saurait guère être agréable à d'autres oreilles qu'à celles du Parisien ». Le martèlement des sabots des chevaux, le roulement de tous ces véhicules mal suspendus et dont les roues sont cerclées de fer sur les gros pavés de huit à dix pouces carrés, le passage des ruisseaux et des caniveaux dans un tintamarre infernal, les heurts contre les bornes s'ajoutaient aux cris et jurons des charretiers, des cochers et des laquais, aux récriminations des piétons, largement éclaboussés et parfois renversés ou projetés violemment contre quelque coin de porte cochère. Claude Le Petit s'en est plaint dans son *Paris ridicule* :

> Que d'insensez et que de foux !
> Tout est-il sens dessus dessous ?
> De tous costez, on me dit : *Gare !*
> Et je ne sçay duquel tourner :
> Dans cet horrible tintamarre,
> On n'entendroit pas Dieu tonner.

Et ce n'est pas tout. Les boutiquiers devant leur étalage,

les petits vendeurs dans la rue avec leurs éventaires appellent les chalands et crient leurs marchandise : « Échaudés, gâteaux, pâtés chauds ! » « Semelles à mettre dans les bottes ! » « Peaux de lapin ! » « Qui veut de l'eau ? » « Verjus, vert verjus ! » « Pruneaux de Tours, pruneaux ! » « Fromage à la livre, fromage de Brie ! » « Beurre de Vanves ! » « Pêches de Corbeil, à la pêche ! » « Belle pomme d'api ! » « Cerneaux, les gros cerneaux ! » « Mes gros cervelas ! » « Ma belle salade ! » « Champignons, les gros ! »

Ainsi, toute la journée, c'est un vacarme étourdissant qui assaille les oreilles du Parisien. Celui-ci circule beaucoup, à cheval, à dos de mule ou à pied, soit qu'il baguenaude, soit qu'il se rende à son travail. Le tableau est pittoresque et bariolé de ces gens de toute qualité et diversement habillés : ouvriers en sarrauts de cuir ou de toile, bourgeois en drap noir ou gris, moines revêtus de drap grossier et souvent malpropres, caillettes aguichantes, étudiants portant l'encrier de corne à la ceinture, conseillers et officiers des cours de justice marchant cérémonieusement et suivis du petit laquais qui porte leur « queue », sans oublier la multitude des mendiants déguenillés qui demandent l'aumône, parfois avec insolence.

Que si vous allez faire un tour place Dauphine, vous y verrez le spectacle le plus varié qui se puisse imaginer et devant lequel bée une foule amusée de badauds, de soldats, de pages, d'écoliers, de ribaudes : là, les colporteurs vendent sous le manteau le dernier libelle de Hollande et chantent leurs chansons satiriques sous l'horloge de la Samaritaine ; les charlatans et marchands d'orviétan, batteurs d'estrade, dignes descendants des Mondor et des Tabarin, débitent leurs onguents, pommades et panacées diverses. Le montreur de marionnettes anime ses poupées, et les nouvellistes à la main circulent, recueillant mille informations suspectes auprès de cette populace frondeuse et curieuse des derniers potins de la ville. En dépit du poste permanent du guet, qui se tient au pied du cheval de bronze, vous courez fort le risque, si vous n'êtes pas assez méfiant, de vous faire tirer subtilement votre manteau ou couper la bourse, car les malandrins et les voleurs savent profiter des remous de la foule.

Le Paris nocturne offre un saisissant contraste avec le spectacle si vivant, si pittoresque de la journée. L'extrême animation, après la chute du jour, fait brusquement place au plus inquiétant des silences que seuls déchirent les cris des chats. Le bourgeois, sachant les rues mal éclairées et peu sûres, évite de sortir le soir, et surtout sans compagnie. Dans chaque encoignure, au fond de tout cul-de-sac peut se cacher un spadassin prêt à l'attaquer, à le dépouiller non seulement de sa bourse, mais de tous ses vêtements, le laissant nu comme un ver et fort embarrassé de lui-même. S'il résiste, le malandrin n'hésitera pas à jouer de la lame. A cette heure, toute la Cour des miracles, tous les déserteurs, mendiants et coquins de la capitale sont dehors, à l'affût de la première proie qui se présentera. Les gazettes et chroniques du temps regorgent de récits d'attaques nocturnes, qui se terminent parfois en assassinats. Boileau n'exagère pas quand il écrit :

> Le bois le plus funeste et le moins fréquenté
> Est, au prix de Paris, un lieu de sûreté.

De leurs vingt-quatre corps de garde fixes, les gens du guet envoient d'heure en heure des patrouilles dans tous les quartiers. Mais ils ne sont guère que 800 hommes, qui prennent le service de nuit à tour de rôle : comment suffiraient-ils à la surveillance de ce dédale de rues obscures et tortueuses ? Ils se précipitent lorsqu'ils entendent les appels d'un malheureux tombé dans un guet-apens. Mais, bien souvent, ils arrivent trop tard. Malgré leur uniforme bleu, bordé de galon d'or et d'argent, leur bandoulière semée d'étoiles d'argent et de fleurs de lis d'or, ils n'en imposent pas à la canaille, ni même aux troupes d'écoliers en goguette, et, quand ils ne sont pas en nombre suffisant, ils doivent se retirer piteusement, après avoir été largement rossés.

Non moins légendaire que son insécurité est la saleté de la rue de Paris. L'hygiène, publique ou privée, est inconnue. Le passant se soulage à tous les coins de rues ; les chambrières déversent, par la fenêtre, les eaux usées et même le contenu des bassins de toilette. Malheur à vous si vous n'avez pas entendu assez tôt le cri traditionnel :

« Gare l'eau ! »

La plupart des maisons n'ont ni latrines ni fosses, et l'on pratique impudemment le « tout à la rue ». Il ne faut pas alors s'étonner si toutes ces eaux sales, entraînant les tas d'immondices et de déchets qui s'accumulent un peu partout, répandent une odeur nauséabonde et couvrent le pavé de Paris d'une boue grasse et tenace. Sauval nous donne d'éloquentes précisions : « Ces boues sont noires, puantes, d'une odeur insupportable aux étrangers, qui pique et se fait sentir trois ou quatre lieues à la ronde. De plus, cette boue, quand on la laisse sécher sur de l'étoffe, y laisse de si fortes taches qu'on ne saurait les ôter sans emporter la pièce, et ce que je dis des étoffes se doit entendre de tout, parce qu'elle brûle tout ce qu'elle touche ; ce qui a donné lieu au proverbe : il tient comme boue de Paris. »

Une ordonnance de 1662, fréquemment renouvelée — ce qui prouve qu'elle fut souvent transgressée, — enjoint aux Parisiens « de ne plus mettre aucun fumier devant leur porte à l'avenir », non plus que dans les rues, sur les quais et places publiques. Des gens gardent, en effet, chez eux, des dépôts d'immondices « qu'ils font servir à la nourriture des cochons ». Comment s'étonner dès lors si toute cette pourriture, surtout l'été, répand une odeur insupportable ? La Palatine écrit : « Paris est un endroit très chaud. Les rues y ont une si mauvaise odeur qu'on ne peut y tenir. L'extrême chaleur y fait pourrir beaucoup de viande et de poisson ; et cela, joint à la foule des gens qui pissent dans les rues, cause une odeur si détestable qu'il n'y a pas moyen d'y tenir. »

Il n'est pas surprenant que le peuple vive dans une telle saleté quand les demeures royales elles-mêmes donnent le mauvais exemple. Un particulier, qui forma le projet de créer un service public de chaises percées, décrit ainsi le Louvre en 1675, dans son placet : « Aux environs du Louvre, en plusieurs endroits de la cour, sur les grands degrés, dans les allées d'en haut, derrière les portes et jusque partout, on y voit mille ordures, on y sent mille puanteurs insupportables causées par les nécessités naturelles que chacun y va faire tous les jours, tant ceux qui sont logés dans le Louvre que ceux qui y fréquentent ordinairement et qui le traversent. On voit même plusieurs endroits des balcons ou avances chargés de ces mêmes ordures et des immondices, balayures et bassins de chambre que les valets et servantes y vont jeter tous les jours. »

Sans doute des efforts sont-ils tentés pour assainir quelque peu cette ville surpeuplée et malsaine. Guy Patin, en 1666, confirmé par le gazetier Robinet, écrit : « On travaille diligemment à nettoyer les rues de Paris, qui ne furent jamais si belles. » L'offensive de salubrité se déclenche surtout à partir de 1667, lorsque La Reynie est nommé lieutenant général de police. Sa bonne volonté, son zèle sont certains ; mais ses moyens d'action sont limités et ses ordonnances restent trop souvent lettre morte. Dès 1668, il oblige les propriétaires à construire des fosses et des latrines ; il sévit contre les tripots, les désordres dans les théâtres et les églises, les vols et attentats. Il supprime tous ces lieux d'asile, dépendant de justices seigneuriales abolies, qui servaient de repaires aux pires bandits : l'hôtel de Soissons, l'enclos du Temple, l'abbaye de Saint-Germain des Prés. Il interdit aux particuliers de porter l'épée et aux valets de se munir de cannes et de bâtons. Un règlement de police fixe à douze pieds au maximum l'élévation des auvents au-dessus du pavé et à trois pieds leur avance sur la rue ; la dimension des enseignes est réglementée ; les cabarets sont contraints de fermer à six heures du soir, l'hiver ; à neuf heures, l'été ; on fait de grandes rafles de prostituées qu'on déporte aux Iles ; on oblige les propriétaires à balayer devant leur porte ; on borde la Seine de quais en pierre de taille ;

on élargit un certain nombre de rues ; moyennant la perception sur les bourgeois d'un supplément à la taxe d'enlèvement des boues, La Reynie établit l'éclairage public nocturne du 20 octobre au 31 mars ; 6 500 lanternes à chandelle sont installées dans Paris. Lister admire cette nouvelle création : « Les rues sont éclairées tout l'hiver, aussi bien quand il fait clair de lune que pendant le reste du mois ; et je le remarque surtout à cause du sot usage où l'on est à Londres d'éteindre les réverbères durant la moitié du mois, commc si la lune était bien sûre de briller assez pour éclairer les rues et qu'il fût sans exemple de voir en hiver le ciel nébuleux. Ces lanternes sont suspendues ici, au beau milieu des rues, à vingt pieds en l'air et à une vingtaine de pas de distance. Elles sont garnies de verres d'environ deux pieds en carré, recouvertes d'une large plaque de tôle ; et la corde qui les soutient passe par un tube de fer fermant à clef et noyé dans le mur de la maison la plus voisine. Dans ces lanternes sont des chandelles de quatre à la livre qui durent jusqu'après minuit. Ceux qui les briseraient seraient passibles des galères. » Hélas ! les vauriens ne s'en privent pas, qui les prennent pour cible ; et, lorsque le vent souffle en tempête, c'est en vain que le bourgeois désigné allume le soir la lanterne qui est au droit de sa maison : ce soir-là, les coupe-bourses et les filous s'en donnent à cœur joie...

Malgré les efforts méritoires de La Reynie, la situation ne semble guère s'être améliorée ; les mesures prises se heurtent à trop d'habitudes anciennes et à une insurmontable force d'inertie des habitants, incapables de l'effort de discipline qui les sortirait de leur ordure. A la fin du siècle, alors que d'Argenson a remplacé La Reynie à la lieutenance de police, une ordonnance de 1697 constate que les habitants du quartier Saint-Denis jettent encore par les fenêtres, de nuit et de jour, « toutes leurs eaux, ordures, saletés, urines et matières ». Et Pontchartrain écrit sèchement à d'Argenson en 1702 : « Je ne peux m'empêcher de vous dire que les rues de Paris m'ont paru bien sales. »

A la vérité, le Roi, qui ne réside pas dans sa capitale,

s'intéresse peu à ces questions de salubrité ; il laisse les Parisiens croupir dans leur saleté, vivre dans leurs maisons insalubres où le soleil ne pénètre guère ; il porte plus volontiers son attention sur la construction de monuments prestigieux propres à rehausser sa propre gloire et à servir sa légende. Du point de vue de l'urbanisme, Paris, sous le règne de Louis XIV, a connu d'incontestables embellissements. Songez qu'un homme né vers la fin du règne de Louis XIII, qui avait vingt ans en 1660 et qui était sexagénaire en 1700, a vu s'élever sous ses yeux, pendant cette quarantaine d'années : l'Observatoire et les Gobelins, la colonnade du Louvre et le dôme des Invalides, les portes Saint-Denis et Saint-Martin, les places Vendôme et des Victoires. Il a vu achever les Tuileries, planter les Champs-Élysées, niveler la butte Saint-Roch, remplacer le vieux pont de bois qui reliait le quartier des Tuileries à la rue du Bac par le magnifique Pont-Royal, transformer les anciens boulevards en promenades plantées, construire en belle pierre de taille les quais de Gesvres, Le Pelletier, Conti et des Quatre-Nations, élever dans les quartiers neufs les grands hôtels des parlementaires et des financiers qui rivalisent de luxe avec les vieux hôtels aristocratiques du Marais. On peut dire que notre Parisien a vu sa cité se métamorphoser sous ses yeux, prendre une grande et fière allure, que devait souligner davantage encore la saleté et l'insalubrité des quartiers d'habitation. Sans doute, Colbert, qui en tenait pour Paris contre Versailles, est-il à l'origine de ces magnifiques constructions : on ne saurait du moins retirer à Louis XIV le mérite d'avoir laissé faire son ministre.

Pour la première fois même, dans cette ville construite au hasard et sans dessein prémédité, dont les rues ignoraient l'alignement, on voit naître un véritable plan d'urbanisme. Colbert craignait qu'une extension de la ville au-delà de ses limites ne l'hypertrophiât. Des lettres patentes du 26 avril 1672 défendaient de construire au-delà des nouveaux faubourgs, car « il était à craindre que la Ville de Paris, parvenue à cette excessive grandeur, n'eût le sort des plus puissantes villes de l'antiquité, qui avaient trouvé en elles-mêmes le principe de leur ruine, étant très difficile que l'ordre et la police se distribuent commodément dans toutes les parties d'un si grand corps ». Un plan nouveau de Paris fut approuvé en 1676.

Mais les villes, comme les hommes, ont leur vie propre ; les règlements sont impuissants à transformer l'âme des cités. Les différents quartiers de Paris conservèrent donc leur aspect traditionnel. Sur la rive gauche, seuls le palais du Luxembourg et l'hôtel de Conti donnaient du lustre à ce quartier qu'animaient les bandes joyeuses d'écoliers déambulant rue Saint-Jacques ; tous les faubourgs, Saint-Victor, Saint-Nicolas, Saint-Jacques, Saint-Michel, restèrent peuplés d'artisans et d'ouvriers menant une vie misérable ; il fallait passer l'eau pour rencontrer des gens de qualité ; aux abords de l'Hôtel de Ville se groupaient industriels et commerçants : étuvistes, droguistes, orfèvres. Le tranquille quartier du Marais, qui commençait à passer de mode depuis la faveur du Cours-la-Reine, attirait toujours les gentilshommes et les magistrats ; les gros épiciers, les riches négociants en métal, en drap d'or, se pressaient dans la rue Saint-Denis, une des principales artères de la capitale, centre du haut luxe de l'époque ; les commerces d'alimentation, sur la paroisse Saint-Eustache, enserraient la grande halle ; les riches hôtels des financiers se pressaient place Vendôme et dans le quartier Montmartre ; le Roule abondait en cabarets. Quant à la Seine, principale artère de la vieille cité, ses bords étaient toujours grouillants d'une activité incessante : les tonneaux de vin, de toute provenance, s'alignaient au port Saint-Bernard ; la chaux, le bois, le charbon, le pavé encombraient le port Saint-Paul ; le vieux port-au-foin jouxtait toujours le Louvre, et du port Saint-Nicolas partaient les coches d'eau pour Sens et Auxerre. Sur les berges de la Grenouillère et du Gros-Caillou, les blanchisseuses jouaient allégrement du battoir.

Le Parisien du XVIIe siècle n'était pas gâté sur le chapitre des fêtes publiques ; au début du règne, l'entrée solennelle du Roi et de sa jeune épouse, qu'il ramenait de Fontarabie, avait donné lieu à un défilé luxueux et à des réjouissances populaires ; deux ans plus tard, le grand Carrousel, qui se déroula sur la place qui en garde le nom, marque encore une date; mais, dès que le monarque fixa son attention sur Versailles, les Parisiens ne connurent plus les fêtes royales ; celles que donnait la municipalité en son Hôtel de Ville n'étaient pas ouvertes aux petites gens, qui ne recueillaient, sous forme de distribution de vin ou d'aumônes, que les miettes du festin. Heureusement pour lui, le Parisien n'avait pas besoin des gens de qualité pour s'amuser ; des fêtes traditionnelles comme la foire Saint-Germain, les feux de la Saint-Jean sur le Pont-Neuf, les bals masqués des jours gras au cours de l'Arsenal suffisaient à le divertir, sans parler des nombreuses fêtes corporatives ou paroissiales qui se donnaient pour célébrer le patron de la profession ou de l'église de quartier.

Les chroniqueurs du temps attestent le goût du Parisien pour sa rue, pour les spectacles divers qu'elle offre, pour les fêtes qui s'y déroulent : « Il n'y a pas de peuple, dit Lister, qui aime plus que le Parisien à se réunir, à se voir et à se montrer. » C'est que la vie quotidienne est dure, le labeur épuisant et la maison familiale peu attirante. D'où le goût du parisien pour la rue, pour le pavé de Paris, de « Paris en badaudois », comme dit Claude Le Petit en son langage pittoresque.

Si, de Paris, nous nous transportons en province, le contraste est saisissant. On vit moins fiévreusement en province, les choses s'y usent moins vite et les modes ne changent guère. Les transformations y sont plus lentes. Telle description d'une petite ville par Balzac, au début du XIXe siècle, nous donne encore une image à peu près exacte de ce qu'elle était au temps de Louis XIV. Hors les logis seigneuriaux et les hôtels qu'édifient les parlementaires, toutes les maisons, qu'elles soient couvertes, selon les régions, de tuile, d'ardoise, de lave ou de plomb, sont en bois ; l'intervalle entre les poutres est rempli par des clayonnages recouverts de ciment ou de plâtre, ce qui leur donne l'aspect d'édifices en pierre.

Mais le changement apparaît total, pour le visiteur qui vient de Paris, dans l'aspect de la rue. Nous y avons vu, dans la capitale, une foule pressée de gens se rendant à leurs affaires ou à leurs amusements, circulant difficilement au milieu des voitures, carrosses et chaises, qui les éclaboussent et parfois les renversent. Rien de semblable en province. Les carrosses y sont presque inconnus ; seuls M. l'Intendant, M. le Gouverneur et Mgr l'Évêque en usent, lorsqu'ils quittent leur palais pour quelque voyage dans la campagne. Mais on ne les rencontre pour ainsi dire jamais en ville ; les voitures de charge qui se rendent, chaque semaine, au marché, avancent au pas lent de leurs chevaux ou de leurs bœufs, sans dommage pour le piéton, sans risque pour la dame du conseiller qui circule en chaise à porteurs. Au lieu de la fièvre parisienne, le visiteur qui aborde une petite ville ressent une impression générale de calme, de rythme modéré, de vie au ralenti. Là, on sait vivre, prendre le temps de goûter les joies simples de l'existence. On se promène sur le mail planté d'ormes, qui a pris la place des anciens remparts démolis. La grand-place s'orne parfois d'une statue du Roi, preuve de la fidélité de son peuple ; Caen, Arles, Marseille, Poitiers érigent ainsi des figures du Roi plus ou moins heureuses. Tours construit un arc de triomphe avec la statue de Louis XIV due au ciseau de Girardon.

Comme les maisons sont, pour le moins, aussi incommodes qu'à Paris, mais que la rue n'y connaît pas les mêmes embarras de circulation, on vit beaucoup dans la rue même, qui y gagne en intimité ce qu'elle perd en bruit ; on s'y promène, on y bavarde avec le voisin ; on y demeure plus qu'on n'y circule ; les animaux domestiques y errent à l'aise ; des décombres, des tas de bois, des charrettes l'encombrent ; on y prend le frais, le soir, sur le vieux banc installé devant le seuil de la porte. Chaque habitant se considère un peu comme le propriétaire de la portion de rue qu'il balaye devant sa maison. Ces lignes que Gaston Roupnel consacre au Dijon du XVIIe siècle sont sans nul doute valables pour bien d'autres villes de province : « La rue, si étroite déjà, appartient moins aux passants qu'aux maisons privées. Celles-ci, trop nombreuses et comme comprimées par leur nombre, s'étirent en profondeur et débordent sur la rue de tout ce qu'elles peuvent, par les étages en encorbellements, les échauguettes, les tourelles d'angle, les piliers, les arcades, les auvents des boutiques, les bouches des celliers, les gargouilles en saillie, les enseignes bariolées et surtout les bancs familiaux, ombragés parfois encore de leurs vieilles treilles de vigne. »

CHAPITRE III

LA BOURGEOISIE

Du point de vue social, le grand événement du règne de Louis XIV, c'est l'accession de la bourgeoisie, autrefois méprisée pour sa roture, et considérée à l'égal du monde des petits artisans, au rang de grande classe sociale, enrichie, honorée et souvent enviée de la noblesse.

A cette transformation importante, il y a plusieurs causes profondes. Tout d'abord, dès sa prise du pouvoir personnel, le Roi a appelé des bourgeois aux plus hautes charges de l'État. Un Le Tellier, un Colbert, fils du drapier de Reims, sont encore de modestes bourgeois. Si Louis XIV agit ainsi, c'est qu'il est toujours hanté par les souvenirs de la Fronde, qu'il craint les ambitions d'une noblesse si longtemps dressée contre le pouvoir central, en dépit des efforts de Richelieu pour la mater. Les princes du sang, qui ont trop longtemps donné l'exemple de la rébellion, sont écartés du pouvoir ; Saint-Simon, duc et pair, a pu parler, avec tout le mépris qu'il marquait à ce qui n'était point né, d'« un long règne de vile bourgeoisie ». Ces ministres, parvenus au pouvoir, ne marqueront pas les mêmes velléités d'indépendance que les anciens princes du sang ; ils seront soumis, travailleurs, tout dévoués à un monarque sans lequel ils ne seraient rien. Mais ils ne négligeront pas pour autant leurs affaires ; on sait avec quelle âpreté Colbert a poursuivi Foucquet le prévaricateur. Mais on oublie trop souvent de dire quelle immense fortune il a lui-même réalisée au pouvoir, quelle manne il a fait tomber sur toute sa famille, qui devient une véritable dynastie, quelles alliances brillantes il a su réserver à ses filles. Et il en est de même pour les autres ministres ; le népotisme s'installe en maître dans les nouvelles grandes familles ; on y draine les évêchés, les intendances, les gouvernements de province, les pensions, les charges rémunératrices.

Ce ne sont pas seulement les postes ministériels qui sont réservés à la bourgeoisie, mais toutes les charges publiques que multiplie à l'infini le régime centralisateur. De la classe bourgeoise, nouvelle caste, sort la noblesse de robe : les Molé, les d'Aguesseau, les Séguier, les d'Ormesson et tous les grands parlementaires tiennent les hautes charges de judicature et de finances.

La conjoncture économique explique aussi en partie ce progrès de la bourgeoisie. L'afflux d'or, qui a déterminé et permis l'essor de la Renaissance, a été une occasion d'enrichissement pour les marchands et les bourgeois. Au prix d'un labeur acharné, ils ont accumulé des fortunes considérables, placées en bonnes terres et en rentes sur l'Hôtel de Ville. Or, le XVIIe siècle est une époque de stagnation économique ; au moment où Colbert développe l'industrie, crée les manufactures, les compagnies de commerce, il faudrait un afflux nouveau de capitaux pour vivifier ces entreprises commerciales. Mais les quantités d'or et d'argent ne s'accroissent plus, par les achats à l'Espagne, qu'à un rythme très lent (0,5 p. 100 par an en 1700 contre 3,8 p. 100 au XVIe siècle). Le numéraire, qui est rare, fait prime. Le Roi, dont le trésor est toujours vide, en dépit de l'augmentation des impôts, recourt aux expédients. A plusieurs reprises, il demande aux particuliers de porter leur vaisselle d'argent à la Monnaie pour être fondue ; lui-même donne l'exemple, mais il n'est guère suivi ; la vaisselle, menacée, se cache dans les coffres. Les contrôleurs généraux recourent à des manipulations monétaires diverses : bénéfice de la frappe, écus écornés, dévaluation. Celle-ci entraînait un mécanisme compliqué ; en effet, les comptes publics ou privés se faisaient en une « monnaie de compte » conventionnelle, la livre ou le franc qui valait vingt sols ou 240 deniers. Mais les écus d'or et d'argent, frappés à l'effigie royale, n'ont pas de valeur fixe ; c'est le gouvernement qui la détermine ; en juillet 1696, par exemple, on porte la valeur du louis d'or de onze livres à onze livres dix sous : ainsi augmente-t-on artificiellement la circulation monétaire aux dépens, d'ailleurs, du trésor, qui voit ainsi diminuer le poids d'or qui rentre dans ses coffres, tandis que ses charges s'allègent d'autant ; mais, comme les dépenses excèdent toujours les recettes, l'opération, dans l'ensemble, reste bénéficiaire.

Cette raréfaction des espèces monétaires apporte une entrave générale aux affaires, paralyse le commerce, gêne l'agriculture, met en difficulté tous les producteurs. Une loi économique inexorable fait que la rareté de la monnaie entraîne une baisse générale des prix qui, avec des paliers et des retours en arrière, se poursuit pendant tout le règne, faisant baisser le prix des terres et des marchandises, mais qui profite aux gens à revenus fixes, rentiers et fonctionnaires, c'est-à-dire, en grosse majorité, aux bourgeois. La valeur de l'argent accumulé depuis un siècle s'accroît ainsi, même sans que celui qui le détient le fasse fructifier. L'argent fait prime sur le marché, et c'est le bourgeois qui le détient. On prête à gros intérêts sur hypothèques solides. Nous verrons plus loin la bourgeoisie provinciale étendre ses biens fonciers, remembrer ses propriétés aux dépens de la noblesse de campagne ruinée. Celle qui parade à Versailles n'est pas en meilleure posture, et c'est encore le bourgeois qui en tire profit. Bussy-Rabutin écrit à Mme de Sévigné, en 1683 : « Deux cent mille francs ont été, de tout temps, un bon mariage, mais il est vrai qu'en ce temps-ci *la somme est plus considérable qu'elle n'était il y a vingt ans.* » L'écu d'or, qui valait trois livres en 1666, et que Colbert maintint toujours à cette valeur durant son ministère, monta à trois livres six sous en 1690, atteignit cinq livres en 1709, année de crise générale ; il valait trois livres dix sous à la mort de Louis XIV.

Cette raréfaction de l'or et de l'argent s'accentue brutalement après la révocation de l'Édit de Nantes, qui fait perdre à la France un immense capital, humain et monétaire. Les fortunes protestantes partent pour l'exil et vont grossir les dépôts des banques de Londres et d'Amsterdam. Autant de phénomènes qui agissent tous dans le même sens en faveur de la bourgeoisie possédante.

Outre ses placements fonciers et hypothécaires, celle-ci accapare les charges publiques, administratives, judiciaires et financières, qui, toutes, se vendent et qui seront pour elle une nouvelle source de revenus. Or il se trouve précisément que le Roi, qui a toujours besoin d'argent frais, multiplie les charges et offices, parfaitement inutiles. Comme disait Pontchartrain à Louis XIV : « Toutes les fois que Votre Majesté crée un office, Dieu crée un sot pour l'acheter. »

Nous verrons plus loin les charges se multiplier à l'infini dans les corporations de métiers, dont elles ne font qu'alourdir le fonctionnement et augmenter les charges financières. En province, on crée des offices municipaux nouveaux : échevins, jurats, consuls, majors, greffiers, tambours, concierges ; officiers de judicature : présidents, avocats généraux, conseillers, substituts, greffiers, huissiers, commissaires ; officiers de finance : trésoriers, contrôleurs, receveurs de toute nature ; officiers des ports, quais, halles et marchés ; on voit proliférer une armée de fonctionnaires privilégiés et parfaitement inutiles ; citons encore, au hasard, les jaugeurs de vin, les rouleurs de tonneaux, les vendeurs de marée, huîtres, volaille et gibier, les contrôleurs de poisson, les essayeurs d'eau-de-vie, les jurés vendeurs-contrôleurs de bière et de vin, les langueteurs de porcs, les essayeurs de beurres et fromages. Tout ce qui touche à l'alimentation relève ainsi de quelque détenteur d'office dont le principal travail consiste à percevoir ses droits, revenu normal de sa charge.

On crée encore des greffiers conservateurs des actes de baptême, de mariage et de décès, comme si les curés, chacun dans sa paroisse, ne s'acquittaient pas au mieux de leur tâche ; aux contrôleurs des registres, on adjoint bientôt des contrôleurs d'extraits de registres! On multiplie à l'infini les charges notariales ; sans doute, les petites gens vont-ils alors plus souvent chez le notaire que de nos jours ; mais les villes de province comptent alors en moyenne un nombre de charges double ou triple de celui d'aujourd'hui, pour une population qui ne dépasse pas la moitié. Cahors, qui compte aujourd'hui sept avoués, avait sous Louis XIV quarante-sept procureurs! Le prix des offices de notaire varie de 500 à 1 600 livres, mais la concurrence est telle que les tabellions tirent à grand-peine le revenu du prix de leurs charges. Voici le notaire Borelly, de Nîmes, qui nous a laissé son livre de raison et qui tient très exactement ses comptes. En 1685, sa recette s'est élevée à 935 livres, sa dépense à 782 livres : « Mon profit se réduit à 152 livres 19 sols 5 deniers. Avec cela, on ne peut laisser de grands biens à ses enfants. On s'estime néanmoins heureux de gagner sa vie, tant la misère est grande, tant les affaires sont perdues. C'est une pitié ; plus on va, plus le monde se rend misérable. Dieu y mette sa bénédiction! » Le notaire devient un gagne-petit qui, depuis qu'il a abandonné la robe, est l'objet du mépris du commerçant et même de l'artisan ; les procureurs, également très nombreux, gagnent mieux leur vie, car ils savent l'art de pressurer le client ; on voit leurs filles contracter de riches alliances.

Il est vrai qu'à côté des notaires proprement dits prolifèrent des offices voisins, si voisins que des querelles de compétence s'élèvent fréquemment : tabellions, gardes-scel, gardes-notes, certificateurs prud'hommes, greffiers d'arbitrage, commissaires aux inventaires, arpenteurs et priseurs de terres, commissaires aux ventes mobilières, notaires de greniers à sel, notaires royaux apostoliques, etc. Devant une telle variété d'hommes de loi, tous empressés à lui faire rendre gorge, le paysan ne sait plus à qui s'adresser ; mais il contracte dès lors une méfiance, qu'il n'a pas encore perdue, à l'égard de tous ces « chicaneurs ».

On a calculé que, de 1689 à 1715, la bourgeoisie a dépensé un demi-milliard dans l'acquisition de ces diverses charges publiques. Pendant ce temps, le commerce, l'industrie et l'agriculture manquaient de capitaux. C'est de cette époque que date le goût prononcé de la bourgeoisie pour les fonctions publiques, qui fait de la France une nation de fonctionnaires peu enclins à courir les risques de l'aventure, songeant dès le début de la carrière à assurer ses vieux jours.

L'abus est encore plus scandaleux dans les affaires de finance. Traitants et partisans, fournisseurs de vivres, munitionnaires, fermiers généraux, collecteurs d'impôts, trésoriers, receveurs de toute sorte n'ont qu'un souci, gagner de l'argent et faire produire leur office au maximum. Faute d'une bonne organisation bancaire, l'État, toujours à court d'argent, est entre leurs mains. Sans cesse, il sollicite d'eux avances et emprunts ; en contrepartie, il ferme les yeux sur leurs friponneries, jusqu'au jour où, la poire étant mûre, on fait éclater le scandale : le financier est alors condamné à des restitutions — au profit du Trésor et non de ses victimes — qui se chiffrent par millions. Mais les plus gros s'en tirent toujours. Le fameux Samuel Bernard, prêteur infatigable de l'État, est toujours ménagé : on a trop besoin de lui. Ces financiers pratiquent sur une large échelle le pot-de-vin, le dessous de table. Tous les moyens sont bons à ces Turcarets pour tirer, même indûment, de l'argent au pauvre peuple. Celui-ci professe une haine mêlée de crainte à l'égard de ces « sangsues du peuple », contre lesquelles il est sans défense. Leurs fortunes scandaleuses et leur luxe insolent attestent leurs malversations ; on s'en indigne, mais on n'y peut rien. La Bruyère lui-même, qui ne les a pas ménagés, constate : « Si le financier manque son coup, les courtisans disent de lui : c'est un bourgeois, un homme de rien, un malotru. S'il réussit, ils lui demandent sa fille. »

Ainsi l'argent en arrive-t-il à remplacer la naissance ; quelques millions font oublier une roture qu'on eût jadis méprisée à la cour. Les petits hobereaux de province, besogneux, courent après les dots de la haute bourgeoisie, qui se chiffrent par centaines de mille livres. Le marquis de Dangeau épouse la fille d'un usurier tourangeau, Simon le Juif, et Saint-Simon prend pour femme la petite-fille d'un traitant. Le fameux Béchameil, fils d'un libraire rouennais, épouse une demoiselle Colbert, devient surintendant de la maison de Monsieur et marie ses filles au ministre Desmarets et au duc de Cossé-Brissac. Berthelot, commis général des poudres, donne une de ses filles au comte de Gacé et l'autre au premier président de Novion. Tous ces parvenus possèdent des terres, des maisons de plaisance ; ils font construire à Paris de somptueux hôtels à porte cochère où ils pénètrent en carrosse. C'est l'heure où triomphe le *Bourgeois gentilhomme*, qui oublie ses humbles origines marchandes et parfois serviles et attend l'heure prochaine où son argent lui donnera accès à la cour et lui permettra de s'anoblir. La hiérarchie des fortunes tend à remplacer celle de la naissance ; les anciennes castes, jadis séparées par d'infranchissables distances, se mêlent. La noblesse conserve au fond du cœur son mépris pour le « marchand » enrichi, mais est trop heureuse de le trouver pour redorer son blason. Les marques extérieures, qui différenciaient jadis les classes sociales, ne signifient plus rien : le bourgeois parvenu, qui a son hôtel particulier comme les plus vieilles familles, porte perruque, col et manchettes de dentelle et parfois l'épée. Il veut s'habiller chez le meilleur tailleur de Paris et surcharge ses habits de galons d'or, à seule fin de montrer qu'il ne regarde pas à la dépense. On rit de M. Jourdain et de ses sottises de parvenu, mais on lui fait place dans la haute société, où sa fortune est enviée, assiégée, et ses filles convoitées par une noblesse qui se ruine à jouer et à maintenir son rang à Versailles.

***

Tous les nouveaux bourgeois n'ont cependant pas fait d'aussi scandaleuses fortunes. Nous les avons vus accaparer les petites charges qui leur procurent tout juste une modeste aisance ; si le moindre avocat regarde de haut le boutiquier bien achalandé, celui-ci gagne souvent mieux sa vie. Ce sont ces bourgeois moyens, marchands, avocats, procureurs, fonctionnaires, que nous voudrions maintenant voir vivre chez eux, au sein de leur famille.

Ils jouissent d'abord de la considération de leurs voisins ; même très modestes, ils occupent des charges de confiance bénévoles, comme celle de marguillier de leur paroisse ; ils ont leur banc réservé à l'église ; membres du Parlement et marchands cossus se partagent les fonctions de prévôt des marchands, d'échevins, de chefs de la milice de quartier. Ainsi prennent-ils part à la vie municipale, dirigeant et conseillant leurs concitoyens ; leur vanité en tire souvent plus de bénéfice que leur bourse ; mais tous, descendants de commerçants, savent arrondir leurs revenus par d'habiles spéculations financières et par des achats avantageux de terres ou de maisons, que leurs propriétaires, ayant un besoin pressant de monnaie, abandonnent à vil prix. Ils sont sans cesse aux aguets des bonnes affaires à réaliser.

La richesse de l'intérieur bourgeois, qui sert de cadre à la vie de famille, varie évidemment avec la fortune du maître de maison. Des inventaires de petits bourgeois évaluent leur mobilier, linge et vaisselle compris, à quelques milliers de livres. C'est là tout leur capital, comprenant l'héritage familial et les acquisitions faites au cours d'une vie de patient labeur. Ceux-là habitent, dans des immeubles à porte « bâtarde », par opposition à la porte « cochère » des beaux hôtels, des appartements exigus. Un mobilier massif de chêne ou de noyer, un grand lit à colonnes, quelques chaises recouvertes de point de Hongrie, des tentures à ramages, froides et sévères, l'absence de bibelots et d'œuvres d'art donnent à ces intérieurs un air d'austérité qui sied bien à des gens qui n'ont cessé de peiner pour accroître leur maigre capital. Plus riches généralement en linge qu'en vaisselle, ils se contentent d'assiettes et de plats d'étain fin, la rare argenterie étant réservée pour les dîners d'apparat et les cérémonies de famille.

Mais, au fur et à mesure que la bourgeoisie s'enrichit, parvient aux hautes charges, brasse d'importantes affaires commerciales, nous la voyons occuper de vastes demeures, en tout semblables aux vieux hôtels de la noblesse. Fines sculptures, glaces de Venise, tableaux de maîtres ornent les vastes appartements, desservis par un escalier monumental. Ces belles pièces d'apparat font d'ailleurs un saisissant contraste avec les chambres étroites, basses, les obscurs réduits où logent domestiques et enfants. L'inventaire des biens d'un homme comme Gourville, adroit financier, secrétaire des grands, prouve qu'il a su habilement tirer profit de ses charges : on y trouve six tentures des Gobelins, évaluées 800 livres, six fauteuils et six chaises de bois évaluées 80 livres, une chambre à coucher tendue de satin de Chine brodé, avec fauteuil et chaises dorées garnis de la même étoffe, évaluée 800 livres. De plus, le garde-meubles abrite un mobilier complet de velours prisé 1 200 livres, une tenture de tapisserie de brocatelle de Venise, évaluée 500 livres, deux pièces de tapisserie de Flandres à personnages prisées 50 livres. La vaisselle d'argent figure à l'inventaire pour 5 400 livres. Dans ces intérieurs cossus, où le mobilier surabonde, le garde-meubles est d'un usage fréquent. Il permet de modifier souvent l'ameublement et la décoration des chambres et des salles et de renouveler ainsi le cadre de la vie quotidienne, pour le plus grand plaisir des occupants.

Ces grands bourgeois, qui ne dédaignent pas d'avoir une cave bien garnie, une abondante batterie de cuisine en cuivre rouge et une table délicate, connaissent cependant d'autres plaisirs ; ils deviennent souvent des amateurs d'art, des « curieux », comme on disait alors : pièces de faïence, cabinets d'ébène incrustés d'ivoire, tables de trictrac en marqueterie, peintures de grands maîtres, livres de toutes sortes, reliés en veau ou en parchemin, bibelots rares décorent leurs appartements et attestent leur culture et leur goût pour les lettres et les arts. Tapisseries d'Auvergne, de Bergame ou de cuir doré, meubles en bois doré ou en marqueterie de métal et d'écaille de Boulle, verreries d'Orléans, faïences de Nevers ou de Rouen, pendules et horloges — encore rares cependant à cette époque, — glaces de Saint-Gobain, tout ce que produisent nos nouvelles manufactures concourt à orner et à décorer les intérieurs bourgeois, en dépit des prédicateurs Bourdaloue et Bossuet, qui, du haut de la chaire, condamnent solennellement ce dangereux goût du luxe.

Ils ne sont pas les seuls ; des auteurs profanes les suivent ; ainsi La Bruyère, ainsi J. du Pradel qui, dans son *Traité contre le luxe* (1705), évoque avec une nuance de regret la simplicité des foyers bourgeois d'autrefois : « Une tapisserie simple, un lit garni proprement avec ses rideaux et ses cantonnières de bonne étoffe de laine, une table, quelques chaises à bas dossier, couvertes de même ; une glace de Venise pour miroir d'un pied ou deux de hauteur, un feu orné de globes de cuivre, faisaient alors les ameublements des officiers, des gens de considération. » Aujourd'hui, on veut de vastes appartements, éclairés de fenêtres qui vont du plafond au plancher, décorés à profusion de sculptures, de dorures, de peintures et de marbres rares ; les étoffes d'ameublement sont en velours ou en damas avec des franges, des galons et des festons ; on veut des canapés, des lustres, des « grands miroirs de la nouvelle fabrique », des hauts lits à baldaquin, garnis de panaches de plumes et de rideaux de satin. On ne supporte plus l'odeur de la chandelle à quatre sous la livre ; il faut de la bougie, qui en coûte vingt-deux.

Vers la même époque, G.-T. de Valentin, dans une comédie oubliée, *Le Franc Bourgeois* (1706), oppose l'aspect austère de l'ancien intérieur bourgeois, avec ses lignes sévères et rigides, au luxe élégant qui maintenant fait fureur :

...Avez-vous le courage
De prendre loy ailleurs que d'un père si sage ?
Pour ornement chez lui, qu'est-ce que l'on voyoit ?
Ce qui dans la maison d'un bon bourgeois paraît,

C'est-à-dire un bon lit d'une serge olivâtre,
Un galon par-dessus de soie un peu rougeâtre,
Le bois uni, le ciel ni trop bas ni trop haut,
Plus large ni plus long que pour nous il ne faut ;
De surplus on voyoit une demi-douzaine
De chaises à dossier bien couvertes en laine ;
De larges clous de cuivre en relevoient les bords ;
Et, pour durer longtemps, les bois en étoient forts.
Les bahuts occupoient le reste de la place,
Qui, construits de noyer, reluisoient avec grâce ;
L'image des saisons, un ancien portrait
Sans cadre ni dorure aux murailles pendait.
Qu'il s'en falloit enfin qu'on vît les cheminées
De marmousets dorés, de porcelaine ornées !
Une pique, un mousquet, avec leur fourniment
Pendus aux bois d'un cerf en faisoient l'ornement ;
Et, bien que le manteau fût de belle structure,
La brique néanmoins paroissoit toute pure.
C'étoit tout : or çà donc, comparez-moi ceci,
Lui dis-je, aux ornements que l'on découvre ici.

Le père appartenait à cette petite bourgeoisie que Furetière évoquait en 1666 dans son *Roman bourgeois*, où l'on voit cette nouvelle classe sociale, en pleine évolution, prendre conscience d'elle-même. Mais le fils est parvenu à la fortune et cela se voit chez lui :

Le voilà tout d'un coup qui ses meubles m'étale.
Contemplez, me dit-il, tout cet ameublement ;
Admirez ce beau lit et l'accompagnement,
Ces pliants, ces fauteuils, ces riches broderies,
La finesse et l'éclat de ces tapisseries...
Que vous semble, dit-il encor, de ces tapis ?
Ce miroir est des beaux, la glace est d'un grand prix.
De quel air trouvez-vous surtout la cheminée
Avec les raretés dont on la voit ornée ?
Hé bien, avouez donc que ceci fait honneur...

Le Bourgeois gentilhomme a définitivement remplacé *L'Avare*.

La même évolution est sensible dans le train de maison. Autrefois Madame avait une seule servante, à la fois cuisinière et femme de chambre, et Monsieur un seul laquais, qui devait travailler dur et se contenter d'un grabat dans un recoin obscur ; un rimeur inconnu a plaint *L'état de servitude ou la misère des domestiques* :

> ...Et, passant du précepte à l'application,
> Elle a soin de vous faire entrer en action,
> Vous donnant à frotter trois chambres parquetées
> Qui, depuis quinze jours, n'ont pas été frottées.
> Lorsqu'enfin chaque chambre est bien propre et bien nette,
> Pour surcroît à vos maux, une fière soubrette
> Vous donne à nettoyer un jupon tout crotté ;
> Avalant à longs traits une épaisse poussière,
> Vous le frottez bien par-devant, par-derrière ;
> Cela fait, Bourguignon, décrottez ces souliers,
> Ensuite vous irez frotter les escaliers.

De plus, l'afflux des gens de la campagne — tous ces Petitjean venus de leur province pour être suisses — ont créé une redoutable concurrence et fait baisser les gages. Beaucoup de grandes familles prélèvent leur personnel de confiance sur les paysans de leurs domaines ; les bureaux de placement regorgent de garçons et de filles qui attendent un emploi ; il y a un bureau d'adresses pour les valets au Marché neuf, un pour les cuisinières à la Grève ; que si vous avez besoin d'un « extra », pour une réception, vous trouverez à volonté des laquais à la journée qui offrent leurs services sur les marches de l'escalier, près de la petite porte du Palais. Les laquais et garçons d'office, nourris à la maison, se contentent de soixante à cent livres de gages par an, une servante de vingt à trente livres. Étonnez-vous, après cela, si, en faisant son marché, elle « ferre la mule », c'est-à-dire si elle fait sauter l'anse du panier !

Lorsque le bourgeois s'enrichit, il augmente son train de maison et s'assure un personnel spécialisé et stylé, qui coûte sensiblement plus cher. Un valet de chambre se paye 200 livres par an, un bon cuisinier 300, un écuyer 400, un maître d'hôtel 500, sans compter les étrennes et les gratifications. Il est vrai que les domestiques sont bien nourris et bien traités ; souvent les maîtres leur laissent, par testament, des legs importants : Boileau lègue 6 000 livres à son valet de chambre, 4 000 à sa servante, 500 à son cocher.

La femme du bourgeois a conscience du rang qu'elle tient maintenant dans la société nouvelle : « Le titre de Madame, dit J. du Pradel, qu'on ne donnait autrefois qu'aux reines, aux impératrices et aux femmes du premier ordre, est aujourd'hui usurpé indifféremment par toutes les femmes un peu parées. Il n'y a pas fort longtemps que les femmes d'officiers considérables dans la robe ou dans l'épée se tenaient honorées du titre de Demoiselle ; aujourd'hui, les femmes des commis, des partisans, des marchands et des moindres officiers de robe, prendraient à injure ce terme d'honneur : toutes sont jalouses qu'on leur donne le titre éminent de Madame. »

Comment se contenterait-on du titre de Demoiselle quand on va en visite dans un carrosse somptueux et qu'on a sa « maison »? « Le mari et la femme ont chacun leurs domestiques à part et leurs officiers : ce sont deux maisons, deux familles. L'équipage du mari sent son homme aisé ; celui de la femme le dispute en magnificence avec ceux des duchesses, et par le nombre, et par la haute taille des laquais et par leurs parures. »

Monsieur, qui vient d'accéder à la noblesse de robe, a son intendant, son secrétaire, son écuyer, son valet de chambre, son maître d'hôtel, ses garçons de cuisine, laquais, portier, cocher, postillons, palefreniers, suisses ; Madame a sa soubrette et ses servantes. Elle dirige son ménage d'après *La Maison réglée* de d'Audiger, qui fixe avec précision le travail des officiers et des domestiques : on y apprend que la maison d'une dame de qualité est de seize personnes. Si Monsieur a fait fortune dans les fermes ou dans les parties casuelles, il voudra une maison comparable à celle du grand seigneur, soit une trentaine de personnes ; les calculs précis de d'Audiger nous révèlent qu'il lui en coûte alors, gages et entretien, 38 975 livres par an.

Si l'on veut un exemple précis de budget familial, pris dans la moyenne bourgeoisie, voici celui de M. d'Aubigné, frère de Mme de Maintenon, qui se marie en 1679. La veuve de Scarron, qui n'a jamais été dépensière, même après son ascension auprès du Roi, établit ainsi le budget journalier d'entretien de son frère, pour douze personnes, Monsieur et Madame, trois femmes, quatre laquais, deux cochers, un valet de chambre :

15 livres de viande à 5 sols...........	3 l. 15 s.
2 pièces de rôti........................	2 l. 10 s.
Pour du pain	1 l. 10 s.
Pour du vin	2 l. 10 s.
Pour du bois........................	2 l.
Pour du fruit	1 l. 10 s.
Pour de la chandelle	8 s.
Pour de la bougie	13 s.
	14 l. 16 s.

« Voilà à peu près votre dépense, précise minutieusement Mme de Maintenon, qui ne doit passer quinze livres par jour, l'un portant l'autre, la semaine 100 livres et le mois 500 livres. Vous voyez que j'augmente, car, 100 livres par semaine, ce ne serait que 400 livres par mois ; mais, en joignant le blanchissage, les flambeaux de pois, le sel, le vinaigre, le verjus, les épices et les petits achats de bagatelles, cela ira bien là. Je compte quatre sous en vin pour vos quatre laquais et vos deux cochers ; Mme de Montespan donne cela aux siens ; et, si vous aviez du vin en cave, il ne vous en coûterait pas trois, mais j'ai mis tout au pis. Je mets une livre de chandelle par jour, c'en sont huit : une dans l'antichambre, une pour la cuisine, une pour l'écurie ; je ne vois guère que ces quatre endroits où il en faille ; cependant, comme les jours sont courts, j'en mets huit, et si Aimée est ménagère et sache serrer les bouts, cette épargne ira à une livre par semaine. Je mets pour quarante livres de bois que vous ne brûlerez que deux ou trois mois de l'année ; il ne faut que deux feux, et que le vôtre soit grand. Je mets dix sous en bougie ; il y en a six à la livre, qui durera trois jours. Je mets pour le fruit trente sous ; le sucre ne coûte qu'onze sous la livre, et il n'en faut pas un quarteron pour une compote ; du reste, on fonde un plat de pommes et de poires qui passe la semaine en renouvelant quelques vieilles feuilles qui sont dessous, et cela n'ira pas à vingt sous par jour. Je mets deux pièces de rôti, dont on épargne une le matin, quand Monsieur dîne en ville, et une le soir quand Madame ne soupe pas ; mais aussi j'ai oublié une volaille bouillie sur le potage. Tout cela bien considéré, vous verrez que nous entendons le ménage. Vous aurez le matin un bon potage avec une volaille ; il faut se faire apporter dans un grand plat tout le bouilli, qui est admirable dans ce désordre-là. On peut fort bien, sans passer les quinze livres, avoir une entrée de saucisses un jour, d'une fraise de veau un autre, de langues de mouton, et, le soir, le gigot ou l'épaule avec deux bons poulets. J'ai oublié le rôti du matin qui est un bon chapon, ou telle autre pièce que l'on veut, la pyramide éternelle et la compote.

« Tout ce que je vous dis là posé, et que j'apprends à la cour, votre dépense de bouche ne doit pas dépasser 6 000 livres par an. J'en mets 1 000 pour habiller Mme d'Aubigné, et, avec ce que je lui donne, elle en aura assurément de reste ; elle a une année d'avance, et elle n'a rien acheté depuis qu'elle est mariée, au moins si je n'en suis pas la dupe. Je mets ensuite 1 000 livres pour les gages ou les habits des gens, 1 000 livres pour le louage de la maison, ce qui n'ira pas là ; 3 000 livres pour vos habits et pour l'Opéra et d'autres dépenses. Tout cela n'est-il pas honnête? Et le reste de votre revenu ne peut-il pas suffire à certains extraordinaires que l'on ne peut prévoir, comme l'achat de quelque cheval, l'entretien de deux carrosses, un meuble, le payement de quelque petite dette?... »

Ah! certes, la veuve Scarron « entend le ménage » et elle était vraiment prédestinée à diriger un pensionnat de jeunes filles! Ainsi, avec 12 000 ou 15 000 livres de dépenses par an, M. d'Aubigné mènera-t-il, à Paris, un train honnête. Peut-être trouve-t-il que sa sœur s'occupe d'un peu trop près de ses affaires... Mais elle a connu la vie difficile et en a conservé l'habitude de serrer de près les dépenses. Et puis elle n'a guère confiance en sa belle-sœur pour gérer le ménage de son frère et ne le lui envoie pas dire : « ... Legois me dit que vous avez acheté du linge de table ; il faut le marquer et prendre garde qu'on ne le change au blanchissage. Il faut parler de toutes ces choses-là devant Mme d'Aubigné : elle a un air d'emplâtre que je voudrais bien lui ôter. »

Largement secondée par le personnel domestique qu'elle se contente de surveiller, la bourgeoise dispose de loisirs. Elle entretient une nombreuse correspondance, qui constitue pour elle une aimable distraction. Depuis que les précieuses ont mis à la mode le choix d'un « jour » de réception, elle accueille ses amies et leur rend visite. Les soucis intellectuels et artistiques ne lui font pas défaut ; nombreuses sont celles qui jouent du clavecin ; la production d'une abondante littérature féminine a développé le goût de la lecture ; saint François de Sales et la littérature chrétienne se partagent ses loisirs avec la littérature mondaine des romans et des recueils de vers à la mode. Les femmes ne redoutent pas les livres légers et grivois. Certes, Mme de Sévigné raffole de Nicole et elle recommande la lecture de saint Paul et de saint Augustin à sa fille, mais elle lui conseille aussi les *Contes* de la Fontaine, « pour vous divertir ». De Mlle de Scudéry, les dames apprécient autant les *Conversations morales* que les grands romans de galanterie. La comtesse de la Suze, Mlle Lhéritier, Mme Deshoulières et tant d'autres poétesses à la mode trouvent un large public féminin qui discute à l'infini de leurs mérites.

Notre bourgeoise trouve encore à s'occuper avec ses enfants ; beaucoup de familles ont une abondante progéniture, fierté des parents.

Chaque naissance est un événement heureux ; on va chercher pour le nouveau-né une nourrice chez les « recommanderesses », sortes de tenancières de bureaux de placement, rue de la Vannerie ou rue du Crucifix-Saint-Jacques ; on lui adjoint parfois une « teneuse » pour promener l'enfant.

La mère n'est pas encore relevée de ses couches qu'on baptise le nouveau-né, le lendemain ou le surlendemain de sa naissance : c'est l'heure des cadeaux et de la fête de famille, qui rassemble tous les parents autour du parrain et de la marraine. Dans son berceau garni de dentelles, muni du hochet à grelots dans lequel on a enchâssé une dent de loup pour l'aider à percer les siennes, le marmot fait tout de suite le dur apprentissage de la vie. On lui tient, en effet, le corps serré, les bras allongés le long du corps ; il est entouré jusqu'au cou de bandelettes, qui le transforment en véritable petite momie. Le médecin François Mauriceau nous explique que « l'enfant doit estre ainsi emmailloté, afin de donner à son petit corps la figure droite, qui est la plus décente et la plus convenable à l'homme, et pour s'accoutumer à se tenir sur ses pieds ; car, sans cela, il marcherait peut-estre à quatre pattes, comme la plupart des autres animaux ». S'il crie, on lui donne un morceau de guimauve ou un « baston de riguelisse ». Dans le domaine de l'enfance, la médecine est aussi ignorante que lorsqu'il s'agit d'adultes : n'enseigne-t-elle pas qu'il faut donner du porc-épic à manger aux enfants qui s'oublient trop souvent ?

Garçonnet ou fillette, le sort de l'enfant n'est guère enviable ; aux soucis de l'éducation, aux leçons et aux pensums s'ajoutent les soins du ménage, auxquels l'enfant prête la main de bonne heure ; au retour de l'école, il dresse le couvert, sert et dessert pendant les repas, remplit les verres, mouche la chandelle, coupe les viandes.

Dans la grande bourgeoisie, le garçon a un précepteur, généralement un ecclésiastique, qui l'enseigne à domicile ; sinon, c'est la « petite école » et sa férule, puis le collège, où la vie d'interne le transforme en reclus.

Le sort des filles n'est guère plus heureux ; faute de gouvernantes expérimentées, c'est le couvent qui les guette : de nombreuses communautés se chargent, moyennant 500 à 600 livres de pension, de l'éducation des filles : Port-Royal ; les Dames de Sainte-Marie de la Visitation, faubourg Saint-Jacques ; l'Abbaye au Bois, rue du Bac.

La jeune fille y reçoit une éducation religieuse et souvent même étroitement dévote, qui lui ferme les yeux sur les réalités de la vie. Enfermée, tenue à l'écart du monde, elle passe sa vie en exercices de piété ; quelques travaux d'aiguille et des lectures étroitement surveillées, d'où sont bannies les romans, les pièces de théâtre et même les livres d'histoire, et qui ne comprennent que de fades livres de piété. Le libéralisme dont fait preuve Fénelon dans son *Traité de l'éducation des filles* apparaît comme étrangement hardi et contraire à la pratique courante. Dans son couvent, la jeune fille n'apprend guère son futur métier de maîtresse de maison, et encore moins celui de mère de famille. Si elle veut avoir des « clartés de tout », comme Molière lui en reconnaît le droit, il ne lui restera qu'à les acquérir elle-même, par ses propres moyens.

L'heure du mariage sonne bientôt pour elle, souvent peu de temps après celle de la puberté. On pourrait croire que cet événement marque l'époque où la jeune fille s'ouvre enfin à une vie personnelle. Il n'en est rien. Elle prend aussi peu de part que possible à cet acte décisif, qui décidera de toute sa vie. Chez les marchands, comme chez les officiers, le mariage est une affaire qui ne regarde que les parents. C'est une association de sacs d'écus, minutieusement soupesés, un marchandage où la grosse dot équilibre parfois un titre de noblesse ; la jeune fille ne doit pas écouter le penchant de son cœur ; elle n'a pas à faire connaître ses aspirations. Soumise à la rude autorité paternelle, elle se laisse marier, car elle n'a, en cas de refus, d'autre perspective que de retourner au morne couvent. Et bientôt elle connaîtra la nouvelle tyrannie d'un mari, qui lui prêchera l'obéissance et, s'il se trouve, se donnera à lui-même les plus grandes libertés.

> Du côté de la barbe est la toute-puissance...

Que d'Agnés ainsi mal mariées ! et comme l'on comprend la campagne généreuse que Molière a menée toute sa vie en faveur du mariage d'inclination, du libre choix de la jeune fille et des droits de l'amour! Il s'est fait, en ce domaine, l'auxiliaire des précieuses, ancêtres de nos féministes, qui n'ont jamais cessé de protester contre la tyrannie de ces mariages imposés et trop souvent mal assortis. Hélas! leurs revendications restèrent sans effet et les précieuses n'eurent d'autre ressource que de se réfugier dans ce monde irréel de l'amour platonique qu'elles avaient créé pour échapper au monde réel qui ne laissait aucune place aux mouvements de leurs cœurs.

Ainsi l'époque connut beaucoup de « mal mariées » qui ne virent dans le mariage qu'un esclavage odieux. Et ceci explique tant de revanches amoureuses et souvent scandaleuses, dont chroniqueurs et chansonniers se gaussaient. Les mœurs sont ainsi responsables d'une certaine immoralité qui atteint les milieux bourgeois.

Ayant arrondi la fortune héritée de son père et marié tous ses enfants, le bourgeois a comblé son idéal. L'heure de la vieillesse approche pour lui, avec son cortège de maladies et de souffrances. Notre bourgeois tombe alors entre les mains de médicastres ignorants et stupides, quand il ne recourt pas tout simplement à un médecin « empirique », simple charlatan, à un guérisseur ou à un marchand d'orviétan. Au pas lent de sa mule, l'homme de l'art arrive cérémonieusement au chevet du malade, vêtu d'une robe noire à rabat de sinistre présage. Car, comme dit Pascal, « qui pourrait avoir confiance dans un médecin qui ne porte pas de rabat »?

Affecter un air pédantesque,
Cracher du grec et du latin,
Longue perruque, habit grotesque,
De la fourrure et du satin,
Tout cela réuni fait presque
Ce qu'on appelle un médecin.

Les médecins de la Faculté sont peu nombreux à Paris : on n'en compte guère qu'une centaine, qui vendent assez cher leur science bouffonne ; ils reçoivent un écu par visite et toute leur science se résume au *clysterium donare, postea saignare, ensuita purgare* de Molière. Très fiers de leur diplôme de docteur, ce sont des personnages importants, qui regardent de haut les chirurgiens et les barbiers avec qui ils sont en lutte perpétuelle ; ils dictent pompeusement leurs ordonnances, que les apothicaires traduiront en mémoires déjà légendaires, auxquels on fait subir un abattement de moitié avant de les avoir lus.

Il ne faut pas s'étonner si leur science est si courte, quand on sait l'enseignement qu'ils recevaient et qui ne dépassait guère Aristote, Hippocrate et Galien et les puériles querelles d'école, comme celle de l'émétique, qui emplit tout le siècle. Les thèses qu'ils soutenaient gravement devant Messieurs de la Faculté portaient sur des questions extravagantes : la femme est-elle un ouvrage parfait de la nature ? Les jolies femmes sont-elles plus fécondes que les autres ? La nature peut-elle plus que l'éducation pour former des héros ? Les Parisiens sont-ils sujets à la toux quand souffle le vent du Nord ? Telles sont les billevesées sur lesquelles s'exerçait, en latin de cuisine, leur dialectique sclérosée depuis le moyen âge.

Et cependant, ces ignorants, tout boursouflés de vanité, tiraient de larges profits d'une profession si mal exercée. On s'étonne de voir Lister parler de leurs « pitoyables » honoraires. Leur petit nombre, du moins à Paris, car il semble en avoir été autrement en province, leur assurait une abondante clientèle. Ceux qui décrochaient des charges officielles en tiraient de larges revenus : celle de premier médecin du Roi rapportait 45 000 livres à d'Aquin ; chaque prince, chaque grand seigneur avait son médecin attitré et pensionné. « Ils dotent leurs filles, écrit La Bruyère, placent leurs fils au Parlement et dans les prélatures, et les railleurs eux-mêmes fournissent l'argent. »

Incapables de diagnostiquer une maladie, les médecins infligeaient à leurs clients, outre la saignée, la purge et le lavement traditionnels, de répugnants remèdes, parfaitement inefficaces, que les apothicaires préparaient sans que leur cœur se soulève. Je relève dans un livre de raison cette « recette » pour la jaunisse : « Détrempez tous les matins un dragme de la fiente d'oye dans un demi-verre de vin blanc ; faites-en prendre pendant neuf jours, on verra des effets surprenants. » Naïvement, Mme de Sévigné, qui se soigne elle-même à la « poudre de sympathie », nous apprend que Mme de Lafayette prend des « bouillons de vipère qui lui donnent des forces à vue d'œil ». Ouvrez la *Pharmacopée* de Charas, approuvée par d'Aquin, une des plus hautes autorités médicales : vous y verrez recommander les bienfaits de la fiente de paon contre l'épilepsie, du sperme de grenouille contre les vomissements, du sel de crapaud contre l'hydropisie, du sel de cloporte et de ver de terre contre la goutte, des cendres d'abeille pour faire repousser les cheveux et de l'huile de fourmi contre la surdité.

Il ne faut donc pas s'étonner si très peu de malades sérieusement atteints réchappaient de ces ridicules traitements. Lorsque la nature ne reprend pas le dessus et n'opère pas elle-même la guérison, le malade, entre les mains de ces personnages de comédie que sont le médecin et l'apothicaire, est irrémédiablement perdu. Son heure dernière ne tarde pas à sonner.

Notre bourgeois a tout prévu ; en rédigeant son testament, chargé de legs pieux, il a fait connaître ses dernières volontés en ce qui concerne ses obsèques. Son enterrement sera le dernier acte par lequel il affirmera son rang, l'ultime manifestation de sa vanité. Son corps n'est pas encore refroidi que ses héritiers sont déjà entre les griffes du crieur-juré. Ce dernier appartient à une corporation dont les membres — ils sont trente à Paris — s'entendent à exploiter la douleur humaine. Intermédiaires auprès du cirier qui fournit les cierges et du curé qui fournit la bière et assure le service religieux, à grand renfort de glas, les crieurs ont le monopole des fournitures mortuaires. Ils font imprimer et distribuer les billets d'enterrement, à quatre livres le cent, se chargent des draperies de l'église et de la maison mortuaire et assaisonnent leurs mémoires de mille fournitures réelles ou imaginaires, dont les héritiers réduiront le prix, comme il est d'usage avec les apothicaires. Il en coûte plusieurs centaines de livres pour un enterrement décent à Paris. Le crieur annoncera le décès de son client ; revêtu d'une dalmatique noire, semée d'emblèmes funèbres, une cloche d'une main, une lanterne de l'autre, il parcourt nuitamment les rues de la capitale en psalmodiant :

« Priez pour le repos de M..., qui vient de trépasser en son logis, rue... »

Comme dit Saint-Amant :

Le clocheteur des trespassez;
Sonnant de ruë en ruë,
De frayeur rend les cœurs glacez,
Bien que leur corps en suë.
Et mille chiens, oyans sa triste voix,
Luy répondent à longs abois.

Ainsi, dans le faste ostentatoire d'une dernière cérémonie, le bourgeois, laissant à ses fils un héritage plus riche que celui qu'il a reçu de son père, quitte ce monde où il a connu au moins deux grandes sources de joie, la fortune et la vanité...

CHAPITRE IV

LE COSTUME, LA TOILETTE ET LA MODE

L'INFLUENCE et le prestige de la cour, d'une part, le développement de la vie mondaine à Paris, d'autre part, donnent, au temps de Louis XIV, une importance primordiale à la mode. Nombreux sont les traités que des spécialistes lui consacrent et dont les coquettes font leurs délices. Elles rougiraient d'aller en visite ou en promenade au Cours-la-Reine avec une toilette démodée, qui ferait d'elles la risée des gens de qualité. Si les prédicateurs et les sermonnaires tonnent en chaire contre l'abus du luxe, les moralistes reconnaissent la légitimité des lois de la mode, qui font partie des bienséances : « Il y a autant de faiblesse, écrit La Bruyère, à fuir la mode qu'à l'affecter. »

Notons d'abord que, pour la bourgeoisie, le costume est réglementé. Ce « dirigisme » répond à trois idées essentielles : incrongruité de voir les gens de la ville habillés aussi richement que la noblesse de cour, souci de protectionnisme en faveur de nos manufactures naissantes, protection du bourgeois contre le goût du luxe qui le ruinerait.

Reprenant une déclaration de 1656, Louis XIV interdisait dès 1660, sous peine d'amende, aux bourgeois, « de porter, non seulement des étoffes d'or et d'argent, mais encore broderies, piqûres, chamarrures, guipures, passements, boutons, etc. ». Défense réitérée en 1661 et en 1663, et bien souvent encore jusqu'à la fin du règne. Pendant quarante ans, Louis XIV renouvela *onze* fois l'ordonnance qui réservait à lui-même et à la noblesse, qui intriguait pour obtenir le fameux « justaucorps à brevet » de couleur bleue — il n'y en avait que soixante, — à l'exclusion des commerçants et des bourgeois, le monopole de l'or et de l'argent sur les habits. C'est la preuve éclatante que cette réglementation, qui se heurtait à l'obstacle le plus puissant, la vanité humaine, restait totalement inopérante. De nombreux témoignages l'attestent. Tous les inventaires de bourgeois aisés mentionnent des habits galonnés d'or et d'argent. En 1697, Marana, dans ses *Lettres d'un Sicilien*, écrivait : « Tout le monde s'habille avec beaucoup de propreté ; les rubans, les miroirs et les dentelles sont trois choses sans lesquelles les Français ne peuvent pas vivre. L'or et l'argent sont devenus si communs qu'ils brillent sur les habits de toutes sortes de personnes, et le luxe démesuré a confondu le maître avec le valet. »

Vers la même époque, J. du Pradel, dans son *Traité contre le luxe*, s'emporte contre les goûts somptuaires des bourgeois : « La moindre bourgeoise veut porter des habits et des parures de Demoiselle... De nos jours, elles ont trouvé le secret d'employer dans un seul habillement de femme plus d'étoffe qu'il n'en falloit autrefois pour plusieurs ; elles se grossissent la taille sans mesure ; elles se donnent une vaste et énorme rondeur par les plis et les replis des habits dont elles se chargent ; l'or, l'argent, la soye, les riches dentelles, les pierreries, tout est épuisé pour les orner. »

D'ailleurs, tout comme aujourd'hui, la mode est changeante : n'est-ce pas sa nature même? « Une mode a à peine détruit une autre mode qu'elle est abolie par une plus nouvelle, qui cède elle-même à celle qui la suit, et qui ne sera pas la dernière : telle est notre légèreté », constate La Bruyère.

Qui « lance » la mode? La cour, bien entendu. Le luxe du costume fait partie du faste de Versailles auquel tient Louis XIV. Personnellement, dans sa jeunesse, il avait été grand amateur de costumes somptueux, ornés de pierreries. Mais, après l'installation à Versailles, il se contente de riches étoffes brodées ; il réserve sa magnificence pour les réceptions d'apparat ; lorsqu'il accueille l'ambassadeur de Perse, qu'il veut éblouir, il porte pour douze millions de livres de diamants sur lui. « Il ployoit sous le poids », dit Saint-Simon. Mais, hors les cérémonies officielles, il affecte une simplicité souveraine qui contraste avec les chamarrures des courtisans. « Il étoit vêtu de velours de couleur plus ou moins foncée, écrit Dangeau, avec une légère broderie et un simple bouton d'or, toujours une veste de drap ou de satin, bleue ou verte, fort brodée. Il ne porta jamais de bagues ni de picrreries qu'à ses boucles de souliers ou de jarretières. » Mais les tailleurs de la cour — Barthélemy Autran succéda à Ourdault et habilla le Roi pendant plus de vingt ans — et les marchands parisiens, merciers et drapiers, s'entendaient à merveille pour inciter les jeunes seigneurs et les belles dames à se faire remarquer par des toilettes nouvelles, des étoffes toujours plus riches.

La cour connut des « arbitres » de la mode ; après Cinq-Mars, Montauron et le duc de Candale, ce furent Lauzun, Vardes, Villeroy, de Guiche et surtout Lenglée. Ce dernier joua le rôle d'un véritable ministre de la mode et dut y trouver de bons profits. C'était un de ces habiles qui tirent parti de tout et que les scrupules n'étouffent point. Fils d'une femme de chambre de la Reine mère, il s'était enrichi au jeu, comme Dangeau. C'est lui qui donna à Mme de Montespan la fameuse robe « d'or sur or, rebrodée d'or, rebordée d'or, et par-dessus un or frisé rebroché d'un or mêlé avec un certain or qui fait la plus divine étoffe qu' n ait jamais imaginée ». Ainsi, le malin courtisan lançait-il les étoffes à la mode que lui fournissaient les marchands et s'attachait-il les dames, qui prenaient ses décrets pour des oracles.

A l'affût des dernières nouvelles, Donneau de Visé les diffusait immédiatement dans son *Mercure galant*, qui réserva toujours une grande place aux questions de mode : n'était-ce pas le moyen de s'assurer une fidèle clientèle féminine ?

La mode occupait, comme il est naturel, les grandes

dames de Versailles. Dangeau écrit encore en 1715 : « On parle fort d'un changement d'habit et de coiffure pour les dames et l'on doit s'assembler demain, après dîner, chez Mme la duchesse de Berry, pour cela, où l'on fait venir les habiles tailleurs et les fameuses couturières, et Bérain, le dessinateur de l'Opéra. » Ainsi, de véritables conférences artistiques présidaient à l'élaboration des modes nouvelles.

Les dames dépensaient de grandes sommes d'argent à leur toilette ; brocarts d'or et d'argent, damas, velours, satins, taffetas, tout cela broché, orné de ramages et de passementeries, surchargé de dentelles, de falbalas et de pretintailles, lourdes appliques de découpures en couleur, telles étaient les étoffes les plus couramment employées. Elles coûtaient fort cher ; voici quelques prix pratiqués : le damas, 20 à 25 livres l'aune (l'aune valait environ 1 m. 20) ; velours violet à fond d'or, 24 livres ; velours noir, 10 à 15 livres ; velours rouge cramoisi, 24 livres ; velours de Gênes, 20 livres ; satin de Lyon, 5 à 6 livres. En 1679, Mme de Maintenon, qui ne saurait passer pour une dépensière, paya, pour sa belle-sœur, une jupe de satin noir et violet en broderie 330 livres ; une robe de moire rose 94 livres ; une jupe de satin jaune 227 livres ; un corsage couleur de feu 38 livres. Mais les petites bourgeoises se contentaient de toile grise à vingt sous l'aune ou de toile de Troyes à quarante-cinq sous.

Les tailleurs à la mode faisaient payer fort cher leurs services ; si l'on voulait s'habiller chez les grands tailleurs, comme Regnault ou Gautier, rue des Bourdonnais, il ne fallait pas regarder à la dépense. Longtemps, d'ailleurs, les dames se firent habiller par les tailleurs d'homme. Les couturières, qui n'étaient que des lingères et des raccommodeuses, prétendirent rivaliser avec les tailleurs ; la lutte dura quelque vingt-cinq ans ; les couturières finirent par l'emporter et obtinrent, en 1675, le droit de se constituer en corporation et de faire ainsi concurrence aux tailleurs. Bien vite, elles surent s'assurer une bonne clientèle; à la fin du siècle, Mme Charpentier, rue Montorgueil, ou

Mme Villeneuve, près de la place des Victoires, habillaient les plus grandes dames de la cour ; c'est donc à elles que s'adressaient les femmes de la grande bourgeoisie. Moyennant une honnête commission, Donneau de Visé leur faisait de la publicité dans le *Mercure galant* et leur assurait les meilleurs chalands de la ville.

Pénétrons donc dans le cabinet d'une coquette et assistons à sa toilette. Les soins de propreté et d'hygiène ne la retiennent pas longtemps ; on se soucie peu de l'entretien du corps ; au surplus, les parfums ne sont-ils pas là pour chasser les mauvaises odeurs, les pastilles à l'anis pour embaumer l'haleine, en absence de toute hygiène dentaire? On est étonné qu'un manuel très à la mode, comme *Les Lois de la galanterie française*, précise : « Pour parler premièrement de ce qui concerne la personne, l'on peut aller *quelquefois* chez les baigneurs pour avoir le corps net, et *tous les jours* l'on prendra la peine de se laver les mains avec le pain d'amande. Il faut aussi se faire laver le visage *presque aussi souvent.* » Si Madame ne veut pas aller jusqu'à la rue Neuve-Montmartre, chez Prud'homme, l'étuviste célèbre, elle peut prendre son bain à domicile ; non qu'elle dispose d'une baignoire, absente de tous les mobiliers bourgeois, mais, pour vingt sous, elle pourra louer à la journée une baignoire en cuivre ; pour dix sous, elle trouvera même une baignoire de bois chez le premier tonnelier venu. Mais soyez sûr qu'elle n'en abusera pas, suivant en cela l'usage des grands et de la cour. Mme de Motteville, ayant visité la reine Christine de Suède, nous dit tout crûment que ses mains « étoient si crasseuses qu'il étoit impossible d'y apercevoir quelque beauté ». Cette horreur de l'eau semble générale au XVIIe siècle. Une *Civilité nouvelle* recommande : « Les enfants nettoyeront leur face et leurs yeux avec un linge blanc. Cela décrasse et laisse le teint et la couleur dans la constitution naturelle. Se laver avec de l'eau nuit à la vue, engendre des maux de dents et cathares, appâlit le visage et le rend plus susceptible de froid en hiver et de hasle en esté. »

Madame, secondée de sa femme de chambre, s'attarde volontiers devant son miroir encadré d'ébène. Munie du peigne, que les Précieuses appellent le « dédale », elle lisse ses longs cheveux parfumés. La coiffure est une grande affaire et, là comme ailleurs, la mode est souveraine. Il faut être au goût du jour ; Champagne, le coiffeur en renom, à qui la reine Marie de Gonzague confia sa chevelure, est le maître incontesté de l'art capillaire.

En 1671, une coiffeuse à la mode, Mme Martin, lance la coiffure *hurlupée* ou *à l'hurluberlu*, qui nécessite le sacrifice d'une partie de la chevelure ; les dames s'y résignent sans protester. Partagés par une raie au milieu de la tête, les cheveux sont roulés en boucles serrées les unes contre les autres, qui retombent jusqu'aux épaules en plusieurs étages. Mme de Sévigné, qui n'aime pas cette nouvelle mode, mais qui s'y plie cependant, en donne minutieusement la recette à sa fille. Les boucles apprêtées, on s'enveloppe la tête de la coiffe, pièce de crêpe ou de taffetas qu'on noue sous le menton et qui laisse le visage découvert. La coiffe est tantôt de couleur assortie au corsage, tantôt noire ; dans ce cas, les Précieuses l'appellent, en leur jargon, « les ténèbres ». Par-dessus la coiffe, on pose deux cornettes, l'une de gaze, l'autre de soie.

Vers 1680, une révolution se fait dans la coiffure féminine. Mlle de Fontanges, l'élue du jour, ayant été décoiffée par le vent au cours d'une promenade à cheval avec le Roi, a vite ramené ses cheveux sur le sommet de sa tête et les a hâtivement noués d'un ruban. Du coup, il ne faut plus parler d'*hurluberlu* ; toutes les dames soucieuses de la mode se coiffent *à la Fontanges.* La coutume en durera une vingtaine d'années. Le sévère censeur du *Traité contre le luxe des coiffures* parle encore, en 1694, de ces hautes coiffures incommodes, pyramidales : « C'était une espèce d'édifice à plusieurs étages, fait de fil de fer, et sur lequel on plaçait différents morceaux de toile séparés par des rubans, ornés de boucles et de cheveux, et tout cela distingué par des noms si bizarres et si ridicules que nos neveux et la postérité auront besoin d'un glossaire pour expliquer les usages de ces différentes pièces et l'endroit où on les plaçait. Sans ce secours, qui pourrait savoir un jour ce que c'était que la *duchesse*, le *solitaire*, le *chou*, le *mousquetaire*, le *croissant*, le *firmament*, le *dixième ciel* et la *souris* ? »

Par-dessus cet échafaudage, cet entassement de boucles et de tortillons, orné d'un ruban d'or à jour, maintenu par des épingles à tête de diamant (dans la bourgeoisie, le jais remplace généralement les pierreries), qu'on appelle *guêpes* et *papillons*, on place toujours la coiffe et les deux cornettes, bordées de dentelles plissées *à la Marly* ou *à la Jardinière.*

Le Roi lui-même se lasse de ces pièces montées, trop compliquées pour avoir bonne grâce ; en avril 1691, nous dit Mme de Sévigné, il demande aux femmes d'abandonner les hautes coiffures pour des coiffures plates. Mais Louis XIV, qui peut tout, est impuissant dans le domaine de la mode féminine. Les fontanges, disposées maintenant en rayons — ces *cheveux en palissade*, comme dit Donneau de Visé, c'est ce que nous appelons aujourd'hui la coiffure à la Maintenon, — survivront jusqu'à la fin du siècle; ce n'est qu'à l'extrême fin du règne qu'une Anglaise mettra les coiffures basses à la mode. Ainsi les femmes se créent-elles d'inutiles et incessants soucis : « N... est riche, elle mange bien, elle dort bien; mais les coiffures changent, et, lorsqu'elle y pense le moins, et qu'elle se croit heureuse, la sienne est hors de mode. » La Bruyère est impitoyable.

Enfin coiffée, Madame achève de s'ajuster proprement ; c'est l'heure du fard et des parfums, dont on fait grand usage, sauf à Versailles, où le Roi, qui en abusa jadis, a pris en dégoût les senteurs violentes. Où Madame posera-t-elle ce matin sa mouche, qui vient de chez la bonne faiseuse, « A la perle des mouches », rue Saint-Denis? Mettra-t-elle une *passionnée* près de l'œil, une *baiseuse* au coin de la bouche, une *coquette*, sur la lèvre, une *galante* au milieu de la joue? Non, notre coquette est aujourd'hui d'humeur rieuse : elle se décidera pour une *effrontée* sur le nez.

Sur sa coiffeuse s'étalent, en boîtes et en pots, poudre de

Chypre, pommade de Florence ou de Rome, cire d'Espagne, essences de Nice et de Gênes, lait virginal. Choisir et marier les essences subtiles est un art aussi difficile et aussi délicat que se coiffer. Il s'agit de se faire une beauté artificielle, fort éloignée de la fraîcheur du teint naturel : « Si les femmes, dit encore La Bruyère, étaient telles naturellement qu'elles le deviennent par leurs artifices, c'est-à-dire qu'elles perdissent tout à coup la fraîcheur de leur teint, qu'elles eussent le visage aussi allumé et aussi plombé qu'elles se le rendent par le rouge et les peintures dont elles se fardent, elles seraient inconsolables. »

Mais les coquettes ne partagent point l'avis du moraliste. Sur leur coiffeuse voisinent des poudres à poudrer de tous parfums, ambre, jasmin, jonquille, jacinthe, rose ; des parfums, musc, ambre, cannelle, marjolaine, lavande; de la céruse, du sublimé, du rouge d'Espagne, du vinaigre distillé, de l'eau de fleurs. Martial, valet de chambre de Monsieur, et Simon Barbe, qui tient boutique *A la Toison d'Or*, rue des Gravilliers, sont les plus réputés des parfumeurs parisiens. *Le livre commode des adresses*, de Pradel, véritable bottin commercial du XVIIe siècle, fournit aux Parisiennes d'autres adresses : « M. Guilleri, rue de la Tabletterie, fait venir du Portugal la véritable eau de Cordoue. L'eau de fleurs d'oranger et les essences pour les cheveux et pour le tabac sont apportées et commercées par les Provençaux au cul-de-sac Saint Germain-l'Auxerrois. On trouve en détail de bonne eau de fleurs d'oranger *A l'Orangerie*, rue de l'Arbre-Sec, et *A la Devise royale*, sur le quai de Nesle, près de la rue Guénégaud. On vend au même lieu les fines essences pour les tabacs, les eaux odoriférantes d'ange et de mille fleurs, les cassolettes philosophiques, le lait d'amarante qui parfume les chambres sans blesser les vaporeux, les essences d'ambre, de musc, etc. Le sieur Joubert, qui demeure *Au Soulier d'Or*, rue des Vieilles Étuves, près de la Croix du Tiroir, est un colporteur qui donne à un très bon marché des sortes de poudres et de savonnettes communes. »

En dépit des prédicateurs, qui renouvellent en chaire chaque dimanche leurs protestations contre l'abus des parfums et des fards, toutes les femmes soucieuses de leur élégance en usent et en abusent. Elles ont chez elles *le Parfumeur français*, de Simon Barbe, manuel adroit qui leur enseigne l'art de mêler les parfums et de les confectionner elles-mêmes. Elles ne répugnent pas à manier la graisse animale pour faire leurs essences. Dans les *Précieuses ridicules*, le bonhomme Gorgibus peste contre ses filles : « Ces pendardes-là, avec leur pommade, ont, je pense, envie de me ruiner. Je ne vois partout que blancs d'œufs, lait virginal et mille autres brimborions que je ne connais point. Elles ont usé, depuis que nous sommes ici, le lard d'une douzaine de cochons pour le moins, et quatre valets vivraient tous les jours des pieds de mouton qu'elles emploient. »

Madame est coiffée, parfumée et fardée. Elle a passé ses bijoux d'or ou de corail, attaché ses pendants d'oreilles. Il ne lui reste plus qu'à s'habiller. Travail long et minutieux car, par-dessus la chemise de toile fine, ornée de dentelle d'Alençon ou d'Angleterre, elle ne superposera pas moins de trois jupes, qui lui épaissiront la taille. Elle va choisir dans sa garde-robe le vêtement de couleur, à la mode du jour, généralement clair, ventre de biche, gris de lin, cerise, isabelle ou jaune citron.

Le *corps* (corsage) se termine en pointe à la taille ; il est maintenu rigide par un busc d'ivoire ou de bois ; des manches courtes, appesanties par des plombs « qui convien-droient beaucoup mieux à la tête de quelques-unes », dit un moraliste bougon, sort un triple volant de dentelles fines. Vers la fin du siècle, le *corps* se prolongera en deux basques sous la taille. Il est généralement décolleté et laisse plus que deviner la gorge ; certaines coquettes ne prennent même pas la peine de se voiler d'un mouchoir de col pour aller à l'église, où leur tenue indécente fait scandale ; plus puritain que son frère le satirique, Jacques Boileau croit faire œuvre pie en publiant tout un traité *De l'abus des nudités de gorge*.

Les deux jupes de dessous sont en tabis ou en taffetas ; celle de dessus est de velours, de satin, de moire ou de brocatelle, soierie à petits bouquets d'or ou d'argent. Cette troisième jupe se relève largement sur le côté pour découvrir la seconde et se prolonge en une traîne appelée « manteau », portée par un laquais, et dont la longueur, à la cour, est réglementée, afin que chacun reste à son rang ; la Reine a droit à une queue de onze aunes, les filles de France de neuf, les petites-filles de France de sept, les princesses du sang de cinq et les duchesses de trois.

Ce « manteau » varie, selon les années, en importance et en longueur ; à la fin du règne, on glisse par-dessous une tournure en toile gommée, pour le faire bouffer ; au moindre mouvement, cet engin crisse et fait un bruit désagréable : il en tire son nom de « criarde ».

Aux trois robes dont elles s'habillent, les précieuses ont donné des noms galants ; celle de dessous, « qui touche du bout du doigt au point du parfait amour », doit être assortie aux rubans et porter les couleurs de l'amant : c'est la *secrète* ou la *fidèle* ; l'intermédiaire, à demi découverte, c'est la *friponne* ; à celle de dessus, bien qu'elle soit chargée de passementerie, de dentelles, de volants et de falbalas, revient le titre de *modeste*.

Les petites bourgeoises, à qui sont interdits les brocarts d'or, s'habillent de robes en *camelot de Hollande*, soie tramée de laine, de serge ou de *ferrandine*, soie tramée de coton. Les femmes du menu peuple se contentent de petits draps, notamment de la *grisette*, qui leur a laissé un surnom.

Malgré la disparition du vertugadin, formé de cerceaux, fort à la mode sous Louis XIII, ces robes simples et superposées, taillées dans des étoffes lourdes et surchargées de passementeries, de rubans et d'agrafes de pierreries, donnent aux femmes un aspect pesant et engoncé qui doit être modéré par la grâce et par l'aisance pour n'être pas trop apparent.

Ainsi habillée, Madame est prête à sortir pour aller en visite ou à la promenade traditionnelle du Cours-la-Reine, en carrosse ; il ne lui reste plus qu'à mettre son masque de velours noir et à choisir une paire de gants assortie à sa robe ; les gants d'Espagne, à la mode, sont coupés, c'est-à-dire fendus sur la main, ornés d'une dentelle d'or et délicatement parfumés à l'ambre ou au musc. Nos élégantes attachent beaucoup d'importance à leurs gants ; on dit alors que, pour qu'un gant soit parfait, il y faut le concours de trois royaumes : la peau doit en être préparée en Espagne, taillée en France et cousue en Angleterre.

S'il pleut, Madame se protégera la tête d'une écharpe de taffetas garnie de dentelles ; si la chaleur est accablante, elle se munira de son éventail. D'habiles artisans savent en varier la décoration pour en assurer le fréquent renouvellement ; ce sont de véritables objets d'art, qu'on offre volontiers aux dames ; en 1676, Mme de Sévigné nous apprend qu'ils sont ornés de figures « de petits ramoneurs les plus jolis du monde » ; plus tard, les éventails *à la siamoise*, lancés après la fameuse ambassade des Siamois à Paris, sont ornés de figures de magots peints sur fond d'or et d'argent ; un peu plus tard encore, la Chine est à la mode et des pagodes laissent apparaître en transparence des silhouettes orientales : ces éventails sont dits *lorgnettes*.

Si, au contraire, il fait froid, Madame prendra son manchon de satin, de panne, de peluche ou, plus généralement, de fourrure ; le sieur du Temple, à l'enseigne du *Grand Monarque*, rue Dauphine, en expose dans sa boutique un assortiment des plus variés. Manchons de martre, de castor, de panthère ou de loutre coûtent de 20 à 30 livres ; mais, pour 12 livres, on se procure un manchon de petit-gris ; 4 à 5 livres suffisent pour les fourrures communes de lapin argenté, de chat ou de chien gris. La coquette glisse dans son manchon un de ces petits chiens qu'on trouve chez la demoiselle Guérin, rue du Bac, et qui passera son museau par l'ouverture du côté.

Le souci de la mode, qui s'étend aux moindres affiquets de la parure, n'est pas l'apanage des dames ; les hommes rivalisent avec elles dans ce domaine. A feuilleter les histoires du costume et les chroniques de mode du *Mercure galant*, on a même l'impression que seigneurs et grands bourgeois, qui meublent leur oisiveté par les soins apportés à leur toilette, sont, plus encore que les dames, esclaves d'une mode toujours changeante. Il est certain que, du début à la fin du règne, le costume masculin a plus évolué que la toilette féminine. Il s'est à peu près totalement transformé.

Sous la régence d'Anne d'Autriche, les hommes portent encore le pourpoint, le haut-de-chausses noué avec des aiguillettes et les bottes en faveur sous Louis XIII. Mais bientôt les bottes, avec leurs « ronds de bottes » en dentelle, cèdent la place aux souliers bas à boucles, ornés de talons rouges dans le costume de cérémonie. Le long pourpoint, dont les basques tombaient jusqu'au haut des cuisses, se raccourcit brusquement et s'orne d'un rabat de lingerie à glands. Il se réduit progressivement aux dimensions d'une brassière à manches fendues et s'arrêtant aux coudes, l'avant-bras étant couvert de la chemise et de la manchette de dentelle. La chemise bouffante, ornée de rubans surabondants, apparaît entre le pourpoint et le haut-de-chausses d'une manière assez disgracieuse ; dans *L'Avare*, Frosine se moque de l'« estomac débraillé des jeunes blondins ».

Ainsi réduit, le pourpoint ne suffit plus à habiller ; il se trouve transformé en une courte veste de velours ou de satin brodée et chamarrée, garnie de poches basses, et qu'on recouvre, aux environs de 1660, du justaucorps, vêtement long et cintré, dont les basques descendent à mi-cuisse. Il est fait de drap, de ratine, de serge ou de droguet. Pendant l'hiver, le costume masculin se complète d'un manteau ou d'un brandebourg d'allure militaire.

Depuis les épaules jusqu'aux souliers, le costume est orné de canons de dentelle et de « galands », nœuds de rubans multicolores qui s'attachent à l'épaule, à la manchette, à la jarretière, et qui donnent à nos muguets une allure ébouriffée assez ridicule. Avec les aiguillettes et les cordons, ces canons et ces galands font un ensemble de fanfreluches qu'on appelle « la petite oie » et dont le faux marquis de Mascarille était si fier. Ces « affutiaux » se trouvent chez les merciers, dont le centre est rue Saint-Denis et rue des Lombards, et dont le plus fameux est Perdrigeon, qui tient boutique rue de la Lanterne, à l'enseigne des *Quatre-Vents*. La galerie marchande ou mercière du Palais de Justice en offre aussi un choix varié dans ses magasins de nouveautés.

Cette fureur ridicule, mise à la mode par les précieux et les précieuses, des canons et des galands qui envahissent et déforment le costume masculin, a soulevé les risées des écrivains ; Loret et Scarron, qui ne sont point des coquets, s'en moquent, et Molière, dans *L'École des Femmes*, parle de

> ... ces cotillons appelés hauts-de-chausses,
> De ces souliers mignons, de rubans revêtus
> Qui vous font ressembler à des pigeons pattus,
> Et de ces grands canons, où, comme en des entraves,
> On met tous les matins ses deux jambes esclaves,
> Et par qui nous voyons ces messieurs les galants
> Marcher écarquillés, ainsi que des volants,

c'est-à-dire pareils à des ailes de moulins à vent.

Et, dans son jargon paysan, le Pierrot de *Dom Juan*, qui en est resté à la vieille mode, reprend les mêmes railleries : « En lieu d'hauts-de-chausses, ils portent une garde-robe aussi large que d'ici à Pâques ; au lieu de pourpoint, de petites brassières qui ne leur viennent pas jusqu'au brichet... Ils ont de grands entonnoirs de passements aux jambes, et parmi tout ça, tant de rubans, tant de rubans que c'est une vraie piquié. Ignia pas jusqu'aux souliers qui n'en soient farcis tout depuis un bout jusqu'à l'autre. » Mais cette mode ridicule passera vite. Dès 1670, le costume masculin retrouve sa sobriété et sa ligne élégante, brisée naguère par ces flots excessifs de dentelles et de rubans.

De même, cette large culotte, dont se moque Pierrot, ne durera guère. C'est la *rhingrave*, haut-de-chausses en forme de cotillon, mis à la mode par Charles, comte Palatin du Rhin et frère de la Palatine ; cette ample culotte, ornée de rubans, de dentelles et d'une multitude d'aiguillettes, tombe tout droit comme un jupon ; la doublure s'en noue autour des genoux par un cordon qui coulisse, auquel s'attachent les canons. Bougon, Alceste demandera à Célimène :

> Est-ce par les appas de sa vaste rhingrave
> Qu'il a gagné votre âme en faisant votre esclave ?

Mais bientôt la rhingrave inélégante, qui donne aux hommes un vague aspect féminin, devient un objet de risée, disparaît et fait place à la culotte collante, serrée par une jarretière à boucle sous le genou.

Justaucorps, auquel on commence à donner le nom d'habit, veste et culotte, tel est désormais le costume masculin, qui ne subira plus que des modifications de forme. A la fin du XVIIe siècle, le justaucorps devient plus ample et plus long.

Au début du règne, le justaucorps, surchargé de dentelles tissées d'or et d'argent et de passements, se taille dans des étoffes somptueuses de brocart ou de draps de soie, ornés de papillons et d'oiseaux d'or. Ces garnitures excessives, qui demandent au tailleur un long travail, coûtent fort cher. Les hommes se ruinent en toilette et occupent leur oisiveté dans les mille bagatelles de la mode ; en 1672, Mme de Sévigné nous apprend que son gendre met de 800 à 1 000 livres dans un justaucorps. Mais, bientôt, la sagesse et la raison reprennent le dessus : on en revient à des étoffes de drap plus modestes, les garnitures disparaissent. La dentelle ne demeure qu'à la cravate à trois rangs, qui a remplacé le rabat à glands, et aux manchettes ; un nœud discret de rubans à l'épaule, voilà tout ce qui reste des tumultueux galands d'autrefois. En 1677, après un nouvel édit contre l'or, l'argent et les broderies, le *Mercure galant*, arbitre de la mode et dont les gravures de mode dessinées par Bérain et gravées par Le Pautre sont aujourd'hui si précieuses, écrit : « Plus d'étoffes somptueuses ; l'élégance est dans la coiffure, la chaussure, la beauté du linge et de la veste. »

Le droguet et la serge remplacent les beaux draps de soie.

Les aiguillettes à ferrets laissent place aux boutons, dont on s'engoue, dans leur nouveauté. On en met partout, autour des boutonnières même ; il n'est pas rare d'en compter douze douzaines sur un seul habit. Les gentilshommes les ornent de pierreries et les recouvrent de soie. Vers la fin du siècle, on prend l'habitude de les recouvrir de la même étoffe que l'habit, c'est-à-dire de drap ; les fabricants de soie protestent, alertent les autorités, déclarent, avec quelque exagération sans doute, leurs manufactures menacées. Devant cette guerre des boutons, Louis XIV lui-même n'hésite pas à intervenir et décide de « pourvoir à cet abus ». L'ordonnance du 25 septembre 1691 « fait très expresses défenses aux tailleurs d'habits et à tous autres de faire à l'avenir aucun bouton de drap et de toute autre sorte d'étoffe, de quelque qualité qu'elle soit, à peine de cinq cents livres d'amende ». Tailleurs et bourgeois protestent de leur côté contre cette intervention tracassière ; ils envoient une délégation à M. de La Reynie, lieutenant général de police, lui demandant d'intervenir en faveur de la liberté des boutons. Malencontreusement, La Reynie s'exécute et saisit de ce grave débat le Contrôleur général des finances Pontchartain, qui lui répond vertement : « J'ai lu au Roi votre lettre entière au sujet des boutons d'étoffe. Elle a fait un effet tout contraire à ce qu'il semblait que vous vous étiez proposé, car Sa Majesté m'a dit et répété très sérieusement, malgré toutes vos raisons, qu'Elle veut être obéie en ce point comme en toutes choses et que, sans distinction, vous devez confisquer tous les habits neufs et vieux où il s'est trouvé des boutons d'étoffe, et condamner à l'amende les tailleurs qui en ont été trouvés saisis. Ne proposez donc plus sur cette matière des expédients et condamnez avec rigueur tous ceux qui ont été ou qui pourront être trouvés en contravention. » Débat risible : mais force doit rester à la loi !

Par-dessus le justaucorps long, qui laisse à peine apparaître la culotte, se placent le large et long baudrier orné de fleurs de soie ou de galons d'or et d'argent et l'écharpe de point d'Espagne, nouée sur les hanches, dont l'usage passa vite. Le baudrier disparaîtra bientôt, lui aussi, pour faire place au ceinturon, puis au porte-épée.

Le costume, complété pour l'hiver par une doublure de fourrure ajoutée au justaucorps, par une cape ou par un brandebourg dont on n'enfile pas les manches, est ainsi fixé, aux environs de 1680 ; il ne subira plus de modifications essentielles. Il fait désormais partie du décor familier de Versailles ; sa simplicité harmonieuse a atteint son point de perfection dans la grâce des lignes. Les tailleurs de la cour, à l'imagination fertile, maintiendront une mode saisonnière en rétrécissant la taille ou en allongeant plus ou moins les basques du justaucorps, en plaçant les deux poches de côté tantôt droites, tantôt en croissant, tantôt en long, en *trompettes* comme les galons de ces musiciens, en *poches de chasse*, en *tablier de maréchal*. Innocentes inventions, sans cesse renouvelées, qui n'ont d'autre but que d'obliger à des transformations incessantes l'élégant qui veut être habillé à la dernière mode.

Coquet comme une femme, le jeune seigneur apporte un soin particulier à se chausser et à se coiffer. Après la disparition de la rhingrave, lorsque la culotte collante moule les cuisses, il sied de faire valoir le mollet par des bas habilement choisis. Blancs, ou parfois accordés à la couleur de l'habit, amarante, brun ou noisette, ils sont attachés par la jarretière à boucle, qui vient de chez le bon faiseur, *Au Signe de la Croix*, rue d'Arnetal, et roulés au-dessus du genou. Si le bourgeois se contente de modestes bas de coton, le gentilhomme exige des bas de soie unie, ou mélangés de poils de chèvre, ornés de filets d'or. Autrefois, la botte était de bout carré et trop longue, ce qui permit un jour à un plaisantin de ficher un clou dans le bout de la botte d'un ami et de le clouer ainsi au sol. Depuis que le soulier bas a remplacé la botte, il est, au contraire, fin et pointu, orné d'une boucle de pierrerie, remplaçant l'ancien nœud de rubans, qui semblait un large papillon posé sur le pied.

L'homme élégant soigne sa coiffure, qui est une grande partie de sa parure. Sa tête s'orne d'une perruque monumentale, dont l'usage est général, depuis que le Roi l'a adoptée en 1673. La tête est donc rasée, mais Louis XIV n'a jamais consenti au sacrifice total de sa chevelure ; aussi ses perruquiers, qui règnent en maîtres à Versailles dans le cabinet à perruques, entre la chambre à coucher et la salle du conseil, sous la haute direction de Binet, le créateur des *binettes*, ont-ils inventé des perruques avec des jours où passent les mèches de ses cheveux naturels. Mais les autres portent tous des chevelures entièrement postiches. Les perruques sont de différentes sortes, *à la royale* ou *in-folio* pour la tenue d'apparat, *à la brigadière* pour les militaires, *à la robin*, pour les gens du Palais, *à la moutonne bouclée* pour les petits maîtres. Dès 1703, on commence à poudrer les perruques à blanc.

Les perruquiers s'entendent à merveille pour lancer à chaque saison des modes nouvelles de coiffure ; là est la source de leur fortune ; cette industrie nouvelle prend un essor extraordinaire. Un édit de 1673 crée 200 offices de perruquiers ; en 1691, on en crée cent autres. Les demandes sont si nombreuses qu'on ne peut fournir aux commandes ; faute de cheveux naturels, on crée la perruque en crin.

Ainsi la mode, au physique comme au moral, crée un type dont il est malséant de s'écarter. « Le courtisan, autrefois, avait ses cheveux, était en chausses et en pourpoint, portait de larges canons, et il était libertin, écrit La Bruyère en faisant allusion à l'époque brillante du début du règne. Cela ne sied plus ; il porte une perruque, l'habit serré, le bas uni, et il est dévot : tout se règle par la mode. »

Quant à la petite moustache retroussée, elle disparaît dès 1680, lorsque le Roi a rasé la sienne.

La perruque est un monument encombrant et incommode, qui échauffe la tête. Elle est cause, tant par son poids que par sa fragilité, qu'on la recouvre rarement du chapeau, qui se porte communément sous le bras. Lui aussi est vaste et encombrant ; les hauts-de-forme tronconiques de l'époque

Louis XIII ont vite passé de mode et laissé place à des calottes basses et rondes qui disparaissent derrière les larges bords. Le chapeau, généralement en peau de castor, gris ou noir, est décoré, selon l'époque, de rubans, de plumes disposées en croissants, en nœuds, en bouquets ou en « tours », fixés par des boucles de pierrerie ou des cordonnets de soie. L'an 1681, le jeune muguet qui veut être à la dernière mode doit enrouler soixante tours de laisse d'or autour de son chapeau. Vers la fin du siècle, les bords du chapeau se retroussent sur trois côtés et préparent l'avènement de l'élégant tricorne qui triomphera au XVIIIe siècle.

Muni de son mouchoir parfumé de musc et orné de glands, de ses gants de frangipane, de sa tabatière ouvragée et incrustée de nacre ou d'ivoire, et dont la mode s'est imposée même à la cour, en dépit du dégoût du Roi pour le tabac, de sa montre en or émaillé, sonnante, à une seule aiguille et garnie d'un miroir au revers, sa canne à pomme d'or à la main, notre blondin est prêt à aller retrouver sa belle au Cours-la-Reine. Sous les grands ormes de la promenade à la mode, tous deux marcheront lentement, offrant le spectacle — car c'en est véritablement un — d'un couple un peu guindé et compassé, cérémonieux, mais d'une suprême élégance, qui fera béer d'envie le bourgeois en simple justaucorps de droguet.

CHAPITRE V

LA TABLE

Longtemps on ne connut à Paris comme lieux publics où l'on pouvait boire que des tavernes enfumées où les « biberons » allaient déguster du vin clairet et manger saucisses et petit salé ; pages, mousquetaires, poètes crottés, étudiants en ribote formaient le fond de la clientèle de ces « bouchons ». Les dames, bien entendu, n'y fréquentaient pas, et même le bourgeois, soucieux de sa réputation, se gardait bien d'aller s'encanailler dans ces lieux où l'on faisait la « débauche ». Tels étaient la *Pomme de Pin*, rue de la Juiverie, près du pont Notre-Dame ; la *Croix de Lorraine*, au cimetière Saint-Jean ; le *Mouton blanc*, rue du Vieux-Colombier.

C'est sous le règne de Louis XIV que naquirent les cafés luxueux et mondains, à peu près tels que nous les connaissons aujourd'hui. Le précurseur fut le fameux Procope, qui ouvrit en 1702, rue de Tournon, puis rue des Fossés-Saint-Germain, face à la Comédie-Française, son établissement. On y dégustait thé, café, chocolat, bière, glaces, biscuits, confitures, dans un cadre agréable ; la salle, éclairée d'un lustre, était garnie de glaces et de tapisseries. Des tables de marbre luisant remplaçaient les tables de bois grossier des cabarets.

L'adroit commerçant exploitait ainsi la vogue de breuvages nouveaux, le thé, le café et le chocolat.

Le thé avait été mis à la mode par une thèse du chirurgien Cressé soutenue devant la Faculté de médecine ; il apparaît vers 1659 ; Scarron en buvait, et aussi Mazarin, contre la goutte. Mme de la Sablière y mêlait du lait ; Racine en consommait beaucoup, et la princesse de Tarente en prenait jusqu'à douze tasses par jour. Mais son prix restait prohibitif pour les bourses moyennes : le thé de la Chine valait 70 francs la livre, et celui du Japon de 150 à 200 francs. A ce prix, le thé restait un produit de haut luxe.

Il n'en fut pas de même du chocolat qui, importé du Mexique et déjà connu en Espagne, fit son apparition à Paris vers la même époque, et qui ne coûtait que 6 francs la livre ; un certain David Chaliou, installé à la Croix-du-Trahoir, obtint par lettres patentes du 28 mai 1659 un privilège qui lui assurait la vente exclusive du chocolat pendant vingt-neuf ans. Il dut faire une petite fortune, car, la mode aidant, l'usage s'en répandit largement. Le goût prononcé que la jeune reine Marie-Thérèse montrait pour ce breuvage — car le chocolat ne se prenait que sous forme liquide — joint à l'approbation formelle donnée en 1661 par la Faculté de médecine de Paris encouragèrent la bourgeoisie à en faire un usage constant.

Bien que l'anglais Lister ne considérât ce « misérable expédient de la pauvreté » que comme une sorte d'apéritif inutile et même nocif, les Parisiens l'appréciaient fort et il était d'un usage général dès la fin du siècle. Mais ses vertus furent longtemps discutées. On commença par le considérer comme un médicament : « Vous ne vous portez pas bien, écrit Mme de Sévigné à sa fille : le chocolat vous remettra. » En effet, Mme de Grignan en était très friande. Peu de temps après, en avril 1671, la mode parisienne, qui change constamment, le condamne et le rend responsable de tous les malaises : « La mode m'a entraînée, comme elle fait toujours, écrit la marquise. Tous ceux qui m'en disaient du bien m'en disent du mal ; on le maudit ; on l'accuse de tous les maux qu'on a ; il est la source des vapeurs et des palpitations ; il vous flatte pour un temps, puis il vous allume tout d'un coup une fièvre continue qui vous conduit à la mort. Au nom de Dieu, ne vous engagez point à le soutenir et songez que ce n'est plus la mode du bel air. »

Cependant, Catinat le préférait au café, et Saint-Simon nous apprend que Monsieur en prenait chaque matin. La mode revint vite au chocolat ; on vit apparaître les premiers « chocolatiers », dont les plus fameux étaient Chaliou, rue de l'Arbre-Sec, et Ber, rue Dauphine.

Mais la conquête la plus rapide fut celle du café ; il est connu à Marseille dès 1644 ; cependant, il tarde à gagner la capitale ; un gazetier, Subligny, parle encore en 1666 du « Kavé » comme d'un produit exotique et rare ; il faut un événement parisien pour le mettre à la mode. C'est l'arrivée à Paris, en 1669, de Soliman Aga, envoyé de Mahomet IV auprès de Louis XIV, qui attire l'attention sur le nouveau breuvage dont l'Oriental fait un usage régulier. Trois ans après, à la foire Saint-Germain, un Arménien, Pascal, ouvre une boutique de café exclusivement consacrée à cette liqueur. Tous les badauds en dégustent. Sucré au miel de Narbonne, qui adoucit son amertume, souvent parfumé à l'ambre, il apparaît agréable au goût. Quelques boutiques de Levantins, comme Laurent, à l'angle de la rue Dauphine et de la rue Christine, où les garçons sont tous habillés en Arméniens, s'ouvrent à Paris. Le décor exotique plaît et attire la clientèle. Bientôt on voit circuler dans Paris des cafetiers ambulants, ceints d'une serviette blanche, avec un éventaire en fer-blanc, offrant des tasses de café pour deux sous. Le bourgeois s'accoutume vite à l'acheter en grains ; tant qu'il fut rare, le prix en resta assez élevé ; on le paya jusqu'à trois livres dix sols la livre ; mais, en 1686, on en trouve à vingt-quatre sous la livre. Le café qui régalait Mme de Grignan ne nous conviendrait d'ailleurs plus, car on le faisait alors bouillir ; on ne connut l'infusion qu'au XVIIIe siècle.

Comme pour le chocolat, les vertus du café furent longtemps discutées ; la princesse Palatine, en 1711, lui attribuait encore la mort de la princesse de Hanan ! Les médecins étaient divisés et, comme toujours, la mode s'en mêlait. En 1688, Mme de Sévigné écrivait : « Le café est tout à fait disgracié ; le chevalier croit qu'il échauffe et qu'il met son sang en mouvement ; et moi en même temps, bête de compagnie comme vous me connaissez, je n'en prends plus : le riz prend la place. » La marquise, qui, naguère, aimait pourtant bien son café au lait, ajoute : « Je trouvais pourtant qu'il me faisait, à Brévannes, de certains biens ; mais je n'y songe plus. » Dictature de la mode...

A la cour, Saint-Simon signale la présence de « cabarets de thé et de café ; en prenoit qui vouloit ». C'étaient des tables sur lesquelles on posait tous les instruments nécessaires. Mais l'exemple du Roi commandait tout : or Louis XIV ne prit jamais ni thé, ni chocolat et n'essaya du café que pendant quelques mois, en 1696. Quant à la Palatine, ces nouveautés exotiques ne pouvaient lui faire oublier le goût de la bière succulente qu'elle buvait jadis dans sa chère Allemagne : « Je ne peux souffrir ni le thé, ni le café, ni le chocolat ; ce qui me ferait plaisir, ce serait une bonne soupe à la bière, mais c'est ce qu'on ne peut se procurer ici : la bière, en France, ne vaut rien. »

A la différence des courtisans, les bourgeois et les artisans ne modelaient point leurs goûts sur ceux du Roi. Ils prirent très vite l'habitude des nouvelles boissons et des cafés où on les dégustait entre amis en écoutant les dernières informations des nouvellistes à la main, toujours pourchassés par la police. L'industrie créée par Procope se développa rapidement ; dès 1716, on comptait trois cents cafés à Paris. Les dames ne craignaient plus d'y paraître ; et l'usage du café, dont Lister constate en 1698 l'emploi journalier, se généralisa jusque dans les maisons bourgeoises : « Quoique le nombre des cafés publics soit considérable à Paris, écrit un contemporain, et qu'on y trouve toutes les commodités dont on a parlé, on n'en prend pas moins de café dans les maisons particulières, n'y en ayant presque point, depuis la bonne bourgeoisie jusqu'aux gens de la plus haute qualité, où l'usage ne soit établi d'en prendre le matin ou, du moins, immédiatement après le dîné, et d'en présenter dans les visites particulières qu'on reçoit. »

Que si Monsieur désire traiter quelques amis, il ne manque

pas de tables d'hôte à Paris. Il y en a pour toutes les bourses. Une partie fine se fera chez la Guerbois, près la boucherie Saint-Honoré, ou chez Meunier, rue du Temple. La plus haute société y fréquente et la chère y est succulente, mais d'un prix élevé. Les prix sont plus abordables dans les auberges dont du Pradel nous donne les adresses et les tarifs. A l'hôtel de Mantoue, rue Montmartre, on fait un excellent repas pour quarante sous par tête ; à l'hôtel de Luyne, rue Gît-le-Cœur, il suffit de trente sous, et de vingt sous à l'hôtel d'Anjou, rue Dauphine. Certaines auberges, comme la *Couronne d'Or*, rue Saint-Antoine, ou l'*Hôtel de Picardie*, rue Saint-Honoré, tiennent tables différentes à quarante, trente et vingt sous. On ne saurait décemment descendre au-dessous de ces prix sans risquer de déchoir et de manger du poisson pas frais. Certains hôtels descendent jusqu'à quinze et même dix sols le repas, comme le *Heaume*, rue du Foin, ou le *Gros chapelet*, rue du Cordier ; mais l'on sait avec quel mépris Boileau parlait déjà de

> l'hôtesse d'une auberge à dix sous par repas.

Et pourtant il y avait, pour le menu peuple, moyen de manger à Paris pour moins cher encore. On trouvait dans tous les quartiers des « gargotes où l'on a de la soupe, de la viande, du pain et de la bière à suffisance pour cinq sols ».

Si le bon bourgeois de Paris voulait vraiment faire honneur à quelques amis, il les traitait chez lui. Il appartenait alors à Madame de montrer ses qualités de maîtresse de maison et de réserver à ses hôtes un accueil digne d'eux.

La veille du jour fixé pour le repas, elle accompagnait sa cuisinière au marché, choisissant elle-même viandes et légumes ; les marchés ne manquaient point à Paris ; sans parler des grandes Halles ni du marché de la vallée de Misère, près du Grand Châtelet, qui fut expulsé en 1690 par l'établissement de la prison et transféré sur la rive gauche, devant le couvent des Grands-Augustins, on trouvait à profusion légumes, fruits, volailles, marée et pain aux marchés des Quinze-Vingts, rue Saint-Honoré, du Palais-Royal, de la rue Saint-Nicaise, au marché neuf de la Cité, au petit marché de l'île Notre-Dame, à la porte Saint-Michel ou Saint-Jacques, au cimetière Saint-Jean, au Temple, à la place Maubert, à la Halle aux vins, à la rue Saint-Martin, à l'Arsenal, à Saint-Nicolas des Champs, à la rue Saint-Paul, à la place Dauphine, sans parler des marchés des faubourgs.

Il est vrai que les commerces d'alimentation en boutique, sauf les boucheries, étaient beaucoup plus rares qu'aujourd'hui, ce qui explique cette multitude de marchés en plein vent.

Le choix est donc aisé, car Paris est bien ravitaillé ; grâce à l'abondance des vivres, à la concurrence, les prix restent assez bas. Les petites gens trouvent sur les marchés fèves, lentilles et haricots à un sol la livre (on en trouve même de tout cuits), des marrons à trois sous la livre, des harengs saurs à dix sous le cent, des morues entières à vingt sous, du fromage de Roquefort à six sous la livre. Mais la dame de bonne bourgeoisie veut traiter plus finement ses invités et il lui en coûtera un peu plus cher : elle pourra rapporter du marché un turbot pour quinze à vingt sols, un gros brochet pour quinze sols, de l'esturgeon à vingt sols la livre ; un cent de grenouilles coûte vingt sols, un cent de moules trois livres, un homard deux livres, une livre de fromage de Gruyère quinze sols ; la volaille indispensable pour les bouillis, qui sont d'usage au début des repas, après les potages, revient assez cher ; une paire de poules coûte une livre huit sols, une paire de perdrix grises une livre cinq sols, une paire de perdrix rouges, très appréciées, dépasse deux livres, mais la viande de boucherie n'excède pas cinq sols la livre. Certains produits exotiques, comme le sucre, restent d'un prix élevé et fort variable ; la livre de sucre monte à quatorze livres, en 1711 ; le poivre vaut trente sous la livre.

La bonne ménagère, qui ne veut pas faire apporter le dîner par un traiteur, n'a plus qu'à préparer son repas et cuisiner ses mets. Pour apprécier la valeur de sa cuisine et connaître les plats les plus généralement goûtés, il n'est de meilleur moyen que de faire appel aux impressions d'un étranger observateur et curieux. C'est le cas du médecin anglais Lister, dont nous avons déjà invoqué le témoignage, et qui, dans son récit de voyage, parle assez longuement de la cuisine parisienne.

On s'étonne de le voir débuter ainsi : « Le régime des Parisiens consiste principalement en légumes et pain... », alors qu'il nous semble, au contraire, qu'on consommait alors des quantités prodigieuses de viande. Je ne parle pas des repas de la cour ; l'énumération des plats servis à Louis XIV à un seul repas suffirait à nous couper l'appétit. La Palatine, elle-même douée d'un fort appétit, adorant les saucisses aux choux qui lui rappelaient son pays natal, s'émerveillait de la faculté d'absorption du Roi : « J'ai vu souvent le Roi manger quatre pleines assiettes de soupes diverses, un faisan entier, une perdrix, une grande assiette de salade, deux grandes tranches de jambon, du mouton au jus et à l'ail, une assiette de pâtisseries et puis encore des fruits et des œufs durs. » Mais nous sommes bien obligés de croire que la viande (volaille bouillie comprise, il est vrai) était servie en abondance, même sur les tables bourgeoises, puisque d'Audiger, dans sa *Maison réglée*, prévoit pour le personnel domestique une ration quotidienne d'une livre et demie de viande, ce qui nous paraîtrait excessif aujourd'hui.

Pour les légumes, les plus courants sont les haricots, les lentilles et les fèves ; on apprécie cependant davantage les asperges et l'oseille, beaucoup moins les choux, rares sur les marchés ; de même, « on a peine à trouver au marché des pommes de terre, ces racines saines et nourrissantes qui sont d'une si grande ressource pour le peuple d'Angleterre ; mais il y a abondance d'artichauts ». On aime les mets relevés : oignons, ail, échalotes « sont en grand usage ». Dans les livres de cuisine de l'époque reviennent sans cesse le bouquet de « siboules, persil et thin liez ensemble » et la mention : « le tout bien assaisonné ». Mais, ce qui a beaucoup frappé notre voyageur d'outre-Manche, c'est qu'« il n'y a rien que les Français aiment autant que les champignons » ; il visite en curieux nos champignonnières et décrit avec étonnement les morilles, inconnues en Angleterre. En fait de salade, c'est la laitue qui domine. Il y a cependant des légumes, de consommation courante aujourd'hui, qui restent alors des denrées de haut luxe, les petits pois par exemple. Le *Roman comique* parle d'un plat de petits pois « qui avoient plus cousté que n'auroit fait la terre sur laquelle on en auroit recueilly un muid ». Même à la cour, c'est un luxe qui fait sensation. Mme de Maintenon écrit, le 10 mai 1696 : « Le chapitre des pois dure toujours ; l'impatience d'en manger, le plaisir d'en avoir mangé et la joie d'en manger encore sont les trois points que nos princes traitent depuis quatre jours. »

Le Parisien est déjà friand d'huîtres, mais toutes ne sont pas « à l'écaille », comme aujourd'hui. On en vend sans coquille dans des paniers de paille ; « elles arrivent ainsi bonnes à être mises à l'étuvée et à être employées à d'autres ragoûts ».

Pour la viande, au jugement de Lister, « le mouton et le bœuf sont bons et valent à peu près les nôtres, sans les surpasser toutefois. Quant au veau, il n'en faut pas parler : il est rouge et grossier ; et je ne pense pas qu'il y ait de pays en Europe où l'on sache les élever comme en Angleterre ».

Pour le pain, celui de Paris est grossier et compact ; les délicats usent du pain de Gonesse, blanc, léger et fait avec du levain, en dépit de la Faculté de médecine, qui condamne la levure de bière ; les gourmets consomment des pains « mollets », au lait et au beurre.

On fait aussi grande consommation de fruits, poires, pommes de calville ou de reinette, oranges que le Roi a mises à la mode et qu'on distribue dans les collations ; il est de la bienséance « de peler les fruits avant que de les présenter et de les offrir recouverts bien proprement de leur pelure », usage déjà ancien et qui commence d'ailleurs à se perdre. Dans les marchés parisiens, des paysannes vendent sur l'éventaire cerises de Montmorency, prunes de Meudon, fraises et pêches de Corbeil et de Bagnolet.

Pour les vins, on dispose alors de crus variés qui ont, depuis lors, disparu : la banlieue — Suresnes, Montmorency, Meulan, Pierrefitte, Argenteuil, Auteuil — produit des quantités appréciables de « petits vins » qui flattent le palais. Paris même a encore ses clos, le clos du Roi au faubourg Saint-Jacques, le clos Saint-Sulpice, le clos Férou. Mais les grands vins sont ceux de Champagne et de Bourgogne, dont le plus estimé est celui de Beaune. Louis XIV, qui ne buvait que du champagne, l'abandonne en 1693 pour le bourgogne. Mais, note Lister, « le vin de Meursault est un petit vin blanc (?) qui n'est pas désagréable ». Pour le champagne, on le boit généralement au naturel ; ce n'est qu'en 1670 que dom Pérignon, cellerier de l'abbaye de Hautvilliers, invente le champagne mousseux et substitue à la fermeture au chanvre le bouchon de liège.

Mais on connaît aussi et l'on apprécie les crus de Volnay, d'Arbois, de Touraine, d'Anjou, le muscat et le frontignan.

A la fin du repas, il est d'usage de servir des vins très forts d'Italie et d'Espagne, « et on en boit hardiment », ainsi que des liqueurs alcoolisées : le ratafia, « espèce de kirsch fait avec des noyaux de pêche et d'abricots, très fort et d'un goût très agréable » ; le rossolis, la fenouillette de l'île de Ré, assez semblable à notre anisette, le populo, dont le parfum violent est dû à un mélange d'esprit-de-vin, de sucre, de clou de girofle, de poivre, d'anis, de coriandre, d'ambre et de musc.

Seul le temps du carême amène un ralentissement dans la consommation de tant de délices de bouche ; toutes les boucheries sont fermées, sauf celles de l'Hôtel-Dieu, pour le service des malades et des protestants. On fait alors à Paris une incroyable consommation de poisson de rivière, notamment de petites carpes, « qui ne sentent pas la vase », de macreuses et de « canards de mer », autorisés par l'Église.

Le soin apporté par les maîtresses de maison bourgeoise

au service de la table est attesté par l'abondance des livres de cuisine, qui connaissent de nombreuses rééditions ; avec *Le Cuisinier* de Pierre David, *L'Art de bien traiter* de Robert, *Le Cuisinier royal et bourgeois* de Massialot, et surtout *Le Cuisinier françois* de La Varenne, la bonne cuisinière a des guides sûrs et experts. La Varenne, en particulier, semble avoir joui d'une grande vogue ; il avait été écuyer de cuisine du marquis d'Uxelles, et son copieux manuel gastronomique, qui date de 1651, était encore réimprimé au XVIIIe siècle. Il offre un choix de cent vingt-trois potages, farcis ou bouillis avec cailles, ramiers, perdrix, poulets, pigeons, lapereaux, alouettes, etc., et une égale variété d'entrées, d'entremets, de sauces à la pistache, au citron, de pâtisseries, c'est-à-dire de pâtés en croûte. C'est le manuel le plus complet, le plus commode aussi à consulter, grâce à ses tables ; on comprend qu'il ait eu la faveur des bonnes cuisinières.

Mais il n'est point probable que la cuisine qui régalait nos aïeux nous paraîtrait aujourd'hui délectable. Les potages à la volaille devaient bouillir dix à douze heures. Que restait-il après cela de tendres alouettes ou de jeunes perdrix dont les chairs devaient tomber en charpie? Et il est vraisemblable aussi que nous ne supporterions plus l'abondance et la variété des parfums qu'on mêlait à la cuisine : iris, eau de rose, marjolaine, musc et ambre. On décorait les plats avec des fleurs ; on panait les rôtis en les couvrant de poudres odoriférantes, on faisait des petits pâtés, des tourtes, des massepains et même des confitures au musc. Les cerneaux se mangeaient à l'eau de rose ; on arrosait les beignets et les œufs avec des eaux de senteur. On abusait de l'ambre, qui passait d'ailleurs pour aphrodisiaque. Il est probable que tous ces parfums violents, qui devaient tuer le goût des viandes et des pâtés, auraient vite fait de nous écœurer aujourd'hui.

Ayant donc achevé ses préparatifs, notre bourgeoise s'apprête à accueillir ses invités et à les traiter galamment. On soigne alors particulièrement la présentation, et une bonne maîtresse de maison sait dresser sa table. Elle possède du linge en toile fine. Elle recouvre la table d'une large nappe damassée, qui doit pendre de tous côtés jusqu'au sol. Les assiettes d'argent déborderont la nappe de quatre doigts environ ; le couvert est placé à droite de l'assiette, jamais en croix, le tranchant du couteau vers l'assiette, le creux de la cuillère vers la nappe. Tout le cérémonial est ainsi minutieusement réglé. Il n'est que de se reporter au *Maistre d'hostel qui apprend l'ordre de bien servir à table*, de Pierre David, pour être sûr de respecter les bienséances traditionnelles et de savoir décorer la table. Ce précieux manuel enseignera à la maîtresse de maison l'art de plier les serviettes de vingt-sept manières différentes, « en pigeon qui couve dans un panier » ou « en poule avec ses poussins ».

Mais, en dépit de la stricte ordonnance du couvert, il manque à la table de nos aïeux l'éclat de la verrerie ; jamais les verres à boire ne sont posés sur la table. Ils sont groupés sur une desserte ; lorsqu'on a soif, on demande à boire et le valet vous apporte un verre, qu'il remporte aussitôt que vous l'avez vidé. C'est pourquoi il est bienséant de le vider d'une seule haleine ; le plaisir de déguster un cru fameux, à petits coups de langue, est ainsi refusé au connaisseur.

Voilà donc la table dressée ; Madame peut recevoir ses hôtes ; on dîne à midi et on soupe à sept heures ; comme les invités sont gens de bonnes manières, ils arriveront à l'heure précise, mais pas avant, car ils se feraient traiter de « chercheurs de midi à onze heures » et passeraient pour ridicules. Ils sont introduits dans la salle, après avoir gratté à la porte, car il est malséant de frapper ; les saluts sont cérémonieux, s'accompagnent de courbettes et de ronds de jambes ; Madame ne tendra sa joue qu'à un parent ou à un ami très intime.

La maîtresse de maison installe ses invités, selon l'ordre rigoureux des préséances, car chacun est très attentif à maintenir son rang. Les hommes conservent, pour dîner, leur chapeau à plumes, leur manteau et leur épée, ce qui doit être fort incommode ; chaque fois que Madame leur passe un plat, ils seront obligés de se découvrir et de s'incliner.

Après le *Benedicite*, que chacun écoute debout et découvert, le repas commence ; il se divise en divers services ; chacun d'eux, qui compte plusieurs plats, grands, moyens et petits, dont le nombre est proportionné à celui des convives, est apporté solennellement par les valets, précédés du maître d'hôtel, en chapeau et en épée, qui porte sur l'épaule une serviette blanche, « marque de son pouvoir », lequel est considérable. Car il règne en maître absolu sur le monde des valets, cuisinières et marmitons, veille à tout, s'assure qu'on offre à boire dès le premier signe, donne le signal aux valets pour servir, desservir et changer les assiettes. Dans les grandes maisons, le maître d'hôtel est un personnage important, qui n'a que l'intendant au-dessus de lui : qu'on se souvienne de la place que tenait un Vatel chez le prince de Condé et le point d'honneur qu'il mettait à assurer un service irréprochable.

Les services se succèdent ; après les potages de viande bouillie, voici les entremets, poissons ou pâtés de volaille en croûte, puis les viandes rôties ou en sauce, accompagnées de légumes qu'on a la fâcheuse habitude de mêler et d'entasser sur les mêmes plats ; souvenez-vous de la description de Boileau :

Sur un lièvre flanqué de six poulets étiques
S'élevaient trois lapins, animaux domestiques,
Qui, dès leur tendre enfance élevés dans Paris,
Sentaient encor le chou dont ils furent nourris.
Autour de cet amas de viandes entassées
Régnait un long cordon d'alouettes pressées,
Et sur les bords du plat six pigeons étalés
Présentaient pour renfort leurs squelettes brûlés.

Ainsi, une abondance variée de mets s'offre au convive. Le repas, sans fromage, se termine sur d'abondants desserts, fruits, confitures et marmelades.

En dépit d'une étiquette rigoureuse et d'un cérémonial

pompeux, les repas bourgeois du XVIIe siècle n'avaient pas la tenue que nous souhaitons aujourd'hui pour les nôtres. Les notions d'hygiène et de propreté n'étaient alors guère développées, et plus d'un personnage de qualité de l'époque nous paraîtrait un convive dégoûtant aujourd'hui. C'est un fait qu'on ne savait ni manger proprement ni se tenir à table.

L'usage de la fourchette, introduit vers 1600 dans la haute société, n'est pas courant dans la bourgeoisie avant le XVIIIe siècle. On se sert encore couramment à la main et on déchire les viandes à pleines dents. Lorsque, dans *Le Bourgeois gentilhomme*, dont le héros se pique pourtant de bonnes manières, Dorante dit à Célimène : « Vous ne voyez pas que M. Jourdain mange tous les morceaux que vous avez touchés ? » c'est bien la preuve que la marquise se sert avec ses doigts.

Si l'on veut se faire une idée de la manière dont nos ancêtres se tenaient à table, il n'est que de consulter le *Nouveau traité de la civilité qui se pratique en France parmi les honnêtes gens*, d'Antoine de Courtin. Ce petit livre date de 1671 et a été abondamment réédité au XVIIe et même au XVIIIe siècle. Cela prouve que les gens en avaient grand besoin pour se familiariser avec les bonnes manières et qu'il nous apprend beaucoup plus ce qui devait se faire que ce qui se faisait généralement.

A. de Courtin entre d'abord dans des détails qui peuvent paraître puérils et sans importance ; on apprend ainsi, à le lire, que les olives doivent se prendre à la cuillère et non à la fourchette, que les oranges, qui se servent avec le rôti, doivent être coupées en travers, et non pas en long, comme les pommes. Il insiste longuement sur la manière de découper volailles et rôtis, sur la détermination des meilleurs morceaux de chaque plat à offrir aux personnes de qualité ; c'est ainsi que « de tous les oyseaux qui gratent la terre avec les pieds, à la réserve de la bécasse, les aisles sont toujours les plus délicates ; comme, au contraire, les cuisses sont les meilleures de tous ceux qui volent en l'air ; et, comme la perdrix ne s'élève pas fort haut, elle doit par conséquent estre mise au nombre de ceux qui gratent la terre ».

Mais où le traité d'Antoine de Courtin est vraiment pour nous instructif et révélateur, c'est précisément au chapitre qui traite de la manière de se servir et de se tenir à table. On s'étonne que les recommandations suivantes aient été nécessaires à des personnes de la haute bourgeoisie ou de la noblesse :

« Il ne faut pas manger le potage au plat, mais en mettre proprement sur son assiette...

« Il est aussi nécessaire d'observer qu'il faut toujours essuier vostre cuillère quand vous la mettez au plat, y ayant des gens si délicats qu'ils ne voudroient pas manger de potage, où vous l'auriez mise, après l'avoir portée à la bouche. Et même, si on est à la table de gens bien propres, il ne faut plus s'en servir, mais en demander une autre. Aussi sert-on à présent des cuillères dans les plats, qui ne servent que pour prendre de la sausse.

« Il n'y a rien de plus mal appris que de lécher ses doigts, son couteau, sa cuillère ou sa fourchette ; ni rien de plus vilain que de nettoyer et essuier avec les doigts son assiette et le fond de quelque plat. »

Voilà qui n'est déjà pas mal ; mais que dire ou que penser quand Antoine de Courtin nous apprend qu'il ne faut pas « se moucher à sa serviette », « qu'il faut, quand on a les doigts gras, ou son couteau, ou sa fourchette, les essuier à sa serviette et jamais à la nappe », et enfin « que c'est une chose très mal honneste, quand on est à la table d'une personne que l'on veut honorer, de serrer du fruit ou autre chose dans sa poche ou dans une serviette pour l'emporter » ?

Il est vrai que notre cœur se soulèverait aujourd'hui à sentir les odeurs nauséabondes qui régnaient à Versailles même. Autres temps, autres mœurs...

Enfin, le repas s'achève après le dessert, le vin d'Espagne, le café et les liqueurs ; l'étiquette se fait alors moins sévère ; souvent on s'attarde à table, on chante au dessert, on « trinque », on porte la santé de ses hôtes. Mais il faut avoir soin alors de se découvrir et de ne pas nommer directement la personne qu'on veut honorer. On dit : « A la santé de Monseigneur ! » Mais il serait malséant de dire : « Monseigneur, à votre santé ! »

Ainsi, les nuances de courtoisie les plus délicates se mêlent aux gestes les plus malpropres. Le bourgeois du XVIIe siècle, à table comme dans sa toilette et dans son logis, mêle ainsi un extrême raffinement à un manque total de commodité et de propreté. Il conserve son chapeau de castor à plumes et son épée pour dîner, mais il a volontiers les mains peu nettes. Il montre ainsi qu'il appartient à une civilisation mondaine très évoluée, mais que n'a pas encore suivie le développement de l'hygiène et du confort.

CHAPITRE VI

JEUX ET DISTRACTIONS

CHAQUE âge a ses plaisirs. Il ne semble pas que les amusements des enfants aient beaucoup varié au cours des temps. Un recueil de gravures de Claudine Bouzonnet, illustrant le *Recueil de jeux*, de Stella, qui date de 1657, nous montre les enfants dans leurs jeux quotidiens. Les tout petits faisaient déjà tournoyer la crécelle et les moulins à vent. Les petits garçons jouent, comme de nos jours, au cerf-volant et au cerceau, à cache-cache et aux barres, à la toupie lancée avec une ficelle ou au « sabot » animé avec le fouet, aux échasses, au jeu de bague qui s'apparente aux « anneaux » de nos manèges de chevaux de bois, aux boules, aux quilles, aux billes : soit à la *rangette*, lorsque l'on tire sur plusieurs petits tas de billes espacés, soit à la *fossette aux noyaux*, lorsqu'il s'agit de faire tomber les billes dans un trou creusé dans le sol ; les petites filles jouent au volant et à la marelle et sautent à la corde. Les gars les plus hardis pratiquent le jeu de saute-mouton et celui, très en faveur, de *pet-en-gueule*, qui consistait à faire une roue animée, à deux, en se tenant étroitement enserrés, la tête de l'un entre les pieds de l'autre.

La fronde, l'escarpolette, la balançoire, la main chaude étaient déjà en vogue, ainsi que le colin-maillard. Le poète galant Mathieu de Montreuil envoyait à une jeune fille ce madrigal précieux :

> De toutes les façons, vous avez droit de plaire,
> Mais surtout vous savez nous charmer en ce jour ;
> Voyant vos yeux bandés, on vous prend pour l'Amour ;
> Les voyant découverts, on vous prend pour sa mère.

Lorsque la saison ne leur permet plus de prendre leurs ébats au grand air, les enfants ont leurs jouets d'intérieur, depuis le bilboquet et le *cheval-bâton*, manche de bois terminé en tête de cheval qu'ils chevauchent, jusqu'à la lanterne magique qu'on appelle alors la *curiosité*. Les enfants des grandes familles reçoivent des jouets de prix où s'étale un luxe insolent : « Il en cousta au cardinal de la Valette, dit Tallemant des Réaux, deux mille escus pour une poupée, la chambre, le lict, tout le meuble, le déshabillé, la toilette et bien des habits à changer pour Mlle de Bourbon encore enfant ». En 1662, Colbert écrit à son frère, intendant en Alsace, de lui envoyer des petits soldats automates de Nuremberg pour le Dauphin ; la collection de soldats, non de plomb, mais d'argent, offerte à Louis XIV enfant coûta 50 000 écus. Si les fils d'artisans devaient se contenter de jouets en étain, qu'on vendait pour quelques sous à la foire Saint-Germain, les enfants royaux recevaient des « ménages » en métal précieux. En 1675, Mme de Thianges, sœur de Mme de Montespan, offre à son neveu, le duc du Maine, une chambre complète de poupée « toute dorée, grande comme une étable ». On y voyait, réduits en petits personnages de cire, le duc du Maine, La Rochefoucauld, Bossuet, Mme de Thianges, Mme de Lafayette, Boileau et La Fontaine. Chacun de ceux que représentaient ces poupées avaient donné la sienne.

Mais les enfants du peuple, comme toujours, s'amusaient de brimborions sans prix, de vieux jouets de famille, qui sont souvent les plus chers au cœur des petits.

Les grandes personnes aussi avaient leurs jeux et distractions. Les hommes, entraînés par la pratique de l'équitation, aimaient les jeux sportifs. Le jeu de paume est alors très répandu et tient la place de notre moderne tennis ; il y a un jeu de paume dans chaque résidence royale et on n'en compte pas moins de cent quatorze à Paris. Le Roi aimait ce sport ; il avait un maître paumier, à qui revenait l'honneur de lui présenter la raquette et qui, pour ce travail très intermittent, recevait mille deux cents livres de pension. « Les jours de mauvais temps, dit Saint-Simon, il (le Roi) s'amusait souvent à Fontainebleau à voir jouer les grands joueurs à la paume, où il avait excellé autrefois ; et à Marly, très souvent, à voir jouer au mail, où il avait été aussi très adroit » ; car on pratiquait aussi en plein air le mail, devenu le croquet, et les quilles. Le fils de Racine affirme avoir vu souvent Boileau abattre les neuf quilles d'un seul coup de boule. Pendant ce temps, les femmes jouent au volant : la reine Christine en raffolait.

Le billard, qui n'est qu'un jeu de mail de salon, était aussi très répandu ; Louis XIV s'y divertissait souvent ; on poussait alors les billes avec une queue courte, aplatie et recourbée au bout. Le jeu comportait une quille, qu'il ne fallait pas renverser, et un arceau. S'il faut en croire Saint-Simon, le médiocre Chamillart ne dut sa fortune auprès du Roi qu'à sa virtuosité à caramboler les billes.

Bien d'autres jeux encore se pratiquaient en famille et aussi à la cour, les soirs où il y avait « appartement » : les échecs, les dames, les dés, les jonchets (les dominos n'apparaîtront qu'au siècle suivant), le trou-madame, ancêtre de notre billard russe, « sorte de jeu de boîte, dit Richelet, composé de treize portes et d'autant de galeries, auquel on joue avec treize petites boules », et surtout le trictrac, ancêtre de notre jeu de jacquet, qui se joue sur des tables de bois rares, incrustées d'ivoire. Le *Mercure galant* d'août 1695 le recommande en ces termes à sa clientèle féminine : « Vous avez raison, Mesdemoiselles, de vouloir apprendre le trictrac. C'est un fort beau jeu et qui est plus à la mode que jamais. On le joue beaucoup à la cour et à Paris, à cause de sa noblesse et de sa distinction et qu'il y règne une grande sincérité. »

On ne pourrait en dire autant des jeux de cartes qui donnent lieu, même à la cour, à tant de piperies. C'est que, cette fois, il ne s'agit plus d'une innocente distraction, mais d'un jeu d'argent auquel on se livre avec frénésie et âpreté. Ces cartes gravées, allégoriques ou historiques, dont les infinies variétés font la joie de nos collectionneurs, on s'en sert comme d'un moyen de gagner de l'argent : piquet, brelan, biribi, hombre, reversi, lansquenet sont moins appréciés que les véritables jeux d'argent : le pharaon, le hoca, sorte de banque, la bassette, inventée par l'italien Bassetti et introduite à la cour par Justiniani, l'ambassadeur de Florence. La passion du jeu envahit la cour ; c'est le triomphe des usuriers qui viennent au secours des pontes décavés. Un jour, nous apprend Mme de Sévigné, la Reine perd « 20 000 écus avant midi ». Le Roi lui dit : « Madame, supputons un peu combien c'est par an. » Le jour de Noël 1678, Mme de Montespan perd 700 000 écus ; une autre fois, 400 000 pistoles contre la banque ; elle s'acharne et, peut-être avec la complaisance du banquier, regagne toutes ses mises. Monsieur en est parfois réduit à mettre ses pierreries en gage. « On joue des jeux immenses à Versailles, dit encore Mme de Sévigné. Le hoca est défendu, sous peine de la vie, et on le joue chez le Roi ! Cinq mille pistoles avant le dîner, ce n'est rien ; c'est un vrai coupe-gorge. » Et la Palatine se lamente : « Aussitôt qu'on est réuni, on ne fait que jouer au lansquenet, les jeunes gens ne veulent plus danser. » Et ailleurs : « On joue ici des sommes effrayantes, et les joueurs sont comme des insensés. L'un hurle, l'autre frappe la table si fort du poing que toute la salle en retentit ; le troisième blasphème d'une façon qui fait dresser les cheveux ; tous paraissent hors d'eux-mêmes et sont effrayants à voir. »

Quelques habiles y font patiemment fortune, rien qu'en gardant leur sang-froid au milieu de ces excités, emportés par leur passion ; d'autres n'hésitent pas à aider la fortune : les *Mémoires* du chevalier de Gramont attestent qu'un gentilhomme ne croyait pas se déshonorer en trichant. En avril 1691, Dangeau relate dans son *Journal* : « Le marquis de Sessac (grand maître de la garde-robe du Roi) est exilé pour avoir triché avec le Roi qui, s'étant absenté, avait donné son jeu au maréchal de Lorges, dont Sessac crut avoir bon marché. » Mais, pour un scandale qui éclate, combien restent impunis et même tolérés !

Car le Roi sait très bien ce qu'il fait ; en dépit des interdictions officielles, il laisse faire et même encourage visiblement ce jeu effréné de Versailles. C'est un moyen très simple pour lui de domestiquer sa noblesse ; le courtisan défait sollicite une gratification, une pension ; on la lui accorde sous quelque prétexte, et le voilà enchaîné pour le reste de ses jours.

Cette passion du jeu gagne toute la société ; il n'est pas rare de voir, en ville, de bons bourgeois fréquenter ces cercles qui, sous le titre pompeux d'Académies de jeu, ne sont que des tripots où l'on est proprement détroussé et où éclatent souvent de retentissantes querelles qui nécessitent l'intervention du guet. Plus d'un béjaune s'y laisse naïvement dépouiller. La multitude des comédies qui mettent le personnage du joueur en scène prouve la profondeur du mal.

Comme si les cartes ne suffisaient pas, Louis XIV excite la passion des courtisans par des loteries, parfois toutes en *billets noirs*, c'est-à-dire en billets gagnants. Lui-même achète des billets et remet en jeu les lots qu'il gagne. C'est une manière détournée pour le souverain de faire des cadeaux aux dames de la cour. La mode s'en répand dans le public et, tout de suite, des aigrefins voient là une nouvelle source facile de revenus, grâce à la naïveté des badauds. La police doit intervenir. Le *Mercure galant* nous apprend que « les deux loteries du Roi avaient servi tout l'hiver d'un si agréable divertissement qu'on en eût fait plusieurs autres, si M. de La Reynie n'y eût donné ordre en les défendant. Ce sage et vigilant magistrat, que le bien public occupe sans cesse, n'a pu s'assurer contre les abus qu'on a pu commettre, et, comme la bonne foi n'est pas exacte partout, il a cru devoir priver les uns d'un plaisir, afin d'épargner aux autres le danger d'être trompés ».

Mais les pouvoirs de M. de La Reynie expirent aux portes de Versailles ; pas plus que celle du pharaon ou du hoca, l'interdiction des loteries n'est valable à la cour. L'habitude s'en perpétue. Aux jours difficiles de la fin du règne, le Roi trouvera dans la loterie un expédient financier commode pour assurer sa trésorerie en grevant l'avenir. Le 11 mai 1710, il lance une grande loterie au capital de dix millions de livres, par billets de deux louis : il n'y a que quatre cent quatre-vingt-cinq lots en argent, mais on peut y gagner quelques milliers de livres de rente viagère. Et voilà l'État obéré de quarante mille livres de rente annuelle...

Ce sont là jeux de grands seigneurs, qui dépensent sans compter ; pour le populaire, il faut des distractions plus modestes et moins coûteuses ; un de ses amusements préférés, c'est la foire qui se tient traditionnellement, pendant le carnaval, au faubourg Saint-Germain. Objets de mercerie et d'orfèvrerie, tapisseries des Flandres, jouets divers, vases de porcelaine, cabinets d'ébène, miroirs, parures, dentelles, toiles fines, il y a tout ce qu'il faut pour tenter la coquette, qui ne manque pas d'y conduire son galant. Celui-ci, conscient de son devoir, offrira à sa compagne quelqu'une de ces friandises délicates qui font la renommée de la foire : gaufres, pains d'épice, pâtisseries, confitures, dragées. La petite bourgeoise y trouve à bon compte des bijoux en toc, car

> Tout ce qui reluit n'est pas or
> En ce païs de piperie.

La foule parisienne, où domine toujours le badaud, se presse auprès des montreurs de marionnettes, des musiciens et des farceurs. C'est une véritable cohue, au milieu de laquelle coupe-bourses et tire-laine font leurs affaires. Scarron nous a laissé un tableau réaliste de cette foule parisienne qui se bouscule, au milieu d'un infernal tintamarre, à la foire Saint-Germain :

> Ces cochers ont beau se haster,
> Ils ont beau crier : gare, gare !
> Ils sont contraincts de s'arrester.
> Dans la presse rien ne démarre.
> Le bruit de pénétrants sifflets,
> Des flustes et des flageolets,
> Des cornets, hauts-bois et muzettes,

Des vendeurs et des achepteurs,
Se mesle à celuy des sauteurs
Et des tambourins à sonnettes,
Des joueurs de marionnettes
Que le peuple croit enchanteurs.

Le peuple de Paris a toujours aimé la promenade ; dès que le beau temps le permet, jardins publics et cours à la mode sont envahis par une foule avide de grand air, curieuse aussi de se montrer et d'admirer les belles toilettes des grandes dames. La promenade publique, avec ses rencontres et ses conversations, continue et prolonge les réunions mondaines ; c'est encore une forme de la vie de société, car chacun y retrouve ceux qu'il a coutume de fréquenter.

Le vieux cours Saint-Antoine, rendez-vous des élégants sous Louis XIII, est complètement abandonné, sauf aux jours gras, où l'on y va « courre le bal » en masque et en travesti ; il a été remplacé dans la faveur du public par le nouveau cours planté de quatre rangées d'ormes, qui relie la porte Saint-Antoine à la porte Saint-Martin, où l'on trouve d'excellentes brioches et pâtisseries.

Mais, sous le règne de Louis XIV, la grande vogue est pour le Cours-la-Reine, qu'on appelle plus simplement le Cours, « lieu agréable, dit Furetière, où est le rendez-vous du beau monde, pour se promener à certaines heures, et se dit tant du lieu que de l'assemblée qui s'y trouve ».

Le Cours-la-Reine, qui doit son nom à sa créatrice, Marie de Médicis, est une splendide promenade qui s'étend sur quinze cents mètres depuis le jardin des Tuileries jusqu'à la Savonnerie (actuellement place de l'Alma), où aboutit le grand égout, « si infect et puant » que le public en est incommodé. Il est planté de quatre allées d'ormes magnifiques, qui délimitent une allée médiane de vingt mètres de large et deux contre-allées de dix mètres. Au milieu se trouve un vaste rond-point, de cent mètres de diamètre, où « plus de cent voitures peuvent tourner commodément ». A chaque extrémité s'ouvre une porte monumentale, avec une petite maison où loge le gardien.

Le Cours est soigneusement entretenu, les arbres régulièrement élagués ; à partir de 1708, il est arrosé. Le chemin qui borde la Seine est remplacé en 1669 par un quai de pierre de taille. Du Cours, la vue s'étend, par-dessus le fleuve, jusqu'au Pré-aux-Clercs et à la plaine de Grenelle. C'est la promenade élégante de Paris ; les grandes dames s'y rendent en carrosse ; les gentilshommes à cheval les escortent et les saluent cérémonieusement : « Au Cours, dit Sauval, on s'entre-salue sans se connoître, et les hommes, qui sont presque toujours découverts, n'oseroient manquer à saluer les dames, à moins que de passer pour incivils. » Mille intrigues galantes s'y nouent ou s'y poursuivent, et ce n'est pas pour rien que les précieuses appellent le Cours, en leur jargon métaphorique, « l'empire des œillades ». Les galants y trouvent aisément de jolies compagnes prudemment masquées ; on y rencontre aussi « presque toutes les filles de qualité à marier ». D'une voiture à l'autre circulent les marchandes de confitures, qui se font volontiers, pour quelques sols, porteuses de billets tendres.

Les braves à l'œil froncé,
D'un air demy-courroucé,
Font flotter leurs grands panaches,
Aux portières s'avançant,
Et guignent tous les passants
Au travers de six moustaches.

Les discrettes dans le Cours
Font les doux yeux sans discours,
Droites comme des poupées,
Et leurs amants ajustés
Ressemblent, à leurs côtés,
Marmots de pommeaux d'espées.

Aux beaux jours, toute la société aristocratique se rassemble quotidiennement dans ce lieu de délices, à l'ombre des grands arbres. Les dernières modes y sont lancées par les élégantes de la capitale. On y parade un peu comme sur un théâtre. La vanité ne perd pas ses droits et l'on s'observe minutieusement : « L'on s'attend au passage réciproquement dans une promenade publique, écrit La Bruyère ; l'on y passe en revue l'un devant l'autre : carrosse, chevaux, armoiries, rien n'échappe aux yeux, tout est curieusement ou malicieusement observé, et, selon le plus ou le moins de l'équipage, ou l'on respecte les personnes ou on les dédaigne. » Bourdaloue, dans son sermon sur les divertissements du monde, n'oublie pas de stigmatiser le luxe et la vanité qui s'étalent publiquement au Cours-la-Reine.

Ainsi le Tout-Paris s'admire, s'observe et profite de la promenade de l'après-midi pour noter une mode nouvelle, pour entendre ces mille potins, qui, de tout temps, ont fait la principale préoccupation des salons mondains.

Le Parisien était si attaché à son Cours que la promenade quotidienne ne lui suffisait plus. A la fin du règne, dit Saint-Simon, « on se mit à s'aller promener au Cours, à minuit, aux flambeaux, à y mener de la musique, à danser dans le rond du milieu ».

Dans Paris même, l'amateur de jardins trouvait encore d'autres lieux de promenade agréables : le Mail, entre l'Arsenal et la Seine, face à l'île Louviers, le Palais-Royal, le Luxembourg, la place Royale, le Pré-aux-Clercs, cher au cœur de la reine Margot, le Jardin du Roi (jardin des plantes), le rempart (grands boulevards) et maint jardin particulier ouvert aux honnêtes gens, comme celui de l'oculiste Thévenin, à la porte de Richelieu, ou celui de Rambouillet, proche de Reuilly ; les abbayes ouvraient aussi généreusement leurs parcs aux promeneurs : Saint-Victor, Sainte-Geneviève, le jardin des Célestins, le clos des Chartreux offraient la fraîcheur de leurs ombrages aux Parisiens.

Mais aucun jardin ne fut si fréquenté que celui des Tuileries, qui prolongeait le palais de Mademoiselle, achevé par Le Vau, et où Louis XIV passa plusieurs hivers, avant l'installation de la cour à Versailles. La proximité du Cours-la-Reine lui assure la faveur du public. « D'ordinaire, sur les huit ou neuf heures du soir, précise Lister, dans le mois de juin, on sort du Cours et l'on va descendre à la porte du jardin des Tuileries, pour s'y promener à pied par la fraîcheur de la soirée. » Pour le curieux, c'est un incomparable poste d'observation, aussi bien pour les modes et les toilettes que pour les mœurs. Petits-maîtres et coquettes s'y livrent à leurs jeux galants. On y peut rencontrer tous les personnages de Molière et de La Bruyère, avec leurs travers et leurs ridicules. C'est une comédie perpétuelle qui s'y déroule ; les auteurs dramatiques français ou italiens le savent bien, qui, après Corneille, en font le cadre favori de leurs comédies.

Le château, outre ses hôtes royaux, abrite, comme la grande galerie du Louvre, des artistes et des ouvriers d'art, qui travaillent pour le Roi : arquebusier, artificier, carrossier. Nicolas Poussin y habita jadis le pavillon de la Cloche.

Le jardin, où sont logés quatre jardiniers, chez qui on peut faire collation, est séparé du château par une rue. Dès 1664, Colbert charge Le Nôtre de le transformer ; le maître jardinier y fera ses premières armes, avant de créer le parc et les jardins de Versailles. Le Nôtre apporte de profondes modifications aux Tuileries, alors closes de murs, les réunit au Palais, en remplaçant l'ancienne rue disgracieuse par une terrasse. Il y plante des arbres au feuillage abondant, marronniers, ormes, tilleuls. Trois bassins, avec des jets d'eau vive, rafraîchissent l'atmosphère que la poussière rend souvent irrespirable. Une terrasse sur la Seine permet d'admirer le dôme des Invalides et, au loin, les collines de Meudon et de Saint-Cloud. Du côté opposé à la Seine, au faubourg Saint-Honoré, céréales, pâturages et cultures maraîchères donnent l'illusion d'un décor champêtre.

Colbert avait pensé à fermer le jardin, rénové par Le Nôtre, au public ; c'est Perrault qui intervint en faveur des promeneurs et convainquit le ministre. Mais les Tuileries restent interdites aux laquais et gens de livrée, qui se massent aux portes, attendent leurs maîtres, et que portiers et inspecteurs doivent surveiller de près, car cette « canaille » est turbulente et moleste souvent les passants, s'attaquant de préférence aux jolies femmes.

Si quelques bourgeois tranquilles viennent aux Tuileries pour jouer aux boules ou aux quilles, c'est surtout la société élégante que l'on croise dans la grande allée centrale, promenade mondaine par excellence, où les femmes circulent masquées en jouant de l'éventail. Locatelli y vit, un jour, Mlle de La Vallière « montant à cru un cheval barbe, sauter dessus son dos pendant qu'il courait et se rasseoir à plusieurs reprises, s'aidant seulement d'un cordon de soie passé dans la bouche du cheval en guise de bride ». Mais le même voyageur étranger y remarqua aussi de nombreuses dames de petite vertu, qui venaient chercher fortune dans le bosquet de buis et dans le labyrinthe aux palissades garnies de laurier sauvage. Ce n'est pas sans raison que Saint-Amant parle quelque part

> Des plaisans promenoirs de ces longues allées,
> Où tant d'afflictions ont été consolées.

Les Tuileries étaient le centre d'une vie galante intense, un lieu de prédilection pour les rendez-vous d'amour. C'est, dit une comédie de l'époque :

> C'est la carrière du beau monde.
> C'est là qu'avec grand appareil,
> Au petit coucher du soleil,
> Viennent se mettre en montre, et la brune, et la blonde.
> C'est là qu'on met à l'étalage
> Dentelle, étoffes et rubans.
> C'est là que tous les ambulans
> Viennent mettre à l'encan leur taille et leur visage.
> C'est là que l'on se donne un public rendez-vous,
> Que tous les beaux objets se trouvent
> Et que tous ils se désapprouvent,
> Parce qu'ils se ressemblent tous.

La maison de Renard, célèbre sous la Fronde, a été convertie par son fils en restaurant et en lieu de plaisir. C'est le théâtre de parties fines et de débauches intimes. On dit que c'est dans cette maison champêtre que Louis XIV révéla sa passion à Marie Mancini. Toute la jeunesse libertine de la cour y cherche l'aventure ; Lauzun y donnait rendez-vous à des grisettes, et le comte d'Aubigné, frère de Mme de Maintenon, selon Saint-Simon, « couroit les petites filles aux Tuileries ». Le *Mercure galant* abonde en récits piquants des « aventures des Tuileries ».

Pendant les chaleurs, en dépit des fontaines et de leurs jets d'eau, une poussière aveuglante gâchait la promenade, car les allées n'étaient pas sablées. Selon Dufresny, « on va respirer l'air au milieu d'un nuage de poussière étouffante qui fait qu'on n'y voit point ceux qui n'y vont que pour se montrer ». En cas de pluie, cette poussière se transforme en une boue tenace : il fallait alors fermer le jardin.

Parmi les habitués des Tuileries, nous n'aurons garde d'oublier ces curieux nouvellistes à la main, à l'affût des derniers échos parisiens, des potins indiscrets, qui s'y donnaient rendez-vous et échangeaient leurs informations. La police les pourchassait, car le gouvernement redoutait cette presse clandestine et souvent scandaleuse qui échappait à sa censure : chaque fois qu'il pouvait en saisir un, M. de La Reynie ne manquait pas de l'envoyer à la Bastille.

D'autres parcs publics s'offraient au public assoiffé d'air pur. Le bois de Boulogne, clos de murs, avait été agrandi en 1670 par la réunion de 217 arpents de bois appartenant aux religieuses de Longchamp. En vue de l'élégant château de Madrid, construit par François Ier, et qui « a autant de fenêtres qu'il y a de jours en l'an », on chassait le daim et le cerf. On y passait des revues militaires et, suivant une mode récemment importée d'Angleterre, on y vit les premières courses de chevaux. Mais, hors ces solennités, c'était encore un lieu sauvage, éloigné de la ville, où les grandes dames ne dédaignaient pas de venir en fiacre pour y contracter une de ces unions passagères qu'on appelait alors « un mariage du bois de Boulogne ». Une comédie jouée aux Italiens en 1695 note que

Comtesses et marquises
Du fiacre sont tellement éprises
Qu'elles quittent des chars tirez à six chevaux
Pour s'en venir en fiacre, ici, sous ces ormeaux.

Et, philosophe, le cocher ajoutait :

> On me paye ici pour garder
> Et les manteaux, et le silence.

Sous les feuillages accueillants et discrets du bois de Boulogne, les âmes éprises d'aventure venaient souvent s'égarer : « Les dames qui ont l'inclination solitaire, écrit malicieusement Dufresny, cherchent volontiers les routes écartées du bois de Boulogne, où elles se servent mutuellement de guides pour s'égarer. Les détours de ce bois sont si trompeurs que les mères les plus expérimentées s'y perdent quelquefois en voulant retrouver leurs filles. »

Si le bois de Boulogne abritait surtout un public de nobles et de bourgeois, le menu peuple lui préférait le bois de Vincennes, également clos de murs, d'où l'on pouvait pousser jusqu'au « bois de Beauté », face à la Marne, ou jusqu'au cabaret renommé de la Pissotte, au village de Vincennes.

L'appétit de bon air est si général que le Parisien, par les beaux dimanches d'été, ne craint pas de pousser jusqu'à la banlieue pour y faire collation à la « guinguette ». Ces gourmands affectionnent les Gobelins sur la Bièvre, que le poète François Colletet, amateur de bonne chère, évoque ainsi :

> Enfin, voicy les Gobelins
> Où règnent les excellents vins
> Et les bières délicieuses
> Pour les beuveurs et les beuveuses,
> Car il est des femmes aussy
> Qui viennent s'égayer icy...
> Icy l'on trouve toutes choses
> Et tout y flaire comme roses :
> Les andouilles, les cervelas,
> Les poulets et les chapons gras,
> Les grillades et les saucisses
> Dont le palais craint les épices,
> Car, mettant le palais en feu,
> On ne sçauroit boire pour peu.

Artisans et garçons de boutique endimanchés emmènent les grisettes à Vanves déguster le beurre renommé, aux tavernes de Vaugirard, où la police doit veiller, car « il y arrive souvent des querelles », à Sceaux et à Bagneux, où l'on débite de bon vin blanc du cru, à Suresnes, où le clairet coule à pleins pots d'étain. Une galiote fait le service régulier de Paris à Saint-Cloud et l'on pousse parfois jusqu'à Rueil, afin de déguster ses succulents raisins. Saint-Cloud, Meudon et Vaugirard « sont les grands chemins par où l'honneur bourgeois va droit à Versailles », comme parlent les bonnes gens.

Certains pèlerinages, comme celui de Saint-Spire, à Corbeil, pour les catholiques, les prêches de Charenton pour les huguenots, les foires pour tous, étaient l'occasion de joyeuses randonnées en banlieue. Parmi celles-ci, il y en avait de célèbres et de très achalandées, comme celle du Lendit à Saint-Denis, et celle de Bezons, qui se tenait le 30 août, jour de saint Fiacre, patron de l'église du village. Sur la Seine, un bac emmenait ce jour-là une foule masquée et joyeuse :

Est-il de plus belle foire
Que la foire de Bezons ?
Les gens y vont à foison
Chanter, danser, rire et boire.
Là, personne n'est surpris
Et, dès qu'on veut faire emplette,
On y trouve à juste prix
Le pain, le vin, la grisette.

On y trouvait aussi des bibelots, tels que tabatières et éventails ornés de scènes satiriques et graveleuses. Les coquettes y promenaient leurs charmes et pipaient les naïfs :

Filles qui cherchez des maris,
Ici, l'on en achète.
Ils sont aussi bons qu'à Paris.
Filles qui cherchez des maris,
Souffrant chez eux les favoris

D'une femme coquette,
Filles qui cherchez des maris,
Ici l'on en achète.

Après avoir bien mangé, bien bu et bien dansé, toute cette foule d'amateurs de la foire revenait par le Roule, à pied, à cheval ou à âne. Plus d'une cornette était alors de travers et, tout le long du chemin, on continuait de chanter. Ces bandes joyeuses étaient si pittoresques que les badauds parisiens avaient pris l'habitude d'aller à l'Étoile « pour voir le retour de la foire de Bezons ».

La noblesse fuit ces lieux où le populaire aime à s'entasser ; avec leurs grands carrosses, gentilshommes et belles dames peuvent sans peine atteindre une plus lointaine banlieue ; n'aimant guère la nature sauvage, ils se promènent en forêt et redoutent les « montagnes » qui entourent l'« affreux désert » de Port-Royal, situé cependant dans un des sites les plus charmants de l'Ile-de-France. Ils aiment la nature arrangée, tirée au cordeau, bien peignée, telle que Le Nôtre a appris à la leur faire aimer à Versailles et aux Tuileries. Rambouillet, Dampierre, Vaux-le-Vicomte, voilà le rêve champêtre d'une noblesse urbaine. Les propriétaires de ces riches demeures sont fiers de leur luxe et du cadre verdoyant qui les entoure. Ils les ouvrent libéralement à leurs amis, qui sont tous gens de qualité. Dans *Le Grand Cyrus*, Mlle de Scudéry donne un exemple de cette coutume : « Nous fîmes partie d'aller nous promener à une fort belle maison appartenant à un homme qui n'a jamais plus de joie que lorsqu'il n'en est pas le maître et que son concierge lui rapporte qu'il y est venu beaucoup de monde, qu'on s'y est bien diverti et qu'on la trouve admirable. Il se pique autant de la beauté de sa maison qu'une belle dame fait de la sienne. »

A la belle saison, les gens du bel air vont volontiers prendre les eaux et transportent leurs cercles parisiens à Vichy, à Bourbon-l'Archambault ou à Cauterets. Peu nombreux sont ceux qui peuvent s'offrir de tels déplacements ; aussi n'y est-on jamais importuné par la foule et la vie y reste-t-elle à bon marché. Mme de Sévigné écrit de Vichy, en 1676 : « La vie n'y coûte rien du tout ; trois sous deux poulets, et tout à proportion. » Mais, alors comme aujourd'hui, on va autant aux eaux pour s'amuser que pour se soigner. Le médecin Guy Patin, qui ne croit guère à la vertu curative des eaux, note crûment : « Les eaux minérales font plus de cocus qu'elles ne guérissent de malades. » Dans une comédie, Chappuzeau précise :

Quand on est sur le lieu (j'ay veu le badinage),
On va passer les nuits à l'ombre d'un bocage,
L'on se lève à midy, l'on donne des cadeaux,
On joue, on danse, on rit, c'est là prendre les eaux.
Pour quatre qui boiront, vingt autres d'ordinaire
N'y vont que pour chercher de quoy se satisfaire.

Dès le règne précédent, la Grande Mademoiselle avait mis à la mode les eaux de Forges, en Normandie. Mais maintenant c'est Vichy qui attire le plus de monde. Les plus fidèles et les plus constants habitués étaient, nous dit Fléchier, qui y séjourna en 1665, des religieux et des religieuses « que le grand soin de leur santé et bien souvent le dégoût du cloître retiennent longtemps après les autres » dans ce décor enchanteur.

Ces vallons où Vichy par ses chaudes fontaines
Adoucit tous les jours mille cuisantes peines,

comme parle le docte Chapelain.

L'établissement thermal était un petit bâtiment dénommé *Maison du Roi* ; sur son fronton, on pouvait lire cet à peu près sur la parole de Jésus au paralytique : *Lava te et porta grabatum*... La vie des baigneurs n'a guère changé depuis lors, non plus que leurs principales préoccupations : « On va à six heures à la fontaine, écrit Mme de Sévigné à sa fille ; tout le monde s'y trouve ; on boit et on fait une fort vilaine mine, car imaginez-vous qu'elles sont bouillantes et d'un goût de salpêtre fort désagréable. On tourne, on va, on vient, on se promène, on entend la messe, on rend ses eaux, on parle confidemment de la manière qu'on les rend : il n'est question que de cela jusqu'à midi. »

Mais, dès l'après-dîner, on songe à se divertir ; on engage une partie d'hombre, on va voir les paysans danser la bourrée ; et, le soir, comédie, musique et bal. Le *Mercure galant*, qui fait à Vichy une publicité sans doute intéressée, a soin de tenter ses lecteurs par le récit de toutes les distractions qu'offre la ville d'eaux : « Le jeu, la bonne chère, la promenade et les concerts de musique ont esté les divertissements de tous les jours. Il y a eu bal fort souvent. »

Et puis il y a le pays, ce « pays délicieux », avec les prairies et les bouquets d'arbres de l'Allier, où la marquise de Sévigné court après les ombres des bergers de *L'Astrée*. Mais, hélas ! il y a la contrepartie, le traitement qu'il faut suivre pour dénouer les doigts ankylosés de rhumatismes. Les eaux à boire ne sont guère agréables, mais l'épreuve de la douche chaude est encore plus pénible : « C'est une assez bonne répétition du purgatoire, écrit la marquise à sa fille. On est toute nue dans un petit lieu sous terre, où l'on trouve un tuyau d'eau chaude qu'une femme vous fait aller où vous voulez. Cet état où l'on conserve à peine une feuille de figuier pour tout habillement, c'est une chose assez humiliante. J'avais voulu mes deux femmes de chambre, pour voir encore quelqu'un de ma connaissance. Derrière le rideau se met quelqu'un qui vous soutient le courage pendant une demi-heure. » C'est un médecin de Gannat, que lui a recommandé Mme de Noailles ; heureusement, cet homme « a de l'esprit », son entretien est agréable et il fera à la marquise des lectures bien choisies pendant la séance de sudation.

L'année même où Mme de Sévigné prenait ainsi les eaux de Vichy, Mme de Montespan se rendait à la station rivale de Bourbon-l'Archambault, où naguère le pauvre Scarron était venu, mais en vain, chercher un soulagement à ses douleurs. Gaston d'Orléans fréquentait aussi Bourbon. Une gravure de Pérelle, d'après Israël Silvestre, nous a conservé une vue de la piscine rudimentaire. Le voyage de la favorite, déjà sur le déclin de sa faveur, c'est une véritable expédition. « Elle est dans une calèche à six chevaux avec la petite de Thianges ; elle a un carrosse derrière attelé de même avec six femmes ; elle a deux fourgons, six mulets et dix ou douze hommes à cheval, sans ses officiers. Son train est de quarante personnes. »

Par une ironie du sort, la première personne que Mme de Montespan rencontre à Bourbon-l'Archambault, c'est le gouverneur, M. de La Vallière, frère de celle dont elle a pris la place. Elle le dispense de sa harangue et s'affaire en donations et œuvres pies, pour soigner sa popularité. On sait que, longtemps après, c'est à Bourbon que la favorite disgraciée devait mourir, après avoir vainement imploré le pardon d'un mari trop publiquement bafoué.

Un autre visiteur de marque qu'on peut rencontrer à Bourbon, c'est M. Despréaux qui, devenu presque aphone en 1687, y vint chercher une impossible guérison. Quatre médecins se disputent à son chevet sur la méthode à suivre pour sa cure. Il lui faudra avaler et vomir successivement douze verres d'eau par jour. Boileau suit exactement leurs conseils et il rend compte avec bonne humeur de ses misères à son ami Racine : « La médecine que j'ai prise aujourd'hui m'a fait, à ce qu'on dit, tous les biens du monde, car elle m'a fait tomber quatre ou cinq fois en faiblesse et m'a mis en état qu'à peine je me puis soutenir. » Hélas ! le satirique revint à Paris aussi aphone qu'il en était parti.

Si Bourbon est à ce point à la mode que Dancourt écrit, en 1696, une comédie sur *Les Eaux de Bourbon*, les stations pyrénéennes sont également très fréquentées ; en 1675, Mme de Maintenon conduit à Barèges le duc du Maine, le fils du Roi et de Mme de Montespan. Le pauvre petit boiteux, âgé de sept ans, écrit à sa mère : « Je m'en vas écrire toutes les nouvelles du logis pour te divertir, mon cher petit cœur, et j'écrirai bien mieux quand je penserai que c'est pour vous, Madame. Mme de Maintenon passe tous les jours à filer... » Barèges a une telle réputation au

XVIIe siècle qu'on songe un moment à y envoyer le Roi soigner sa fameuse fistule. Mais les expériences faites sur d'autres malades n'ayant pas donné de bons résultats, le monarque se résigna à l'opération.

***

Il est encore une distraction dont raffole le public, c'est le théâtre. La production dramatique du règne de Louis XIV est considérable ; journaux, gazettes, correspondances attestent le goût général pour les spectacles ; les auteurs et leurs pièces, les comédiens et leur jeu sont discutés, critiqués, applaudis. La mode s'en mêle. Les affaires de théâtre tiennent une grande place dans les préoccupations quotidiennes du gentilhomme et du bourgeois. La cour donne de brillants spectacles; et, puisque le Roi aime le théâtre, le bon ton exige que l'on montre ou que l'on affecte le même penchant.

Les villes de province ne sont guère favorisées à cet égard ; les amateurs de spectacle doivent attendre le passage d'une de ces troupes ambulantes, dont Scarron a raconté l'histoire dans son amusant *Roman comique* et dont Molière a donné l'exemple pendant quinze ans, de Pézenas à Grenoble, de Lyon à Rouen.

La capitale est un peu mieux partagée ; cependant, jusqu'à l'arrivée de Molière à Paris, et compte non tenu des Italiens de Scaramouche qui jouent au Petit-Bourbon, on ne compte que deux théâtres permanents de langue française. Les Comédiens royaux — la « seule troupe royale », disent-ils fièrement quand Molière prend le titre de « troupe du Roi » — sont installés depuis le début du siècle à l'Hôtel de Bourgogne, rue Mauconseil (actuellement 29, rue Étienne-Marcel). Là on joue surtout la tragédie : Racine ainsi que Corneille, dans sa maturité, y donnent toutes leurs pièces. Après Bellerose, c'est Floridor qui dirige la troupe. Les comédiens royaux, qui sont pensionnés, ont en outre le privilège d'aller « en visite » jouer à la cour, quand le Roi les appelle, ou chez les grands.

L'autre troupe est celle du Marais. Après des débuts difficiles, elle s'installe définitivement au n° 90 actuel de la rue Vieille-du-Temple. Le succès de *Mélite*, que son directeur, Montdory, a ramenée de Rouen, assied sa réputation. Quelques années plus tard, le triomphe du *Cid* marque la grande heure du Marais. Malgré tout, le Marais n'a ni l'éclat ni la qualité de l'Hôtel de Bourgogne ; ses meilleurs comédiens, comme Floridor et la Champmeslé, passent rue Mauconseil dès qu'ils se sont assuré un succès personnel. Il en sera de même pour la troupe de Molière, qui perdra ainsi Brécourt et Mlle du Parc, que Racine entraîne à l'Hôtel de Bourgogne. Les vraies vedettes ne sont que dans la « seule troupe royale ». Lorsque Molière aura ravi son public au théâtre du Marais, celui-ci survivra comme théâtre de genre, en montant des « pièces à machines », comédies ou tragi-comédies à grand spectacle.

Car un nouveau venu, « un garçon nommé Molière », comme dit Tallemant des Réaux, est arrivé à Paris en 1658, avec un répertoire tout neuf de comédies et de farces. Peu après, il s'installe au Petit-Bourbon, salle construite sur l'emplacement actuel de la colonnade du Louvre, et passe un accord avec les Italiens. Moyennant 1500 livres, la troupe de Scaramouche, qui joue les jours « ordinaires », c'est-à-dire le mercredi, le vendredi et le dimanche, concède la salle à Molière pour les jours « extraordinaires », le lundi, le mardi, le jeudi et le samedi. Mais bientôt la démolition du Petit-Bourbon en vue des travaux d'agrandissement du Louvre chassent Molière et les Italiens, qui se réfugient au Palais-Royal, dans la salle construite jadis par Richelieu (actuellement 1, rue de Valois). C'est là que, pendant treize ans, Molière fera triompher ses comédies et mènera la lutte contre les rivaux de l'Hôtel de Bourgogne, qui se mêlent à la cabale montée contre *L'École des Femmes.*

A la mort de Molière (1673), sa troupe, décapitée, fusionne avec celle du Marais et s'installe au jeu de paume de la Bouteille, entre la rue des Fossés-de-Nesle (depuis rue Mazarine) et la rue de Seine, au bout de la rue Guénégaud.

C'est là que furent jouées la *Phèdre*, de Pradon, opposée par la cabale de la duchesse de Bouillon à celle de Racine, et la *Devineresse*, de Thomas Corneille et de Visé, qui remporta un immense succès, car cette comédie exploitait l'actualité de l'Affaire des poisons.

Mais les deux troupes rivales importunent le Roi par leurs querelles incessantes, leurs manœuvres pour s'attacher les meilleurs comédiens. Louis XIV, de sa propre autorité, les réunit en une seule « compagnie », la Comédie-Française, née en 1680, qui jouera désormais tous les jours de la semaine.

Tandis que les Italiens s'installent à l'Hôtel de Bourgogne — d'où ils seront d'ailleurs renvoyés en 1697, à cause de la liberté excessive de leur répertoire et pour s'être moqués de Mme de Maintenon, — la Comédie-Française s'installe au théâtre Guénégaud. Pas pour longtemps, car, en 1687, l'ouverture du Collège des Quatre Nations, dans le palais Mazarin, donne à messieurs de la Sorbonne un excellent prétexte pour chasser les comédiens français. Les voici à la recherche d'une salle ; ils jettent leur dévolu sur l'Hôtel de Sourdis, rue de l'Arbre-Sec, mais le curé de Saint-Germain-l'Auxerrois obtient leur interdiction. Alors commence, pour la troupe, toute une série de tribulations ; chaque fois que les comédiens choisissent un nouveau local, le curé de la paroisse intervient et obtient l'interdiction. Enfin, comme il faut en finir, et que le Roi tient à voir sa troupe installée à Paris, il l'autorise à acquérir le jeu de paume de l'Étoile, rue des Fossés-Saint-Germain-des-Prés (au 14 actuel de la rue de l'Ancienne-Comédie), dans la rue où viendra bientôt s'installer le fameux Procope. Le curé de Saint-Sulpice, moins heureux que ses confrères, doit s'incliner ; en manière de protestation publique, il interdira désormais à la procession du Saint-Sacrement de passer par cette rue où logent les excommuniés du Théâtre-Français. La nouvelle salle est enfin inaugurée le 18 avril 1689.

Ainsi donc, si l'on fait abstraction des Italiens, des marionnettes, du théâtre de la Foire, des rcprésentations données par les Jésuites dans leurs collèges et de l'Opéra, fondé en 1669 par Perrin et Cambert et repris par l'astucieux Lulli, qui s'installa au Palais-Royal en 1673, les Parisiens n'ont à leur disposition, à partir de 1680, qu'une seule scène dramatique, où l'on joue tous les jours.

La salle de la rue des Fossés-Saint-Germain-des-Prés est spacieuse ; elle marque un très réel progrès sur les théâtres précédents qui, étant presque tous d'anciens jeux de paume, étaient rectangulaires. La Comédic-Française a aménagé, pour la première fois, le jeu de paume de l'Étoile en salle semi-circulaire. En dépit de la pension royale, la troupe, qui a de gros frais de décors et de costumes, boucle à grand-peine son budget ; les « parts » restent modestes, car déjà les comédiens sont organisés en société. Et pourtant le prix des places est élevé ; il est de quinze sols au parterre — où le public reste debout, — d'une livre aux troisièmes loges, d'une livre dix sols aux deuxièmes loges, de trois livres à l'amphithéâtre, de cinq livres dix sols aux premières loges et de six livres pour les places de choix réservées sur la scène même, en vertu d'une fâcheuse tradition que la légende fait remonter à la première du *Cid*, où l'on aurait ainsi placé sur le plateau une partie du public qui ne pouvait tenir dans la salle. A partir de 1699, il faut encore ajouter aux prix que nous venons d'indiquer un sixième en sus de « droit des pauvres » au profit de l'hôpital général, et, à partir de 1715, un neuvième pour les pauvres de l'Hôtel-Dieu, qui servit, en réalité, à pensionner M. de Lamare, auteur d'un grand *Traité de la police*. Il est vrai que le théâtre souffre de trop fréquentes relâches, pendant l'Avent, le Carême, la Semaine Sainte, les deuils de cour et de trop nombreuses entrées gratuites accordées en permanence, non seulement aux auteurs, ce qui peut paraître légitime, mais, nous dit Locatelli, « à toutes les personnes attachées à la cour ». De là naissent de si nombreux abus et conflits, notamment de la part des mousquetaires, que le Roi est obligé d'intervenir et, par ordonnance du 12 janvier

1684, de faire défendre à tous, sans distinction de qualité, d'entrer à la Comédie sans payer, « comme aussi à tous ceux qui y seront entrés d'y faire aucun désordre, ni interrompre les comédies en quelque sorte et manière que ce soit ».

Le public parisien est, nous l'avons dit, très friand de spectacles ; mais le prix des places interdit aux plus modestes de paraître trop souvent au théâtre ; le public se renouvelle donc peu ; ainsi s'explique, en dépit du monopole de fait que détient la Comédie, le nombre relativement peu élevé de représentations qu'obtiennent les pièces à succès. Une série de quarante représentations équivaut au moins à une centième de nos jours ; *Les Précieuses ridicules*, qui firent courir tout Paris, ne dépassèrent guère ce chiffre ; le grand triomphe dramatique du siècle a été obtenu par le *Timocrate* de Thomas Corneille : cette tragédie, totalement oubliée aujourd'hui, ne dépassa pas quatre-vingts représentations. Aussi, pour grossir leurs recettes, lorsque les comédiens associés lancent une nouvelle pièce, jouent-ils « au double », c'est-à-dire en doublant le prix des places aussi longtemps que l'affluence du public le permet.

Ainsi, cumulant la recette des représentations, la pension royale de 12 000 livres et les gratifications des grands chez qui l'on va jouer à domicile, les comédiens parviennent-ils en fin de compte à s'assurer d'honnêtes revenus. La part d'acteur, d'après les registres, est de 850 livres en novembre 1713, de 701 livres le mois suivant. En quatorze ans, depuis son arrivée à Paris jusqu'à la mort de Molière, La Grange, en son *Registre*, avoue avoir reçu 51 670 livres. La Bruyère en est scandalisé : « Le comédien, couché dans son carrosse, jette de la boue au visage de Corneille, qui est à pied. »

La situation des comédiens dans la société est assez particulière ; on a vu qu'ils jouissent d'une honnête aisance ; les gazettes rimées, le *Mercure galant*, les journaux de Hollande chantent leurs louanges et assurent leur publicité ; chansonniers et vaudevillistes n'oublient pas de les brocarder, telle la Champmeslé, dont on dit malicieusement qu'elle a pris *racine* à l'Hôtel de Bourgogne. Leur vie n'est pas plus dissolue, dans l'ensemble, que celle des membres des autres professions, et certains comédiens vivent même très chrétiennement. Molière avait un confesseur attitré, et Madeleine Béjart, par son testament, consacre deux cents livres de rente perpétuelle à des fondations pieuses, que les marguilliers de sa paroisse s'empressent d'accepter. Un au moins, parmi eux, est d'authentique noblesse, c'est Floridor. Et pourtant ils restent, en vertu d'un préjugé ancien, des réprouvés. L'Église les excommunie, tout en les imposant au maximum à chaque occasion qui se présente. Ces redevances payées aux abbayes, aux paroisses, apparaissent comme une véritable rançon. L'Église n'accepte de les inhumer en terre sainte qu'après renonciation formelle à leur profession infâme ; on sait les difficultés que rencontra la veuve de Molière pour faire enterrer décemment le plus grand d'entre eux. Sermonnaires et prédicateurs s'acharnent contre eux, les mettent au ban de la société; Nicole les traite d' « empoisonneurs publics » et s'attire de Racine la cinglante réponse que l'on sait ; le prince de Conti, ancien protecteur de Molière, récemment converti, fulmine contre les comédiens dans son *Traité de la comédie et des spectacles*; et, s'il se trouve parmi les gens d'Église un homme libéral comme le P. Caffaro pour prendre leur défense, il se heurte à la grande voix de Bossuet : malheur à vous qui riez...

Mais le public, lui, ne partage pas ces préventions ; il aime ses comédiens, leur fait fête et leur reste fidèle. Chaque fois qu'une pièce nouvelle est annoncée — cela arrive environ dix à douze fois par an, — c'est un événement parisien. Auteurs et comédiens s'entendent pour organiser la publicité ; l'auteur donne des lectures de sa pièce à des cercles privilégiés ; c'est ainsi que Racine lit son *Alexandre* à l'Hôtel de Nevers, et Molière ses *Femmes savantes* chez le cardinal de Retz ; cette publicité mondaine se double d'une publicité littéraire : les « avant-premières » sont nombreuses dans la petite presse, les gazettes rimées et le *Mercure galant*, où Donneau de Visé soigne plus particulièrement la publicité de ses propres pièces et de celles de son associé Thomas Corneille.

Les comédiens eux-mêmes participent à cette campagne de propagande ; chaque troupe a son « orateur », qui en est souvent le chef — Montdory au Marais, Floridor à l'Hôtel de Bourgogne, Molière au Palais-Royal ; — avant la représentation, il est d'usage que l'orateur, dans une « annonce » bien tournée, vienne exciter l'appétit des spectateurs en leur vantant les mérites de la pièce qui est encore en répétition. Enfin l'affiche joue aussi son rôle ; les affiches de théâtre ne ressemblent guère aux nôtres ; rouges pour l'Hôtel de Bourgogne, vertes pour le théâtre Guénégaud, jaunes pour l'Opéra, elles ne mentionnent jamais la distribution des rôles. Il est vrai que la troupe est si réduite qu'elle se trouve presque obligatoirement engagée tout entière dans chaque spectacle nouveau. Par contre, elle comporte un petit « boniment » prometteur ; elle entretient le lecteur, dit Chappuzeau, « de la nombreuse assemblée du jour précédent, du mérite de la pièce qui doit suivre et de la nécessité de pourvoir aux loges de bonne heure ». Elle fixe la représentation à « deux heures précises », en conformité des ordonnances royales, qui ont voulu éviter la sortie nocturne des théâtres.

Mais, en fait, seul l'ignorant de province se rend à la comédie à l'heure précise ; le Parisien sait très bien qu'on ne commence jamais avant trois heures au plus tôt, après les vêpres, pour finir vers sept heures. La représentation est assez longue ; elle comprend généralement une tragédie et une courte comédie. On fait entracte entre tous les actes, pour une raison bien simple, qui est la nécessité de baisser les lustres et de moucher les chandelles ; c'est la raison pour laquelle aucun acte du théâtre classique ne dure plus d'une demi-heure.

La salle présente un aspect assez différent de celui de nos salles modernes ; si le public des loges, assez confortablement assis, se montre patient et réservé, il n'en est pas de même du parterre, remuant, agité et qui, toujours debout, va, vient, s'interpelle et parfois s'injurie. Il y a là de petits bourgeois, des étudiants, des gens du Palais, des courtauds de boutique, des pages et des laquais, — les soldats n'ont pas entrée au théâtre, — tout un monde turbulent qui échange volontiers des quolibets en dégustant les oranges de la Chine, les confitures, les citrons et les liqueurs que vendent des demoiselles. Mais cette partie du public est celle aussi qui aime le mieux le théâtre, qui « fait le brouhaha » aux beaux endroits ; les connaisseurs, comme Molière, marquent une prédilection pour le public du parterre, celui dont les réactions sont le plus vives et qui juge d'une pièce, comme il le dit lui-même, « par la bonne façon d'en juger, qui est de se laisser prendre aux choses et de n'avoir ni prévention aveugle, ni complaisance affectée, ni délicatesse ridicule ».

Mais, s'il s'enthousiasme vite, le parterre est le premier à manifester si la nouvelle pièce lui déplaît ou lui paraît mal jouée ; il va parfois jusqu'à interrompre la représentation, jusqu'à exiger une autre pièce du répertoire ; s'il est mécontent, il siffle bruyamment — c'est un droit qu'à la porte on achète en entrant — et, pour peu que la cabale s'en mêle, on en arrive à des abus intolérables ; le 6 novembre 1691, la représentation est interrompue ; « on a rendu tout l'argent qui avait été reçu, et même davantage » ; on reste deux jours sans jouer « parce qu'on est allé au Roi et à M. de La Reynie pour avoir de nouveaux ordres pour la sûreté publique » ; trop de mauvais garçons, sortant des cabarets voisins, viennent faire du tapage à la Comédie ; aussi la police doit-elle intervenir ; en 1696, elle interdit les sifflets trop fréquents au théâtre, sous peine d'internement à l'hôpital général. Si l'on en croit Donneau de Visé, le public siffle même pour le plaisir « et parce qu'il trouve ce désordre plus divertissant que tout ce qu'il pourrait entendre ». De Visé, auteur dramatique souvent malheureux et sifflé, se consolait par cette fiction...

Les railleurs du parterre exercent encore leur verve contre les petits marquis dont les sièges encombrent la scène, gênent la manœuvre des décors et entravent les évolutions des acteurs. Tout le monde proteste contre cette fâcheuse habitude, mais personne ne peut faire cesser ce privilège abusif, dont les bénéficiaires, tout fiers de siéger sur les planches, n'ont même pas la discrétion de se faire oublier. Tous ces gens du bel air, ridiculement enrubannés, n'hésitent pas à faire

> Figure de savant sur les bancs du théâtre,
> Y décider en chef, et faire du fracas
> A tous les beaux endroits qui méritent des *ah!*

« Combien de fois, dit l'abbé de Pure, sur ces morceaux de vers : *mais le voici... mais je le vois...* a-t-on pris pour un comédien et pour le personnage qu'on attendait des hommes bien faits et bien mis qui entraient alors sur le théâtre et qui cherchaient des places après même plusieurs scènes déjà exécutées ? »

Ces courtisans affectent un mépris pour le « profane vulgaire » qui s'écrase au parterre, auquel ils crient dédaigneusement : *Ris donc, parterre, ris donc !* quand les comédiens se jouent des « turlupins » à la mode.

A un moment, les femmes furent aussi admises sur le théâtre et on les vit, à la *Judith* de Boyer, pleurer toutes ensemble à la « scène des mouchoirs », cependant que le parterre éclatait de rire devant cette exposition de lingerie...

Mais tous, courtisans de la scène, belles dames des loges, bourgeois du parterre, communient dans le même amour du théâtre. Point n'est besoin de claque (elle n'existait point alors) pour déchaîner les applaudissements unanimes lorsque le spectacle soulève le public d'enthousiasme ou le secoue de rire. Sous Louis XIV comme de nos jours, le Parisien, spontané, facile à émouvoir, constitue le meilleur des publics de théâtre.

CHAPITRE VII

PATRONS, OUVRIERS ET ARTISANS

POUR se représenter la vie du monde du travail au temps de Louis XIV, il faut se pénétrer de cette idée que, dans les grandes villes du moins, les petits industriels et les artisans sont soumis à une réglementation extrêmement rigoureuse. Ils sont, comme au moyen âge, constitués en corporations de métiers et régis par des statuts très stricts, qui limitent leur nombre et définissent, dans les moindres détails, la nature et les conditions de leur travail. Colbert, en effet, à tort ou à raison, pensait que le développement de l'industrie ne pouvait être obtenu que par un dirigisme étroit. Dès 1666, il supprimait tous les métiers libres et les faisait entrer dans les corporations. A Paris, six grandes communautés tiennent la tête du commerce : les drapiers, les épiciers, les merciers, les pelletiers, les bonnetiers et les orfèvres. Elles jouissent de privilèges honorifiques, qui affirment leur puissance ; ce sont leurs membres, par exemple, qui tiennent le dais au-dessus de la tête du Roi, lorsqu'il circule dans la capitale. Ils entretiennent des gardes, vêtus de robes d'apparat, et participent aux élections municipales et consulaires.

L'édit bursal de 1673, reprenant des textes du siècle précédent, enjoint à tous les marchands et gens de métier du royaume de se constituer en maîtrises. Nous verrons tout à l'heure qu'il resta presque partout lettre morte et se heurta à des oppositions irréductibles. Mais, à Paris, la réforme fut appliquée. On comptait 73 corporations en 1673 ; en 1691, on en dénombre 129, réparties en quatre classes.

La communauté de métier, corps professionnel autrefois autonome, tend de plus en plus à devenir une institution d'État. Doublées de leurs *confréries*, associations religieuses et charitables autorisées, qui s'occupent d'ailleurs aussi des intérêts commerciaux de leurs membres, les corporations défendent âprement leurs privilèges. La minutie de la réglementation — pour les drapiers, par exemple, les règlements prévoient la largeur obligatoire des pièces de drap, la longueur des chaînes, le nombre de fils de la chaîne, la disposition des lisières, le décatissage, le calendrage, le pliage même des pièces — donne lieu à de fréquentes querelles entre les métiers. Celle qui oppose les tailleurs et les fripiers occupe tout le siècle, les premiers prétendant interdire aux seconds l'usage du drap neuf pour les réparations. En 1676, les apothicaires de Blois protestent contre une sentence de MM. du Présidial « en faveur de deux femmes nommées la Denis et la Maurice, auxquelles ils ont permis, à notre préjudice, de donner des lavements à toute la ville » ! Quatre ou cinq corporations puissantes se liguent contre les pauvres petits ramoneurs savoyards qu'elles prétendent empêcher de vendre de la verroterie et de la quincaillerie. Louis XIV lui-même doit les prendre sous sa protection, pour leur permettre de continuer leur innocent petit commerce. On se trouve en présence d'une véritable oligarchie commerciale qui prétend établir un monopole absolu et écraser tout ce qui ne rentre pas dans l'organisme.

Les communautés sont fortement organisées et hiérarchisées ; le nombre des maîtres est limité (nous dirons plus loin comment on accède à la maîtrise) et l'on peut compter sur leur vigilance pour n'admettre que le nombre prévu de concurrents ; chaque métier a ses *jurés* et son syndic élus, ses *anciens*, qui ont plus de vingt ans de maîtrise, ses *modernes*, qui ont de dix à vingt ans d'exercice, ses *jeunes*, qui ont moins de dix ans. Toutes ces fonctions, d'ailleurs rémunératrices, donnent lieu à la perception de droits importants ; chez les cordonniers de Paris, qui sont loin de compter parmi les plus riches et qui ne font pas partie des

« six corps » privilégiés, une jurande de *moderne* coûte deux cent cinquante livres.

De même qu'elle se défend contre la multiplication des concurrents, la profession s'occupe du recrutement et de la formation des ouvriers. Elle seule a qualité pour former des apprentis. Mais, là encore, elle se défend âprement. Tout apprenti qui s'engage est, pour l'avenir, un concurrent possible ; s'ils sont trop nombreux, ils risquent d'entrer en compétition avec les fils de maîtres, pour qui des règles spéciales sont prévues. On verra plus loin combien elles leur sont favorables. En conséquence, le nombre des apprentis est très réduit ; chaque patron, en général, ne peut en former qu'un à la fois ; il est interdit de prendre l'apprenti d'un confrère ou même de le lui emprunter. Si la profession est encombrée, on suspend, pour plusieurs années parfois, le recrutement des apprentis. Dans ce cas, les fils de maître ont toujours la priorité. On écarte ainsi prudemment toute menace de chômage, et les compagnons sont les premiers, le cas échéant, à rappeler sur ce sujet les maîtres à leur devoir. Les trop nombreux arrêts de justice que l'on rencontre en cette matière prouvent néanmoins que ceux-ci l'oublient trop souvent. Des bureaux d'adresses, à l'imitation de celui qu'avait créé Théophraste Renaudot, et qui subsiste toujours, se sont fondés pour faciliter le placement des « apprentifs » et des ouvriers.

L'apprenti n'est d'ailleurs plus un enfant, comme de nos jours ; son âge moyen est de dix-huit à vingt-trois ans ; nous en avons même rencontré de vingt-huit ans. Dans certaines professions, cependant, comme l'imprimerie, l'apprenti débute à quinze et même douze ans, mais le cas est exceptionnel ; en règle générale, la limite inférieure est de dix-sept ou dix-huit ans. Les filles qui apprennent la couture ou quelque point de dentelle commencent également plus jeunes, de douze à seize ans.

L'entrée en apprentissage est un événement important dans la vie professionnelle ; il s'accomplit avec le maximum de solennité et donne toujours lieu à un contrat notarié, passé devant témoins, en présence du syndic de la communauté sur le registre officiel de laquelle il est transcrit. Quel que soit son âge, le candidat doit être présenté par ses parents ou son tuteur et offrir toutes garanties au point de vue moral.

La durée d'apprentissage est variable selon la profession ; pour les métiers faciles : sabotier, pignier (cardeur de laine), un an suffira ; le futur menuisier, charpentier, papetier, armurier, contrepointier fera un stage de deux ans ; le futur imprimeur attendra quatre ans avant d'être compagnon et le candidat chirurgien s'exercera pendant cinq ans. Certaines corporations exigent même jusqu'à sept ans d'apprentissage.

Le contrat est rédigé dans des termes qui ne varient guère d'une profession à l'autre. Voici, par exemple, Pierre Le Petit, imprimeur de l'Académie française, « qui a pris et retenu ledit Jean-Baptiste l'Espine pour son apprenti, auquel, pendant ledit temps (cinq ans), il promet lui montrer, enseigner au mieux qu'il lui sera possible lesdites marchandises et imprimerie et tout ce dont il se mêle et entremet en icelui, lui fournir ses vivres et aliments corporels, comme feu, lit, hôtel, lumière ; et ladite bailleresse (la mère) entretiendra ledit apprenti de linge, chaussons, vêtements, habits et autres ses nécessités. Et sera traité par ledit sieur preneur doucement et humainement, comme il appartient, pour raison de quoi ne sera déboursé aucuns deniers de part ni d'autre ».

Ainsi, bien que « congru en langue latine » et sachant « lire le grec », J.-B. de l'Espine travaillera au pair, pour sa nourriture et son logement, sans salaire, et sa mère devra encore l'entretenir. Il est vrai de dire que, dans d'autres cas, le maître prend à sa charge l'habillement et l'entretien de l'apprenti ; mais, souvent aussi, la famille du jeune homme doit payer son apprentissage. Pour une petite fille qui apprend la couture, on ne payera, à Nîmes, en 1672, que six livres par an ; mais nous avons rencontré des contrats d'apprentissage comportant une redevance beaucoup plus importante : 60, 70, 100 livres pour la durée de l'apprentissage. A Fontainebleau, un apprenti potier de vingt-deux ans versera 150 livres pour trois ans ; à Lyon, en 1691, un apprenti imprimeur payera 85 livres pour trois ans ; à Privas, un apprenti devra payer, pour deux ans, 120 livres en 1665 et 150 en 1691. A Paris, un tapissier exige 200 livres, mais un passementier se contente de 30 livres. Parfois l'apprenti vit dans sa famille ; il touche alors huit sous par jour la première année, neuf sous la deuxième et dix sous la troisième.

Dans les statuts de la corporation, il est généralement prévu que le maître ne pourra « prétendre aucun argent pour rédimer et abréger ledit temps ». Clause de style le plus souvent, car certains maîtres, voyant leurs apprentis formés, comprennent qu'ils ont intérêt à en faire des compagnons avant le terme fixé, pour augmenter leur rendement. Alors, moyennant une indemnité fixée d'accord entre les deux parties, on met fin au contrat et l'apprenti passe prématurément compagnon.

Le contrat lie étroitement le maître et l'apprenti ; si celui-ci est renvoyé injustement, il peut se plaindre auprès des jurés qui lui feront rendre justice ; par contre, l'apprenti est tenu à un service régulier. « En cas d'absence, il sera tenu, pour la première fois, de faire le double du temps qu'il aura été absent, et, pour la seconde fois, de renoncer audit état. » Le maître a la responsabilité morale de l'apprenti ; il doit veiller à ce qu'il mène une vie régulière ; les pâtissiers de Paris, ayant eu en 1678 à se plaindre de leurs marmitons, n'hésitèrent pas à les déférer à la police du Châtelet ; la sentence rendue contre eux constate qu'ils « consomment le temps de leur apprentissage sans rien apprendre de leur métier ; et, ce qui est d'une plus dangereuse conséquence pour eux, s'adonnent au jeu, à la fainéantise, à la débauche et, finalement, à toutes sortes de désordres, par la fréquentation continuelle qu'ils ont avec les fainéants, coupeurs de bourse et gens de leur cabale ». Tous, évidemment, ne sont pas de petits saints.

Dernière sujétion : l'apprenti doit être et rester célibataire, car on craint les familles nombreuses, pépinières de concurrents éventuels. Une clause de résiliation est presque toujours prévue en cas de mariage : « Arrivant que ledit apprenti vînt à se marier pendant le temps dudit brevet, icelui apprenti consent qu'il demeurera seul, rayé et biffé du registre de ladite communauté. »

Comme de nos jours, l'apprenti, tout en se familiarisant avec son métier, est souvent le factotum de l'atelier. Il fait les courses en ville et y gagne parfois quelques petits pourboires, va chercher les vivres et le vin des compagnons, ouvre la boutique le matin, la ferme le soir, allume le feu, nettoie l'atelier, promène au besoin les enfants du maître, assure les corvées les plus dures ; trop heureux quand il n'est pas malmené ou même battu, car les compagnons ont la main leste. Ainsi l'apprenti est-il autant un domestique qu'un ouvrier.

Sans défense, il accepte généralement son sort peu enviable, attendant la fin de son apprentissage comme une libération. Parfois, avec ses camarades, il ose élever une plainte dans l'espoir d'améliorer sa situation. C'est ainsi qu'en 1666 les apprentis imprimeurs, qui semblent avoir toujours été parmi les plus remuants, s'estimant attachés à une profession supérieure, déposent requête en justice contre le travail accablant qu'on leur impose : « Aussi n'y a-t-il pas d'apparence qu'une personne de lettres, qui doit être née de famille pour avoir pu subvenir à la dépense nécessaire à ses études, veuille se réduire à un apprentissage de cinq années et autres sujétions nécessaires pour parvenir à la maîtrise de l'imprimerie, qui sont d'estre levés à quatre heures du matin, pour monter les balles qui servent à imprimer, après avoir cardé la laine, et cela devant la venue des ouvriers, qui est d'ordinaire à cinq heures; aller quérir leur vin et leurs vivres pendant leur journée, comme aussi la lessive dont on ne peut se passer pour laver et nettoier les caractères qui sont employez au long du jour aux impressions; outre cela, travailler continuellement à la presse, qui est le travail le plus pénible que l'on puisse imaginer, et, sans comparaison, plus rude et plus fort que n'est celuy d'un forçat qui rame les galères. Après tout cela, à la sortie des ouvriers, qui est au plus tôt à huict ou à neuf heures du soir, aller aux Puits ou aux fontaines, puiser de l'eau dont on a besoin pour tremper le papier qu'on veut imprimer les jours suivants. »

Pour apitoyer le public sur le traitement qu'ils subissent, les petits imprimeurs diffusent un poème, intitulé *La Misère des apprentis imprimeurs*, qu'ils ont cependant trouvé le temps de composer et de tirer ; ils s'y plaignent en particulier des conditions misérables de logement qui leur sont faites :

> Dans le coin d'une cour à tous vents exposée,
> Paroist un antre obscur juste à rez-de-chaussée.
> Là règne une maligne et froide humidité,
> Capable d'altérer la plus forte santé.
> Il est vray qu'on n'y craint ni puces ni punaises ;
> Mais partout, sur le lit, au plafond, sur les chaises,
> On voit par escadrons les escargots courir,
> Et, d'un germe gluant, les murailles couvrir.
> C'est dans ce lieu charmant, dans ce séjour aimable,
> Que deux ais, vieux débris d'une méchante table,
> Servent à soutenir un malheureux grabat
> Pour le moins aussi dur que celuy d'un forçat.

Vaille que vaille, l'apprentissage se termine ; muni de ses outils que son maître lui laisse — c'est l'usage dans beaucoup de corporations — et d'un certificat en bonne et due forme, notre jeune homme va pouvoir songer à se marier et à fonder une famille. Mais il lui faut d'abord trouver du travail. Souvent, le maître qui l'a formé le garde comme ouvrier, mais, s'il n'y a pas de place, il faut chercher de l'embauche. On s'inscrit alors au bureau de la corporation, mais surtout on prend part aux réunions de compagnons qui se tiennent aux lieux d'embauche traditionnels, à Paris, rue Saint-Denis pour les verriers, rue de la Huchette pour les apothicaires, rue de la Savonnerie pour les tourneurs et tabletiers, faubourg Saint-Marcel pour les tanneurs, rue de la Poterie pour les pâtissiers, rue de la Tannerie pour les teinturiers, rue des Écouffes pour les menuisiers, place de Grève enfin, pour les maçons et les manœuvres.

Comme le nombre des ouvriers n'est pas limité, sauf dans certaines professions comme les cordonniers et les tailleurs, le jeune compagnon, après avoir prouvé qu'il est libre d'engagement et de bonne moralité, trouve assez aisément du travail. Il connaît son métier et les innombrables règlements qui l'enserrent dans d'étroites limites, brisant par avance toute invention et souvent même toute initiative.

Pour un salaire moyen de douze sous en province, de quinze à vingt sous à Paris, salaire librement débattu, car les statuts, qui ont tout prévu, sont muets sur cette question, le compagnon devra tout son temps au patron. Il est payé chaque mois et la convention est généralement verbale. On trouve cependant de très rares contrats de compagnon, liant les deux parties pour un temps assez long. Souvent des allocations en nature s'ajoutent au salaire. A Privas, en 1672, un compagnon cordonnier s'engage pour 39 livres par an ; il sera nourri, chaussé et percevra une chemise de toile. Il est interdit au compagnon de travailler à domicile et même de posséder chez lui les gros outils du métier, sous peine d'amende et de prison. Il est vrai que sa journée de travail lui suffira largement ; elle varie, en effet, de douze à seize heures « sans discontinuer que pour prendre une réfection honneste et nécessaire » ; le bon ouvrier n'aura même pas le moyen de tirer un profit particulier de son habileté, car le travail aux pièces est interdit, les compagnons doivent travailler « seulement à leurs gages, pain, pot, lit et maison », car on craint le travail bâclé ou qui même ne satisferait pas à toutes les règles sacro-saintes de la corporation. Pour cette longue journée de labeur, les cloches des églises lui serviront d'horloge ; réveillé à laudes à trois heures, il sera au travail avant prime à six heures ; sexte et vêpres marqueront l'heure du repos et de la collation ; il quittera rarement l'atelier avant la sonnerie de Complies, à neuf heures du soir.

Célibataire, il est le plus souvent logé chez le patron, assez misérablement d'ailleurs, et nourri à sa table. S'il est marié, il ne pourra occuper en ville qu'une petite chambre obscure et malsaine, dans quelque recoin d'une de ces vieilles maisons sans air ni confort. Son salaire ne lui permettra pas souvent de manger de la viande ; haricots et lentilles feront le fond de sa nourriture. L'auberge, où le moindre repas coûte vingt sous, lui est interdite ; seule la « gargote » à cinq sous lui est accessible, mais il n'y trouve qu'une nourriture minable. Le médecin anglais Lister, en voyage à Paris en 1698, ignorant sans doute le salaire des ouvriers, leur reproche un peu légèrement de le consacrer uniquement à leur entretien : « Il n'y a pas au monde, écrit-il, un peuple plus industrieux et qui gagne moins, parce qu'il donne tout à son ventre et à ses habits. » L'Anglais se doute-t-il qu'il ne reste au compagnon, son entretien payé, plus rien pour d'autres dépenses ? Et, s'il est marié et père de famille, c'est la gêne perpétuelle et parfois la misère.

Si la journée de travail est longue et pénible, les jours chômés assurent heureusement à l'ouvrier un repos bienfaisant, mais, hélas ! sans rémunération. Les fêtes religieuses, mobiles et fixes, la fête du patron de la corporation, de celui de la paroisse, la fête du maître, celle de sa femme, celle de l'ouvrier, les jours d'entrée solennelle du Roi, les jours de baptême, de communion et de mariage sont chômés. Comme dit le savetier de La Fontaine :

> Le mal est que dans l'an s'entremêlent des jours
> Qu'il faut chômer. On nous ruine en fêtes.
> L'une fait tort à l'autre, et monsieur le curé
> De quelque nouveau saint charge toujours son prône.

En 1666, pour activer les constructions royales, Louis XIV obtint de l'archevêque de Paris qu'il supprime une vingtaine de jours fériés. Il en reste encore trente-deux par an, non compris les dimanches. Le nombre de jours de travail effectif ne dépasse guère 250 dans l'année.

Si le compagnon a commis quelque faute grave, qui l'exclut pratiquement de la communauté, il ne lui reste plus qu'à se faire « chamberland », c'est-à-dire travailleur clandestin à domicile. Mal vu des ouvriers, pourchassé par les patrons, traqué par la police, il vit alors en marge de la société, comme un être maudit, misérablement, et vend au rabais, avec peine, sa marchandise de contrebande.

Les compagnons ont parfois des difficultés avec les maîtres ; ils tentent, eux aussi, de défendre leurs maigres droits, contre les ouvriers de province notamment. Ils se mettent parfois en grève, mais moins souvent, semble-t-il, qu'au siècle précédent, bien que le développement de la grande industrie, en groupant dans une seule fabrique des milliers d'ouvriers, facilite les mouvements. Faire grève — expression qui tire son origine de la place de Grève où les manœuvres se réunissaient en vue de l'embauche — reste évidemment interdit. Toute coalition d'ouvriers est défendue et sévèrement réprimée. Guy Patin écrit, le 8 juin 1660 : « Les maçons et tels ouvriers du bâtiment ont tâché de faire sédition, laquelle eût été à craindre, tant elle était grande, mais on en a pris prisonniers par arrêt de la cour et l'on croit que le danger est passé. » On note des grèves chez les papetiers, à Avignon, en 1662 ; en 1661, chez les boulangers de Bordeaux et les cordonniers de Toulouse ; d'autres encore, de 1706 à 1709, à Reims, Amiens, Orléans. Il y eut une grève sur les chantiers royaux, à Marly ; une autre à Rouen, en 1688, pour protester contre un arrêté qui permettait aux drapiers d'employer des ouvriers étrangers. Boisguilbert écrit : « L'on voit, dans les villes de commerce, des sept à huit cents ouvriers d'une seule manufacture s'absenter tout d'un coup et un moment parce qu'on voulait diminuer d'un sou leur journée de travail. » Parfois les patrons, écrasés d'impôts, pratiquent le lock-out.

Mais la grève n'est pas le moyen normal de défense ouvrière : elle comporte alors trop de risques. Cependant, il faut bien que les compagnons se défendent contre l'âpreté des patrons. Au moyen âge, la communauté de métier, dont l'ouvrier faisait généralement partie, assurait la défense de ses droits. Mais, aujourd'hui, la corporation, étatisée, est la chose exclusive des patrons et ne s'occupe de protéger que les maîtres et leurs fils, qui jouissent de privilèges exorbitants, tendant de plus en plus à transformer le métier en véritable charge héréditaire. Abandonné par son protecteur naturel, le patron, l'ouvrier est bien obligé d'organiser lui-même sa propre défense. En dépit des ordonnances qui interdisent toute coalition, les ouvriers sont groupés, dans chaque profession, en de vastes associations secrètes, aux rites mystérieux et étranges, qui conservent une puissance réelle. Ce sont les « compagnonnages », dont le réseau clandestin couvre tout le pays. Ancêtres de nos modernes syndicats, ces sociétés voient naître l'argot professionnel où le patron devient le *singe* et l'atelier la *boîte*. Dans chaque ville, un cabaret désigné devient le centre du compagnonnage. Le tenancier du cabaret, appelé *la mère*, est en relation avec les patrons. Il accueille, loge, nourrit et, s'il y a lieu, secourt les nouveaux arrivants qui accomplissent leur tour de France et assure leur placement, contre un modique droit d'embauche.

Face à l'oligarchie puissante des marchands, organisée dans cette citadelle patronale qu'est la corporation, le compagnonnage s'efforce de défendre le droit des ouvriers. L'admission est une cérémonie à caractère religieux. Elle se passe chez « la mère ». Le candidat reçoit un second baptême, avec parrain et marraine, et un nouveau nom, souvent tiré de sa province d'origine, qui le soustraira plus aisément à la police. L'ouvrier s'appellera désormais Bourbonnais, Tourangeau, ou d'un sobriquet gaillard, Printemps, Bonne Vie. Il prête serment sur sa part de paradis de ne jamais rien révéler des activités de la société, même en confession.

L'association a un caractère religieux très marqué, — sacrilège, dira l'Église, et empreint de sorcellerie ; — des amendes sont prévues contre ceux qui ne paraissent pas à la messe ; le groupement se réunit souvent dans des couvents, à l'abri des regards indiscrets de la police. Mais c'est surtout un organe corporatif puissant; en province, au moins, l'association est en correspondance suivie avec les villes les plus proches ; elle dispose du monopole du placement et, contre les patrons trop avares ou trop brutaux, elle a un moyen d'action puissant, plus puissant que la grève, c'est la quarantaine, la mise en interdit.

La société exige une discipline sévère de ses adhérents ; des juridictions spéciales et secrètes punissent d'amendes les fautes professionnelles ou autres. Mais elle soutient ses affiliés contre les ouvriers libres et les patrons, les cas de violence même ne sont pas rares, et de nombreux procès attestent les mœurs parfois violentes des artisans. Cet organisme de combat n'est malheureusement pas unifié ; il y a, d'une part, les Compagnons du Devoir, qui existent encore aujourd'hui; ce sont les *Devoirants*; et, d'autre part, les *Gavots*. La lutte entre les deux sociétés rivales dégénère souvent en bagarres sanglantes.

La police n'est pas seule à les traquer ; leurs rites religieux passent pour des parodies sacrilèges aux yeux des défenseurs attitrés de la morale et de la religion. La Compagnie du Saint-Sacrement, après une longue et difficile enquête, qui met curieusement aux prises deux puissantes sociétés secrètes, réunit assez de renseignements précis sur la coupable organisation ouvrière et dénonce l'association de Paris à la Sorbonne, qui condamne « les pratiques impies, sacrilèges et superstitieuses des compagnons selliers, cordonniers, tailleurs, couteliers et chapeliers ». La sentence donne une idée de leur organisation : « Ils ont entre eux une juridiction, élisent des officiers, un prévôt, un lieutenant, un greffier, un sergent, ont des correspondances par les villes et un mot du guet, font une ligue offensive contre les apprentis de leur métier qui ne sont pas de leur cabale, les battent, les maltraitent. » Vainement, la pieuse Compagnie du Saint-Sacrement essaie de substituer au compagnonnage des cordonniers et des tailleurs de nouvelles associations rigoureusement catholiques et soumises à une règle approuvée par Mgr l'Archevêque. Malgré sa puissance, elle ne parvient pas à avoir raison du compagnonnage, institution dont la fondation se perd dans la nuit du moyen âge.

Son tour de France achevé, le compagnon est en possession complète de son métier ; il en connaît à fond la technique. L'artisan est aussi généralement un artiste qui sait orner avec goût les moindres objets d'utilité courante et même ses propres outils. Le musée de ferronnerie de Rouen conserve par exemple des modèles de clefs ouvragées qui sont de vrais bijoux. Des objets aussi humbles qu'un gril étaient assez travaillés et décorés pour devenir de véritables œuvres d'art.

S'il est ambitieux, s'il n'a pas trop couru les tavernes et les cabarets et s'il a pu amasser un petit pécule, le compagnon songe à s'établir, à devenir patron à son tour. Pour cela, il faut d'abord être Français, né de légitime mariage, de bonne vie et mœurs, catholique et avoir plus de vingt ans. Il faut encore attendre une vacance dans la profession, puisque le nombre des maîtres est strictement limité. Le plus souvent, si le compagnon épouse une petite bourgeoise qui possède quelques centaines de livres de bien, c'est la dot qui lui servira à faire les frais de la maîtrise. Ceux-ci, on va le voir, sont assez considérables.

Il faut d'abord songer au *chef-d'œuvre*, épreuve qui témoignera de la valeur professionnelle de l'artisan. Pour cela, le compagnon s'adresse aux jurés de la corporation, qui fixent le travail à exécuter. Parfois ce dernier est déterminé *ne varietur* par les statuts de la corporation. Les cordonniers de Paris sont astreints à « tailler et coudre une paire de bottes, trois paires de souliers et une paire de mules », les épingliers à faire un millier d'épingles, les horlogers une horloge « à réveille-matin », les pâtissiers « six plats complets », les paumiers à « jouer contre les deux plus jeunes maîtres » et à gagner un certain nombre de parties, les serruriers, enfin, à « faire trois serrures à quatre pènes, une de cabinet, une de buffet, une de coffre ». Lorsque la communauté est endettée, comme c'est le cas pour les brodeurs, le chef-d'œuvre est réduit à un « pourtrait qui se puisse faire en huit jours », si le candidat verse cent livres. Mais, lorsque le choix est laissé aux jurés, ceux-ci multiplient volontiers les difficultés pour lutter contre la concurrence ; certains chefs-d'œuvre exigeaient parfois deux ans de travail ; c'était la ruine pour les ouvriers qui avaient le courage de se présenter. Les abus furent si scandaleux qu'en 1691 un édit intervint, précisant que le chef-d'œuvre doit pouvoir « être fait et parfait dans l'espace d'un mois » et être « d'usage, de chose utile », afin que son auteur puisse en tirer quelque profit.

Pendant le temps de l'épreuve, le candidat est chambré chez un juré, chargé du contrôle du travail et qui doit s'assurer que l'ouvrier n'est ni aidé ni conseillé. Enfin, le chef-d'œuvre est achevé ; on l'expose ; tous les maîtres l'examinent à loisir. Les jurés prononcent leur sentence, sans appel ; si le travail est jugé insuffisant, il est brisé. Le compagnon a perdu son temps et sa peine. Il est souvent découragé à tout jamais de recommencer l'épreuve. S'il réussit, il ne lui reste plus qu'à prêter serment au Grand Châtelet devant le procureur du roi.

En principe, cette formalité est gratuite, sauf les droits fiscaux qui s'attachent aux lettres de maîtrise. En fait, elle revient fort cher aux candidats et épuise souvent leurs modestes économies. Chez les bourreliers, par exemple, le jury est composé de vingt-quatre juges : quatre jurés qui touchent chacun six livres, douze anciens à trois livres, quatre modernes et quatre jeunes à deux livres ; faites le total : outre le temps passé et l'achat de la matière première, voilà déjà soixante-seize livres de dépensées. Ajoutez-y le repas traditionnel et coûteux de bienvenue, maintenu en dépit des statuts qui l'interdisent. N'oubliez pas les petits cadeaux d'usage aux jurés, pour les bien disposer : « Arroser le chef-d'œuvre, dit le dictionnaire de Trévoux, c'est bien faire boire les jurés. » Et, enfin, les droits dus à la communauté, quelque 500 ou 1 000 livres, qui montent, pour les grandes corporations, à 1 800 chez les merciers, à 3 240 chez les drapiers, ce qui interdit pratiquement l'accès de la profession aux ouvriers, condamnés au compagnonnage à perpétuité.

Si notre compagnon a la chance d'épouser une fille ou une veuve de maître, alors tout change. Il est considéré comme « fils de maître ». Et, comme par enchantement, toutes les difficultés s'aplanissent devant lui, car la corporation a prévu des mesures exceptionnellement favorables pour les fils de maîtres, instituant un véritable droit d'hérédité sur les maîtrises. C'est un des principaux vices de l'organisation corporative. Le 17 octobre 1680, chez les tailleurs parisiens, cinq gendres et deux fils de maîtres sont reçus contre un seul apprenti libre. Toujours admis par priorité ou en surnombre comme apprenti, le fils du patron est accueilli à bras ouverts ; le plus souvent, pour lui, le chef-d'œuvre est supprimé et remplacé par une attestation de complaisance des jurés constatant son « expérience ». Plus de droits à payer. La naissance tient lieu du savoir et de la formation professionnelle.

Le candidat à la maîtrise se heurte encore à d'autres institutions qui limitent ses chances de réussir. Le Roi, en effet, se réserve le droit, à l'occasion de la naissance d'un dauphin, du mariage d'un prince du sang, de vendre des lettres de maîtrise ; n'importe qui peut les acquérir moyennant argent comptant, qui servira à doter le petit prince qui vient de naître. De nouveaux maîtres sont ainsi nommés, sans aucune expérience du métier, avec dispense de tous les frais, hors les droits du fisc. Ils sont généralement mal vus de leurs confrères et considérés comme des intrus dans la profession. Encore une grave fissure dans le système corporatif.

Louis XIV use, il est vrai, moins souvent de ce droit traditionnel que ses prédécesseurs, mais ceux-ci en ont tellement abusé que les lettres de maîtrise ne trouvent même plus preneur, tant est grand le discrédit jeté sur ces *maîtres sans qualité*.

Mais Louis XIV a trouvé encore mieux que la vente de ces lettres de maîtrise dédaignées ; pour renflouer le trésor, toujours vide, il se réserve le droit, dans plusieurs corporations, de vendre toutes les maîtrises, qui deviennent ainsi de véritables offices, au détriment des compagnons. Il crée des charges et offices nouveaux, inutiles, qu'il vend chèrement et dont il impose la rémunération aux corporations. Celles-ci se défendent de leur mieux ; lorsque l'édit de 1691 crée des charges de juré, vendues au plus offrant, les corporations s'en tirent en payant une somme égale au revenu des charges créées. D'un seul coup, le Roi encaisse trois millions. La corporation des merciers verse 300 000 livres, celle des épiciers 120 000, celle des drapiers 100 000. L'affaire, fructueuse, est bientôt recommencée. Louis XIV, en 1694, crée des offices d'auditeurs et d'examinateurs des comptes. Les corporations se saignent à nouveau pour racheter ces nouvelles charges ; avec les difficultés de la fin du règne (de 1700 à 1707, les dépenses publiques sont passées de 116 à 258 millions) et la multiplication des expédients financiers, Louis XIV recommence, de plus en plus souvent, l'opération : en 1702, c'est la création de trésoriers receveurs et payeurs ; en 1704, les contrôleurs visiteurs des poids et mesures, les greffiers pour l'enregistrement des brevets d'apprentissage ; en 1706, les contrôleurs des registres ; en 1709, les gardes des archives. La royauté, aux abois, ne sait plus quel office imaginaire inventer pour en tirer quelque argent ; les corporations, épuisées, endettées, sont au bord de la faillite. Le riche commerce, remis jadis sur pied par Colbert, est ruiné. L'État, abandonnant son rôle traditionnel de protecteur du travail, pour s'en faire l'exacteur, développait la vénalité et donnait lui-même l'exemple des pires abus.

***

Il ne faudrait cependant pas croire que la stricte organisation du travail que nous venons de décrire était uniforme et générale dans tout le royaume. Elle était respectée dans quelques grandes villes, centres d'industries et de commerces importants, et notamment à Paris, qui comptait en 1682, d'après un recensement de Le Tellier, 17 085 maîtres, 38 000 compagnons, 5 000 garçons de boutique et 6 000 apprentis. Au début du siècle, les diverses professions aimaient à se grouper dans le même quartier, dans la même rue, qui en avait tiré son nom. Mais, sous Louis XIV, ces habitudes casanières se perdent et les divers métiers essaiment un peu partout. Seuls les libraires restent groupés rue Saint-Jacques et les procureurs et bas officiers de justice aux environs de la place Maubert.

Une partie très notable du patronat parisien échappe encore à la corporation. Il y a d'abord une première sorte de privilégiés, ce sont les « marchands suivant la cour » où se fournissent tous les courtisans et tout le personnel de Versailles. Ils ne dépendent que du grand prévôt de France et font partie intégrante de la cour. C'est en vain que les corporations protestent contre ces dangereux concurrents. Ils ont vu leur privilège renouvelé par arrêt du 24 août 1682. Or ces marchands suivant la cour, qui bénéficient d'un prestige spécial et de la réputation particulière à tout ce qui s'attache à la suite du Roi, ont une large clientèle en dehors de la cour. Leur nombre même l'indique : en 1712, ils étaient 377 : 20 marchands de vin, 20 bouchers, 20 tailleurs, 26 rôtisseurs, 26 merciers... C'était beaucoup plus qu'il n'en fallait pour la cour, et ces marchands étaient achalandés de nombreux bourgeois parisiens. Ils faisaient d'ailleurs fort bien leurs affaires, et leurs charges, qui étaient naturellement payantes, coûtaient très cher : 25 000 livres pour un marchand de vin, 120 000 livres pour un cabaretier. On comprend que le roi n'ait jamais voulu se priver d'une telle source de revenus.

Il y avait aussi des « lieux privilégiés », relevant de juridictions seigneuriales particulières, au seuil desquels s'arrêtait le pouvoir des corporations : dans le cloître Notre-Dame, la cour du Temple, où s'était localisée la bijouterie à bon marché, l'imitation de pierres précieuses, les fameux *bijoux du Temple*, l'enclos de Saint-Germain des Prés, des Quinze-Vingts, de la Trinité, les faubourgs hors les murs, le commerce était libre. Là s'installaient les compagnons trop impécunieux pour acheter des lettres de maîtrise ou insuffisamment expérimentés. Souvent, ils vendaient à meilleur compte une marchandise de qualité inférieure. C'est du moins ce que prétendaient les corporations, qui y avaient droit de visite et y entamèrent d'interminables procès. Ces marchands libres ne pouvaient livrer leurs produits hors des limites du *lieu privilégié*. L'acheteur lui-même devait emporter son emplette séance tenante ; dans le cas contraire, les jurés pouvaient saisir la marchandise. Soutenant les corporations, Colbert, dans un dessein d'unification, tenta vainement de s'attaquer aux franchises des lieux privilégiés ; il obtint un arrêt du conseil du 31 mai 1675 supprimant les maîtrises des faubourgs et les incorporant aux communautés parisiennes, mais l'arrêt resta lettre morte. Il était vraiment trop difficile de supprimer d'anciens privilèges, alors qu'on en créait chaque jour de nouveaux.

En province, d'autre part, le régime des corporations rencontra l'opposition des artisans ruraux, toujours jaloux de leur indépendance ; en vain les intendants, dans une pensée surtout fiscale, d'ailleurs, faisaient-ils partout pression pour hâter, conformément aux ordonnances, la constitution de communautés de métiers. Artisans et compagnons faisaient la sourde oreille ; et, de fait, des provinces entières échappèrent à la réglementation. On ne trouve trace d'aucune maîtrise en Hainaut, en Béarn, en Vivarais, dans le Gévaudan. Dans un grand centre comme Poitiers, en 1708, 35 métiers seulement sur 60 étaient jurés. A Lille, on compte 4 000 marchands indépendants.

Enfin, la grande industrie, naissante au XVIIe siècle, — manufactures des Gobelins, de Beauvais, de Saint-Gobain, textiles du Nord, — échappe, elle aussi, au régime corporatif. Elle dépend directement de l'État qui est à la base de sa création. Il y a là des cohortes d'ouvriers connaissant un régime de caserne. La manufacture de textiles de Van Robais, à Abbeville, occupe 1 692 ouvriers. L'ouvrier dîne et collationne dans la fabrique, où la journée de travail est particulièrement longue et dure. C'est que, déjà, le capitalisme naissant se montre âpre au gain. Le bourgeois cossu, toujours méfiant à l'égard des rentes sur l'Hôtel de Ville, si souvent rognées, prend l'habitude de placer ses disponibilités en actions de ces puissantes sociétés industrielles et commerciales qui distribuent régulièrement de si beaux dividendes. Il préfère ces placements, malgré l'encouragement officiel et l'exemple du Roi, aux compagnies financières comme la Compagnie du Levant ou la Compagnie des Indes qui, toutes, font de mauvaises affaires, sont en déficit et ne subsistent que grâce à l'appui de l'État.

Les marchands en gros et les exportateurs commencent à faire le trust des petites entreprises. Lille contrôle toute l'industrie textile d'Armentières, de Roubaix et de Tourcoing ; la haute finance lyonnaise met peu à peu la main sur les quelque 18 000 métiers de soyeux de la région ; de la manufacture royale des points de France, créée en 1670, dépendent environ 6 000 métiers où travaillent 17 000 dentellières. Autant d'artisans qui échappent aux règles étroites du corporatisme pour tomber dans la dépendance de la grande industrie et du capitalisme.

Ainsi, une importante partie du commerce et du travail échappe au système de la corporation ; sinon par le volume des affaires, du moins par le nombre des patrons et des ouvriers, on peut affirmer que la majorité des travailleurs du royaume restent soumis, en dépit des ordonnances, au marché libre.

Comment vivait tout ce monde de commerçants, d'artisans et d'ouvriers ? Il y a des distinctions à faire.

Certains commerçants parisiens — ceux des six corps privilégiés — brassent d'immenses affaires. Une mercerie, dont le nom évoque aujourd'hui une petite boutique de détaillant, c'est au XVIIe siècle un vaste et riche magasin qui, par le volume des affaires et la variété des objets offerts, s'apparente plutôt à nos actuels grands magasins. De même pour les drapiers. Ces puissants marchands édifient de grosses fortunes ; ils disposent d'un crédit considérable, de relations étendues ; la prévôté des marchands, l'échevinage sont entre leurs mains ; ils payent à leurs fils des charges rémunératrices de judicature et de finance ; ils donnent à leurs filles des dots de 100 000 et même 200 000 livres, comme on n'en voit plus que rarement dans l'aristocratie, et il ne faut pas s'étonner si les jeunes nobles se les disputent. Ils habitent des maisons somptueuses, qui, pour le confort et le luxe, ne le cèdent en rien aux plus riches hôtels de la noblesse. Madame, en dépit des ordonnances, s'habille de velours et de soie et sait garnir ses robes des plus fines dentelles de Valenciennes et d'Alençon. Ces grands bourgeois tiennent le haut du pavé de Paris.

Ils ont leurs semblables, toutes proportions gardées, en province. Voici Pierre Vigne, drapier et teinturier de Privas. Lorsqu'il meurt, en 1683, on dresse l'inventaire de ses biens : outre le matériel professionnel, j'y relève quatre douzaines de chemises d'homme et autant de femme, quarante draps de toile, dont douze de toile fine, trois douzaines de nappes, onze bagues d'or, vingt-quatre paires de bas d'homme et de femme ; la cave du drapier abrite trois fûts d'excellent vin, 50 livres de fromage et 75kilos de savon. Tout cela dénote un train de vie imposant, une large aisance. Je vois à Troyes un pâtissier qui, en 1665, laisse 1 800 livres en or, un maître maçon, vingt ans plus tard, 3 646 livres.

La masse anonyme des petits artisans, travaillant seuls ou avec un compagnon, vit encore avec une relative facilité. L'outillage est peu coûteux, son évaluation moyenne est de 600 à 800 livres. Le maître artisan est chez lui, dans la maison qu'il a achetée ou qu'il loue. A Troyes, une petite maison vaut de 600 à 1 200 livres ; le loyer en est de 40 à 80 livres. Dans cette ville, la moitié des artisans sont propriétaires, signe certain d'une prospérité moyenne. Au rez-de-chaussée, derrière une large baie, s'ouvre la boutique ou l'atelier. A la porte se balance et grince au vent une enseigne artistique, souvent accompagnée d'une sentence pieuse ou philosophique, ou d'un calembour. Les chambres sont à l'étage, pauvrement éclairées de fenêtres étroites aux vitres verdâtres, enchâssées dans du plomb. L'artisan ne connaît ni le salon, ni la salle à manger ; pas de pièce sans lit. Des estampes religieuses à bon marché garnissent les murs ; quelques ustensiles de cuivre font une tache claire dans cette pénombre. Il ne possède ni pendule, ni horloge — les cloches de l'église lui en tiennent lieu, — rarement un petit miroir. Le mobilier est des plus simples : table massive, escabeaux et chaises de bois ; son seul luxe consiste en quelque vaisselle d'argent qui remplace, aux jours de fête, la vaisselle commune en étain, et dans le linge de corps abondant, mais sans finesse. Il n'est pas rare de trouver deux ou trois douzaines de chemises dans les inventaires. Mais ses vêtements sont simples et de couleur sombre ; son pourpoint et ses hauts-de-chausses sont de « camelot » noir, de serge ou de droguet gris, son manteau de drap noir.

Il est juste de dire que la femme de l'artisan travaille généralement avec son mari ; elle lui a apporté en mariage, avec un trousseau complet, quelque 500 livres de dot qui lui ont servi pour s'installer et pour acheter son outillage ; elle n'a que deux ou trois robes de couleur sombre en futaine ou d'étamine ; elle ignore le velours et la soie, ne possède pas de bijoux, sauf son anneau d'or et sa croix ; sa coquetterie se limite à quelques coiffes et cornettes de batiste, plus souvent ornées de simple guipure que de vraie dentelle, à quelques mouchoirs de col, à un fichu et à un cotillon de couleur plus vive ; mais la Parisienne a toujours du goût et elle a le secret de faire quelque chose avec rien ; aussi la marchande, dans sa petite boutique, offre-t-elle toujours un aspect propre et soigné qui la distingue de la femme du bas peuple. En commun, on gagne juste de quoi vivre modestement, au jour le jour ; quand on établit l'actif de l'artisan, à sa mort, après une vie de travail, il est rarement supérieur à 1 000 ou 1 500 livres, généralement plus proche de 300 ou 400.

Mais, dans la petite ville de province, le maître artisan fait partie de la petite bourgeoisie ; il a pignon sur rue et jouit de la considération de ses voisins. On l'estime pour son honnêteté et pour sa conscience professionnelle. On respecte en lui le travailleur appliqué, soucieux de laisser à ses fils une affaire de petite envergure, mais prospère.

Si l'on examine maintenant la vie du compagnon, qui reste toute sa vie un salarié, on mesure tout de suite la distance qui le sépare du moindre artisan. Pour lui, c'est la vie précaire à perpétuité, l'incertitude constante du lendemain. Quelles économies voulez-vous faire avec un gain journalier qui varie de huit à vingt sous ? Le compagnon ignore le pain mollet à la croûte dorée ; la viande, même à trois ou quatre sous la livre, est un luxe qui ne lui est pas permis ; tout au plus peut-il prétendre à un peu de triperie ; les légumes et les fruits constituent l'essentiel de sa nourriture. La moindre maladie, le plus petit chômage prennent pour lui les proportions d'une catastrophe. S'il est célibataire, il loge le plus souvent chez le maître, dans un taudis ou une mansarde, sans cheminée ni lumière. Trop souvent, il va gaspiller au cabaret les quelques sous dont il dispose.

S'il est marié et qu'il vive chez lui, il n'a le plus souvent qu'une chambre unique et un cabinet, deux chambres dans les cas les meilleurs. Son mobilier est des plus modestes : un lit couvert d'une paillasse, une table, quelques chaises et une armoire le composent. Il mange dans de la vaisselle de terre ou de faïence, avec une cuillère d'étain et une fourchette de fer. Ses vêtements sont de treillis ou de toile commune, ses bas d'estame. Le montant des inventaires après décès des ouvriers varie de 30 à 100 livres. Tel est l'aboutissement d'une vie entière de travail. Si la femme travaille de son côté et que le ménage pratique une économie rigoureuse, il parviendra parfois à acheter une petite parcelle de pré ou de vigne. Mais là doit se borner son ambition de compagnon.

En province du moins, le loyer est peu coûteux ; on trouve un petit logement sombre pour une quinzaine de livres par an ; à Troyes, on peut occuper une chambre garnie, mais sans doute sordide, pour un sou par jour. Mais, à Paris, les loyers sont beaucoup plus chers et grèvent lourdement le maigre budget du travailleur. Une boutique, une chambre et une cuisine dans l'enclos de l'Arsenal valent déjà 90 livres par an ; en ville, on voit, d'après leurs propres inventaires notariés, d'humbles artisans, menuisiers, cordonniers ou charrons, payer 115 livres de loyer pour une boutique seule, 348 livres pour une boutique et une chambre, 100 livres pour une cuisine et une chambre. Bien souvent, nos maîtres ouvriers ont leur boutique éloignée de leur domicile, leur cuisine au rez-de-chaussée et une chambre au quatrième étage. Que de difficultés, dans ce cas, pour la maîtresse de maison ! Et encore, le plus souvent, s'agit-il d'affreux taudis sans hygiène où l'on meurt jeune, où les enfants s'étiolent, à moins qu'ils n'aillent courir les rues, au risque des pires promiscuités. Il est vrai que, bien souvent, nos travailleurs se dispensent de progéniture, faute de pouvoir la nourrir.

L'unique fenêtre de leur logement donne sur une cour sordide et puante ou sur une ruelle étroite où ne pénètre jamais le soleil. Pendant les longues journées d'hiver, c'est la chandelle obligatoire toute la journée, dont l'odeur de suif prend à la gorge.

Quelques carrés de tapisserie de coton, des images pieuses et naïves, des bibelots de faïence constituent toute la décoration de la chambre unique. Trop heureux quand la ménagère dispose d'une cuisine séparée, avec cheminée à crémaillère, ce qui lui évite d'empuantir la chambre avec l'odeur conjuguée de la fumée et de la graisse. La seule trace de luxe qu'on puisse déceler dans ces ménages déshérités, ce sont quelques bagatelles d'orfèvrerie en argent, hochet d'enfant, boucle de soulier ou agrafe de corsage.

Ajoutez-y une quantité suffisante de linge de grosse toile, dont la plus grande partie provient du trousseau traditionnel de la mariée.

Le lit — les lits, s'il y a des enfants — sont à ciels et à rideaux de serge commune ; les punaises y pullulent. Un coffre, une table et des chaises de bois, parfois recouvertes de serge ou de moquette, c'est là tout le mobilier. Il suffit d'ailleurs largement à garnir et même à encombrer la pièce exiguë qui sert à la fois de salle à manger, de chambre à coucher et de cabinet de toilette.

Au bout d'une vie de labeur acharné, les frais de dernière maladie, d'enterrement et d'inventaire engloutissent les dernières économies. Souvent les inventaires dépouillés indiquent plus de dettes que de créances. Dans le cas le plus favorable, le travailleur manuel ne laisse à sa veuve que quelques centaines de livres, à peine suffisantes pour vivre quelques mois ; il lui faudra alors compter sur l'aide de ses enfants ou, si elle n'est pas trop fanée par une vie de travail et de privations, songer à se remarier et faire des avances au compagnon du défunt.

Telle était la vie précaire et besogneuse du monde du travail à l'époque où la noblesse la plus brillante se ruinait à Versailles, tandis qu'une bourgeoisie âpre au gain édifiait de solides fortunes.

Trop souvent, l'ouvrier, las d'un labeur incessant, dégoûté d'un foyer sans joie, va chercher l'oubli de ses peines dans les cabarets. De ce jour, c'en est fini de sa vie régulière ; il dépense, pour boire, un argent indispensable au ménage. Dans ce cas, c'est la misère, et, partant, la discorde au foyer. Avec le goût du travail, l'ouvrier perd son habileté professionnelle, ne trouve plus à se placer ; de déchéance en déchéance, il finira dans quelque bande de vauriens, coupe-bourses et tireurs de laine qui détroussent le passant et peuplent les prisons du Châtelet ; à moins que, la fainéantise aidant, il ne se perde dans la foule anonyme des mendiants que la police pourchasse et enferme à l'Hôpital général...

CHAPITRE VIII

OFFICIERS ET SOLDATS

A une époque où l'armée était exclusivement de métier, où l'officier, comme le soldat, embrassait pratiquement la carrière des armes pour sa vie entière, l'armée constituait un petit monde à part dans la société qu'elle était chargée de défendre. Son recrutement et son organisation méritent donc d'être brièvement examinés.

Parmi les officiers, il faut distinguer deux catégories : les officiers gratifiés de charges par le Roi et ceux qui, les ayant achetées, étaient propriétaires de leurs unités. Parmi les premiers figurent, d'une part, tous les officiers généraux; d'autre part, les lieutenants-colonels, commandant en second les régiments, et les majors, leurs adjoints directs, grades conférés par le Roi à des capitaines anciens et expérimentés et souvent de petite noblesse. Quant aux colonels et aux capitaines, ils achetaient respectivement leurs régiments et leurs compagnies, après avoir été commissionnés par le Roi ; ils étaient chargés, moyennant une redevance fixée, de recruter, d'entretenir, de vêtir et de nourrir leurs hommes. Étant donné le système, il est tout naturel que ces officiers aient eu tendance à considérer un régiment ou une compagnie comme un capital à faire fructifier, un moyen de se procurer de légitimes revenus. La plupart des officiers appartenaient à la noblesse, pour laquelle le métier des armes était le seul dans lequel un gentilhomme ne dérogeât point. C'était une tradition que les fils aînés de famille suivissent la carrière militaire, pendant que les cadets couraient à la chasse des bénéfices ecclésiastiques. L'avancement, dans ces conditions, se concevait tout naturellement à la faveur de la naissance, comme la distribution des autres grâces royales aux courtisans. Et lorsque Louvois institua le fameux *ordre du tableau*, c'est-à-dire l'avancement à l'ancienneté, il dressa contre lui toute la noblesse militaire dont Saint-Simon se chargea d'exprimer le mécontentement. Que devenaient alors les droits bafoués de la naissance ?

La vénalité des charges militaires est le principal vice de l'organisation de l'armée, mais, il faut le reconnaître, elle entrait dans le cadre des institutions générales de l'époque. Le résultat fut qu'en fait l'armée appartenait, non au Roi, mais aux colonels et aux capitaines, personnellement, ce qui présentait pour la discipline comme pour l'emploi des troupes les plus graves inconvénients.

Les colonels, la campagne terminée, quittaient leurs unités pour venir faire leur cour à Versailles ou se retirer dans leurs terres ; de même que beaucoup d'évêques ne résidaient pas dans leurs diocèses, de même beaucoup de colonels abandonnaient leurs hommes durant tous les quartiers d'hiver et perdaient ainsi le contrôle de leurs unités. Bon nombre de capitaines en faisaient autant et ignoraient tout de l'état de leur troupe. On s'explique mieux la sévérité légendaire de Louvois, qui avait besoin d'une armée forte, quand on connaît ces défaillances. Le ministre fait inspecter les officiers et donne des ordres sévères à ses commissaires : « Le premier à qui il arrivera de désobéir sera cassé... Le Roi désire que vous fassiez mettre en prison le premier qui ne vous obéira pas ou qui vous fera la moindre difficulté. »

L'indiscipline et l'insouciance des officiers exigeait un redressement sérieux. Louvois n'hésitait pas à faire ses observations à l'officier défaillant, en pleine cour. Mme de Sévigné nous rapporte ce dialogue pris sur le vif à Versailles : « M. de Louvois dit l'autre jour tout haut à M. de Nogaret : « Monsieur, votre compagnie est en fort mauvais état. — Monsieur, dit-il, je ne le savais pas. — Il faut le savoir, dit M. de Louvois ; l'avez-vous vue ? — Non, monsieur, dit Nogaret. — Il faudrait l'avoir vue, monsieur. — Monsieur, j'y donnerai ordre. — Il faudrait l'avoir donné. Il faut prendre un parti, monsieur, ou se déclarer courtisan, ou s'acquitter de son devoir, quand on est officier. »

C'est pour parer à l'insuffisance professionnelle des officiers que Louvois institue, en 1682, pour les jeunes nobles de petite naissance — les autres passaient par les pages et les gardes de la maison du Roi, — les compagnies spéciales de *cadets* — notamment à Metz et à Tournai, — où les futurs cornettes et sous-lieutenants apprendraient à obéir avant de commander, et à manier le mousquet avant de ceindre l'épée. L'expérience ne donna pas les résultats attendus ; les jeunes gentilshommes n'acceptèrent pas de se plier à la nécessaire discipline du soldat. Parlant des cadets, Vauban, bon juge en la matière, écrit : « Ce sont tous gens pour la plupart sans naissance, d'un mérite inconnu, qui n'apportent rien au service, qui n'ont rien vu, rien médité, qui ne savent au plus que l'escrime, danser et quereller, qui ont d'ailleurs une très mauvaise éducation. » Bref, l'expérience dut être abandonnée.

Il en résulta que l'armée de Louis XIV n'eut jamais un corps d'officiers tel que l'eût désiré Louvois. Sans doute, la bravoure était-elle une tradition dans la noblesse ; mais l'expérience, l'application dans le service, le souci du bien-être de la troupe faisaient trop souvent défaut.

Même en campagne, la principale préoccupation de beaucoup d'officiers était le luxe des équipages et de la table. Les mœurs étaient souvent dissolues ; on jouait beaucoup et on ferraillait volontiers. Le marquis de Grignan, petit-fils de Mme de Sévigné, jeune colonel, emporte dans ses bagages 4 000 livres d'argenterie. Deux domestiques à cheval s'occupent de ses bagages, qui accablent cinq mulets ; lui-même voyage en chaise de poste. Et, comme on dépense beaucoup, on se rattrape en grappillant sur la solde et l'habillement des troupes. Bref, ce refrain de chanson à la mode traduit assez bien l'état d'esprit de certains capitaines :

> Je prétends tous les ans me battre, aimer et boire;
> Mars, Vénus et le vin auront chacun leur tour ;
> Je laisse le printemps et l'été pour la gloire,
> L'automne pour Bacchus et l'hiver pour l'amour.

Ajoutez à cela la fatigue de trop longues et trop fréquentes campagnes, les revers militaires de la fin du règne, et vous ne vous étonnerez pas de voir le maréchal de Villars écrire à Chamillart, le 25 avril 1703 : « Je ne connais plus la nation que dans le soldat, sa valeur est infinie ; quant aux officiers, ils démoralisent l'armée par leurs frayeurs et les bruits alarmants qu'ils répandent. »

Le capitaine, propriétaire de sa compagnie, était chargé de la recruter lui-même et de la maintenir à l'effectif prévu, une cinquantaine d'hommes en général. Les engagements étaient uniquement volontaires, contractés pour quatre ans au moins, et ce n'était pas toujours le meilleur qui se présentait. Il fallait bien, en principe, s'en contenter. Pendant les périodes de disette et de famine, beaucoup de paysans affluaient vers les recruteurs ; Villars écrit pendant le pénible hiver de 1709 : « Les recrues qui nous venaient étaient des hommes nerveux, accoutumés à la fatigue, que la misère des campagnes forçait à s'enrôler ; de sorte qu'on pouvait dire que le malheur des peuples fut le salut du royaume » ; en 1690, l'ambassadeur Spanheim souligne « la grande facilité qu'il y a en France pour la levée des troupes, à cause de la fréquence et de la misère même des peuples qui se voient réduits par l'exaction des tailles et des gabelles, à présent par la ruine du commerce, à embrasser le parti des armes et à se laisser enrôler pour se tirer de leurs misères et trouver de quoi subsister »; mais, aux époques de prospérité, la presse était moindre, et comme il fallait, à tout prix, recruter, les « racoleurs » ajoutaient à la persuasion la ruse et parfois la violence.

Le recruteur, sergent ou bas officier, arrivait au village

et plantait sa tente ; il faisait battre le tambour, distribuait chez les cabaretiers des jeux de cartes où son adresse était au dos ; il collait des affiches aguichantes : « Avis aux jeunes gens amateurs de la gloire et de l'argent. » On y promettait au futur soldat plus de beurre que de pain, la haute paye, le « vin frais ». Tel régiment était un lieu de délices : « L'on y danse trois fois la semaine, on y joue aux battoirs deux fois et le reste du temps est employé aux quilles, aux barres, à faire des armes. Les plaisirs y règnent, etc. » D'éblouissantes images coloriées de fantassins et de cavaliers tentaient de séduire le pauvre paysan en sarraut rapiécé. Les « racoleurs » avaient eux-mêmes leurs rabatteurs. Presque toutes les affiches portent cette mention : « On récompense largement ceux qui produiront de beaux hommes. » (La taille minima exigée par les ordonnances était de $1^{m},70$; mais, en fait, elle n'était pas respectée.)

Malgré cette publicité orale et écrite, malgré les rasades généreusement offertes au cabaret, le recrutement n'est pas toujours facile. Jacques Bonhomme ne se laisse pas si aisément prendre aux bonnes paroles et aux belles images. Il sait qu'il y a loin des promesses à la réalité. Il connaît toujours un parent ou un ami, retenu au service au-delà du temps prévu, en dépit des engagements, car nécessité fait loi. Défiant de nature, il sait qu'il y a, à la guerre, plus de mauvais moments que de bons, plus de chances de recevoir un mauvais coup que d'obtenir de l'avancement. Bref, il se dérobe.

C'est alors que le recruteur fait appel à la ruse. Certaines sont innocentes ; la belle affiche sollicite des engagements pour la cavalerie, et un dragon caracolant est là, en image, pour attirer ceux que le prestige du cavalier pourrait séduire. L'engagement une fois signé, la nouvelle recrue, déconfite, s'aperçoit qu'il s'agit tout simplement d'un régiment d'infanterie et qu'il lui faudra porter son bagage à dos pendant de longues lieues. Une autre fois, l'affiche aguichante parle d'un nouveau corps de « mousquetaires » : il ne s'agit encore cependant que d'infanterie, et, si le nouveau venu se plaint, on s'en tire en lui disant plaisamment : « Vous aurez un mousquet. »

Cette pratique finit par nuire au recrutement plus qu'elle ne le servait. Le 6 mars 1705, d'Argenson écrit : « Ces fausses affiches sont devenues si communes qu'elles font douter des véritables ; ainsi, quand on a affiché pour les dragons de la Reine, on a cru que c'était encore un appât et je doute que le public soit bien détrompé de cette prétention. »

Une des ruses les plus fréquemment employées consiste, pour le recruteur, à faire boire gratuitement le badaud à la santé du Roi, puis de lui dire que ce toast innocent vaut enrôlement. Plus souvent encore, on enivre le jeune homme et on lui extorque purement et simplement sa signature. Ou encore, quand il est en état d'ivresse, on lui glisse quelques écus dans la poche et, sous le prétexte qu'il a accepté la prime d'enrôlement, on affirme qu'il a donné ainsi un illusoire consentement. Parfois, car toute prise est bonne, on enrôle des étudiants et même des enfants, qu'on fait racheter par leurs parents, et c'est autant d'argent de gagné.

La ruse, même poussée jusqu'à la déloyauté, ne suffit pas toujours à assurer le recrutement nécessaire. Les racoleurs sans scrupule n'hésitent pas alors à employer la violence. Vauban écrit : « Les gouverneurs et commandants recrutent leurs compagnies franches, qui forment la garnison permanente, d'enfants et de pauvres petits misérables qu'on enlève violemment de chez eux ou qu'on escamote en cent manières différentes. » Ces enrôlements forcés s'accompagnent parfois des pires violences, qui vont jusqu'à l'enlèvement et à la séquestration pure et simple. Cela est défendu, certes, mais cependant le pouvoir central, sauf dans les cas scandaleux, ferme volontiers les yeux, car il faut des soldats à tout prix. En 1674, Louvois, submergé de réclamations et de demandes de libération, écrit : « Présentement que le Roi a besoin de soldats, ce n'est pas le temps d'examiner s'ils ont été bien ou mal enrôlés ; il faut qu'ils demeurent dans les compagnies où ils se trouvent. »

On ne distingue plus très bien l'cnrôlement forcé de l'enlèvement à main armée, du vol, du rançonnement. Non seulement on enlève des passants, des hommes qui sortent des vêpres, mais on attaque des moulins, des fermes isolées, et l'on prend les hommes dans leur lit. On les embauche de force pour certains travaux champêtres d'où on les envoie au régiment.

La terreur gagne les villages ; on voit les paysans s'armer pour aller aux champs, envoyer leurs femmes au marché, où ils n'osent plus s'aventurer. Un intendant écrit en 1691 au contrôleur général : « Les marchés sont pleins de gens qui emmènent par force tous les gens qu'ils croient propres au service ; la chose a été si loin que les paysans ne viennent plus à certains marchés. » Le paysan se révolte contre ces excès ; des recruteurs sont poursuivis à coups de pierre et de fourche par la foule ; les recrues qui rejoignent leurs régiments enchaînées sont délivrées par les paysans qu'ils ameutent au passage. Des villages se soulèvent et prennent d'assaut les « fours ».

Que sont ces « fours », au nom sinistre ? Dangeau va nous l'expliquer : « Il y avait plusieurs soldats et même deux gardes du corps qui, dans Paris et sur les chemins voisins, prenaient par force des gens qu'ils croyaient être en état de servir et les menaient dans des maisons qu'ils avaient pour cela dans Paris, où ils les enfermaient et ensuite les vendaient malgré eux aux officiers qui faisaient des recrues ; ces maisons s'appelaient des fours. Le Roi, averti de ces violences, commanda qu'on arrêtât tous ces gens-là et qu'on leur fît leur procès, et, quoique les levées fussent fort difficiles cette année, il ne voulut point qu'on enrôlât personne par force. On prétend qu'il y avait vingt-huit de ces fours-là dans Paris. »

Lorsque le séquestré, souvent privé de nourriture et malmené, avait assez souffert dans sa prison, il signait son engagement pour en sortir. Et, de ce jour, il était régulièrement « volontaire ».

Pour parer à la rareté des hommes, on employa tous les

expédients. On recrutait jusque dans les prisons, que les intendants devaient interdire aux officiers. On recherchait surtout les contrebandiers du sel et du tabac et l'on faisait valoir qu'ils étaient plus utiles à l'armée qu'aux galères. Certains allaient même jusqu'à enrôler des criminels de droit commun. Le Roi dut faire savoir que le service militaire n'était pas une peine et il interdit de prendre les prisonniers pour dettes sans l'accord des créanciers. Souvent les intendants remettent les vagabonds au recruteur pour s'en débarrasser. En 1712, au moment de l'extrême péril, on alla jusqu'à enrôler 1 500 forçats pour combler les vides de l'armée d'Espagne. Comment s'étonner si, dans ces conditions, les compagnies se présentaient parfois comme un ramassis de bandits de grand chemin et si tant d'enrôlés forcés désertaient ? Les états d'effectifs prouvent que certaines unités comptaient 25 p. 100 de déserteurs. Mais de nombreuses ordonnances d'amnistie soulignent le besoin pressant que l'on avait de recrues.

Quel était le sort matériel du soldat ? Tandis que la solde annuelle des officiers s'échelonnait de 1 000 livres, pour un sous-lieutenant, à 6 000 livres, pour un colonel, le prêt était de 5 sous par jour pour le soldat, 6 sous pour l'anspessade, 7 sous pour le caporal, 10 sous pour le sergent, 1 livre 5 sous pour le gendarme, 17 sous pour le cavalier, 12 sous pour le dragon ; ces modestes sommes s'entendent, dit l'ordonnance du 7 septembre 1660, « pour toute solde ». Le soldat doit donc se nourrir et se vêtir avec 5 sous par jour ! Le Roi lui fournit 735 grammes de pain de munition — deux tiers de farine et un tiers de seigle — par jour, contre une retenue de 1 sou 6 deniers sur sa solde, prélèvement porté à 2 sous en 1684. En fait, c'est le capitaine qui habille sa troupe. A partir de 1690, la ration quotidienne de viande est d'une demi-livre, os compris, sauf le vendredi. Le soldat mange plus de viande que le paysan. Pendant les marches, l'État se charge de sa nourriture et lui donne 2 livres de pain par jour, 1 livre de viande et une pinte de vin.

Au début du règne, la tenue militaire n'est pas uniformisée ; il est d'usage de porter les couleurs du colonel. C'est Louvois qui, en 1685, crée l'uniforme : bleu pour les gardes françaises et une partie des régiments royaux, rouge pour les Suisses et les régiments de la Reine, et blanc gris pour les autres corps. En 1697, l'infanterie reçoit le chapeau de feutre noir à bords retroussés, galonné de jaune et de blanc et orné de la cocarde noire, communément appelé *lampion*, des boutons de métal, des souliers à boucle, le ceinturon et la giberne. A part la coulcur, l'uniforme militaire, justaucorps et larges chausses, ressemble étrangement au vêtement civil.

Pendant les campagnes, aux beaux jours, le soldat vit l'éternelle vie des camps, couche souvent sur la dure et à la belle étoile et cumule fatigues et dangers. Pendant les quartiers d'hiver, il tient garnison, généralement dans les places frontière, tristes et mornes, comme Gravelines, Bergues ou Marsal. Il y a peu de troupes régulièrement cantonnées à l'intérieur du pays. Paris n'a pas d'autre garnison que les régiments de la Maison du Roi. Logé chez l'habitant, le soldat aménage au mieux sa vie matérielle ; il a droit d'exiger de son hôte le coucher, la place au feu et à la chandelle. Mais souvent, faute de lit, il lui faut se contenter, comme dit le chevalier de Quincy, de la *chambre verte*, c'est-à-dire du grenier à foin. Vauban atteste en 1675 que, « dans la plupart des places, les soldats sont logés comme des porcs, à demi nus, à demi mourant de faim ». Disposant d'abondants loisirs, le soldat arrondit son prêt en rendant de petits services, en bricolant ; les commandants de places l'embauchent parfois pour les travaux des fortifications et il gagne alors dix-huit sous par jour.

Sans doute il y a de bons moments ; la traditionnelle gaieté du soldat se traduit dans les sobriquets qu'il prend pour nom de guerre : Jolicœur, Sans-Souci ou La Fleur. Mais l'avancement est long ; il faut six ans de services pour devenir brigadier, dix ans pour échanger le mousquet du soldat contre la hallebarde du sergent.

Parfois, la maraude, transformée en pillage à la guerre, est d'un bon revenu. On appelle cela cyniquement « vivre sur le bonhomme ». Les officiers donnent souvent l'exemple, jusqu'aux plus hauts grades. Le maréchal de Villars n'hésite pas à lever des contributions de guerre sur les pays conquis, dont un tiers « pour engraisser mon veau », dit-il sans rougir. Et, comme on fait remarquer à Louis XIV que le maréchal fait bien ses affaires : « Oui, répond le Roi, mais il fait bien les miennes. »

On sait que le logement des gens de guerre était lourd pour le paysan et entraînait souvent pour lui mille excès et violences ; dans les cas de révolte, on le lui imposait comme une sanction. Aussi certaines municipalités prirent-elles l'initiative de construire des casernes pour soustraire leurs habitants aux exactions des soldats. Les premières apparaissent en province vers 1692 ; à Paris, les casernes de Lourcine, de la Pépinière, de la Courtille, de Babylone, du Roule, de Courbevoie sont achevées vers 1715.

C'est pendant le semestre d'hiver que le capitaine doit compléter sa compagnie, la porter à l'effectif réglementaire et la soumettre au commissaire des guerres, au cours d'une revue ou « montre ». Mais souvent le capitaine triche, pour augmenter son bénéfice ; le jour de la *montre*, il comble les vides dans les rangs avec des valets ou des vagabonds habillés en soldats ; on les appelle des *passe-volants*. La pratique est rigoureusement interdite ; des peines sévères sont prononcées contre ces figurants : le fouet, la marque au fer rouge ; Louvois ordonna même de leur couper le nez et les oreilles. Mais la pratique reste constante ; le capitaine porte morts ou disparus au premier engagement les soldats manquant à sa compagnie, et le tour est joué, ce qui, soit dit en passant, rend suspects les divers états de pertes au cours des campagnes. Louvois, toujours soucieux d'avoir une armée en état de combattre, suscite les dénonciateurs de passe-volants et leur offre cent écus de récompense et leur congé. Les archives de la guerre sont pleines de dénonciations anonymes, mais peu de soldats osent braver ouvertement leur capitaine.

Quels étaient les effectifs des armées de Louis XIV ? Les archives de la guerre nous permettent de répondre avec quelque précision : 72 000 hommes en 1666 ; 119 000 hommes en 1672, dont 91 000 fantassins et 28 000 cavaliers ; 280 000 hommes en 1678, 220 000 hommes en 1702. Mais bientôt ces effectifs ne suffisent plus pour appuyer la politique extérieure du Roi et son appétit de conquêtes. Malgré tous les moyens plus ou moins réguliers que nous avons signalés pour augmenter le recrutement, le volontariat ne suffit plus à alimenter les campagnes de la fin du règne, d'autant plus que la Révocation de l'Édit de Nantes a fait perdre 20 000 soldats et 600 officiers à l'armée.

Louvois est amené en 1688 à envisager le service obligatoire et il crée les milices provinciales. Chaque paroisse dut élire et équiper à ses frais un milicien de vingt-deux à quarante ans pour 2 000 livres d'impôts levés. L'homme désigné était astreint à deux ans de service militaire. Les milices, primitivement, constituaient des unités régionales encadrées par la noblesse locale et qui étaient surtout employées à l'intérieur, au service des places. La levée des milices, pour laquelle Barbezieux, en 1691, substitue le tirage au sort à l'élection, était très impopulaire. Ces soldats contraints étaient rebelles à la discipline ; souvent, comme les volontaires, on les gardait au-delà du temps légal. Aussi désertaient-ils en masse. Supprimée en 1697, après la guerre de la Ligue d'Augsbourg, la milice fut rétablie en 1701 ; à partir de cette année, les miliciens furent rattachés aux régiments *réglés*, dont ils constituèrent le second bataillon, et Villeroy fut obligé de les engager en Italie.

Les miliciens avaient une solde de trois sous et le pain gratuit ; les sergents touchaient huit sous. Les officiers, souvent des retraités, protégés des gouverneurs ou des intendants, étaient en général médiocres. Les officiers généraux, tel Catinat, s'en plaignaient.

On levait chaque année une vingtaine de mille hommes ;

l'État faisait la répartition par généralité, l'intendant, à l'intérieur de la généralité, entre les paroisses, proportionnellement à la population. Bien entendu, malgré le tirage au sort, de nombreuses injustices et tricheries étaient commises, qui soulevaient mille difficultés. Les nobles étaient exempts de droit du tirage au sort, les bourgeois en fait ; la charge du *billet noir* tombait toujours sur Jacques Bonhomme. On relate de nombreux cas d'insoumission, des simulateurs et même des cas de mutilation volontaire. Tous les moyens étaient bons pour échapper à la milice.

En fait, l'usage s'établit, malgré le tirage au sort, d'acheter des remplaçants, en dépit de l'interdiction du gouvernement, qui craint les mauvaises recrues et l'épuisement du recrutement des volontaires. En 1708, le gouvernement, qui a encore plus besoin d'argent que d'hommes, se décide à rendre officiel l'achat des remplaçants ; la milice devient un impôt payable en argent à raison de 100 livres par homme à enrôler, mais la misère publique est telle que les paroisses préfèrent alors envoyer des hommes plutôt que de payer la taxe.

La levée de 1711 fut la dernière et les miliciens prirent une part glorieuse à la victoire de Denain ; la libération, commencée en 1713, était achevée en 1714.

Nous n'avons pas caché les nombreux défauts de l'armée de Louis XIV ; grâce aux traditions de courage de la noblesse, grâce aussi aux soins vigilants de Le Tellier d'abord, dont l'œuvre considérable a été trop longtemps méconnue, puis de son fils Louvois, cet instrument imparfait permit cependant à Louis XIV d'effectuer la plupart des conquêtes qu'il avait rêvées et, après les revers de la fin du règne, de sauver la France à Denain.

CHAPITRE IX

LA VIE INTELLECTUELLE

L'ENSEIGNEMENT constitue la forme rudimentaire de la vie intellectuelle. Comment était donné l'enseignement primaire, au temps du Roi-Soleil ? C'est une question qui a été âprement débattue autour des années 1880 ; et la discussion porte encore la trace des passions de l'époque. Tel qu'il est, cependant, le débat a donné lieu à des enquêtes historiques assez poussées pour qu'aujourd'hui nous en fassions notre profit, en toute sérénité, sans souci d'apologétique ou de décri systématique.

Pour la noblesse et la grande bourgeoisie, la question était des plus simples : un précepteur, généralement un ecclésiastique, venait à domicile enseigner les rudiments aux garçons, jusqu'à l'âge où ils pouvaient entrer au collège pour poursuivre leurs études ou à l'Académie pour s'y initier au métier des armes.

Les enfants du peuple, petite bourgeoisie, artisans, ouvriers et paysans, allaient aux *petites écoles*. On a voulu faire honneur à Louis XIV de l'institution de l'enseignement primaire obligatoire. La déclaration royale du 13 décembre 1698 dit bien, en effet : « Enjoignons à tous pères, mères, tuteurs et autres personnes qui sont chargées de l'éducation des enfants, et nommément de ceux dont les pères et mères ont fait profession de la religion prétendue réformée, de les envoyer auxdites écoles et au catéchisme, jusqu'à l'âge de quatorze ans. » Chaque commune devra obligatoirement s'imposer de 150 livres pour les gages d'un maître d'école et, éventuellement, de 100 livres pour une maîtresse. Mais il est aisé de voir qu'il s'agit moins d'un texte sur l'enseignement que d'une *déclaration concernant la religion*, comme son titre l'indique en toutes lettres. Il s'agit en réalité d'obliger les protestants convertis ou déclarés comme tels à instruire leurs enfants dans les principes de la religion catholique. C'est une mesure de coercition à leur égard ; la preuve en est qu'au début tout au moins les gages des maîtres et maîtresses sont prélevés sur les biens saisis des religionnaires. Les intendants ont fort bien compris l'esprit de la déclaration. Celui de Moulins écrit en 1699, à propos de la fondation d'écoles à Aubusson : « Cet établissement est particulièrement nécessaire dans une ville fort peuplée où plus d'un sixième des habitants sont nouveaux convertis et, faute d'instruction, font fort mal leur devoir. » L'année suivante, l'intendant de Rouen écrit au contrôleur général : « Jusques à présent, on n'a point établi au Havre de maîtres et de maîtresses d'écoles pour les enfants des nouveaux catholiques ; je tiendrai la main à ce qu'on en établisse et il sera nécessaire de les faire payer sur le produit des biens saisis... »

Dans les pays récalcitrants, comme en Guyenne, on envoie des maîtres et des maîtresses d'office ; les communes font la sourde oreille quand on leur demande de s'imposer pour payer leurs gages. En 1713, les maîtresses imposées à une population rétive réclament encore leurs gages des années 1709 et 1710. L'intendant finit par prendre leur défense : « Leur état est d'autant plus violent et digne de compassion qu'elles ne peuvent sortir de ces endroits, où elles sont par ordre de Sa Majesté, pour aller chercher du pain ailleurs. »

Ne prêtons donc pas à Louis XIV un souci qu'il n'a jamais eu et ne confondons pas une brimade à l'égard des protestants avec une mesure éclairée tendant à généraliser l'enseignement primaire.

La vérité est que celui-ci est l'œuvre exclusive du clergé, une création des évêques qui y attachent une grande importance, car l'école sera un prolongement naturel de l'église, un moyen d'assurer la diffusion de la doctrine catholique auprès des jeunes enfants. Aussi le clergé y apporte-t-il tous ses soins et voit-on un nombre considérable de *petites écoles*, jusque dans les villages les plus reculés. Nous avons quelques statistiques qui attestent le grand nombre d'écoles ; en Normandie par exemple, l'évêque fait une tournée d'inspection : sur 38 paroisses visitées en 1683, il dénombre 22 écoles ; en 1687, 42 écoles sur 56 paroisses ; en 1710, 1161 écoles, dont 306 de filles sur 1 159 paroisses ; la progression est constante : l'effort a porté ses fruits. En 1675, le diocèse de Coutances compte 104 écoles de garçons et 32 de filles pour 493 paroisses. A Lyon, en 1689, cinquante maîtres et autant de maîtresses enseignent 1 600 élèves dans les seize écoles gratuites instituées par l'œuvre Saint-Charles. Paris et ses faubourgs possèdent 334 écoles, dont 167 de filles, sous la juridiction de Claude Joly, chantre de Notre-Dame, sans compter les congrégations enseignantes comme les Ursulines, les Miramionnes, les Filles de la Charité. Pour Claude Joly, ce sont là des écoles clandestines dites *écoles buissonnières*, contre lesquelles il est en lutte perpétuelle. Jean-Baptiste de La Salle et ses Frères de la Doctrine chrétienne multiplient leurs écoles. A partir de 1688, il s'en installe un peu partout dans Paris, à Saint-Sulpice, à Saint-Roch, au faubourg Saint-Antoine, et en province.

Mais la fréquentation scolaire est très irréuglière ; dans les campagnes, elle se limite aux mois d'hiver, de la Toussaint à Pâques : les beaux jours appellent les enfants aux travaux des champs.

Pour les pauvres, de nombreuses écoles de charité, gratuites, accueillent leurs enfants ; dans les petites écoles, payantes, le prix à peu près uniformément pratiqué est de cinq sous par mois et par enfant qui « écrit », trois sous seulement pour ceux qui apprennent à lire ; des documents l'attestent à Saint-Haon-le-Châtel comme à Troyes, à Nîmes comme à Bordeaux ou à Privas. Les écoles mixtes, interdites par les conciles et les évêques, existent en fait, cependant, en grand nombre.

Les maîtresses sont généralement des religieuses, mais les maîtres sont le plus souvent des laïcs. Ils sont nommés par l'assemblée des habitants, confirmés par l'intendant ; l'évêque se réserve le droit de les révoquer s'ils n'offrent pas toutes les garanties morales et de doctrine. Parfois, même, il exige une autorisation préalable expresse ; un mandement de l'évêque de Toul, en 1695, porte « défense, sous peine d'excommunication, à toutes personnes laïques et ecclésiastiques, de tenir école sans une commission par écrit de nous ou de nos grands vicaires ».

Avant tout et surtout, le maître d'école apparaît comme un auxiliaire du curé ; le plus souvent, il cumule ses fonctions d'enseignement avec celles de chantre et de sacristain, ce qui ne l'empêche pas d'être aussi praticien, chirurgien, tonnelier, vigneron, horloger, fossoyeur ou cultivateur. Il rédige les actes de baptême, de mariage et de décès de la paroisse, en même temps que les délibérations des assemblées de la communauté. Il est, je l'ai dit, choisi par l'assemblée qui le juge généralement sur la puissance de sa voix, en raison de ses fonctions de chantre. Un acte de l'assemblée de Champigneulle, dans l'Aube, passé en 1712 avec Jacques Lombard, indique bien ce qu'on attend de lui : « Les habitants nous ont dit qu'il est nécessaire de pourveoir dans ce lieu d'un maître d'école pour chanter à l'église, assister le sieur curé au service divin et à l'administration des Saints Sacrements, pour l'instruction de la jeunesse, pour sonner l'angelus du soir, le matin et à midy et à tous les orages qui se feront pendant l'année, puiser l'eau pour faire bénir tous les dimanches, balyer l'église tous les samedys, faire la prière tous les soirs depuis la Toussaint jusqu'à Pasques. » L'instruction de la jeunesse n'apparaît presque que comme une attribution secondaire noyée au milieu des fonctions religieuses du maître d'école.

Le maître désigné n'a reçu aucune formation spéciale ; rien qui ressemble, de près ou de loin, à nos écoles normales. Mais ses fonctions diverses lui donnent, à côté du curé, une place privilégiée dans la commune : il est exempt de taille, du tirage au sort pour la milice, du logement des gens de guerre.

Dans sa classe, il continuera à donner la primauté à l'instruction religieuse ; il enseignera obligatoirement le catéchisme : à Saint-Haon-le-Châtel, le règlement prévoit que les après-midi du mercredi et du samedi doivent être obligatoirement consacrés à cet enseignement. L'enfant apprendra d'abord à lire en latin. « L'on ne doit passer à la lecture du français que lorsqu'on lit passablement le latin. » Le premier alphabet sera un livre de piété, orné, si l'on peut dire, d'images offrant des représentations effrayantes de l'enfer : c'est la *Croix de Jésus* ou la *Croix de par Dieu.* Des congrégations comme l'Oratoire, des institutions comme Port-Royal lutteront énergiquement contre cette méthode surannée qui consiste à apprendre à lire en latin.

De plus, on ignore les méthodes d'enseignement collectif ; on ne pratique que l'enseignement individuel. C'est dire que, lorsque le maître improvisé s'occupe d'un enfant, tous les autres perdent leur temps. Au bout de quelques années de cet enseignement, à raison de six mois de présence effective par an, que sait l'enfant ? Fort peu de chose au total. Il connaît assez bien son catéchisme, a quelques notions d'histoire sainte, a appris à compter avec des jetons, sait lire et écrire dans les cas les plus favorables. C'est à peu près tout. S'il a quelque mémoire, il se souviendra des quatrains moraux de Pibrac et de quelques principes élémentaires de la *Civilité puérile et honnête* que le maître a rabâchés. Il n'aura jamais aucune notion d'histoire et de géographie. En définitive, du point de vue de l'enseignement, c'est un fort piètre résultat pour payer un grand effort d'organisation. Une vaste enquête entreprise jadis sur le nombre des conjoints qui ont signé leur acte de mariage, a été menée dans des milliers de communes. De 1686 à 1690, en voici le résultat final : pour les époux, 28,74 p. 100; pour les épouses, 13,97 p. 100. Plus des trois quarts de la population française masculine, près des neuf dixièmes des femmes sont donc illettrés totaux. Et, parmi le reste, combien en savent plus qu'il n'en faut pour signer leur nom d'une main maladroite ?

Tel est l'état réel de l'enseignement primaire ; pour les privilégiés de la fortune et quelques enfants distingués pour leur intelligence et leur assiduité au travail par le maître d'école et le curé, s'ouvre l'enseignement secondaire, antichambre des études supérieures.

Dans les villes, les collèges sont nombreux. Verdun a le sien depuis 1550, Metz depuis 1590, Bar-le-Duc depuis 1578, Épinal depuis 1663, Privas dès la fin du XVIIe siècle, au plus tard. Il en est de même dans les autres provinces. Presque partout, l'enseignement secondaire, fondé par les Jésuites, déjà passés maîtres en matière d'éducation, est entre leurs mains. Ils excellent à former les jeunes esprits, à les assouplir aux règles d'une stricte discipline intellectuelle et morale. Leur effort est doublé par celui des Frères de la doctrine chrétienne qui dispensent l'enseignement gratuit ; en 1696, ils ont déjà 36 collèges à Paris. Tous sont naturellement payants ; en 1662, à Châlons-sur-Marne, la pension annuelle est de 150 livres.

Entrant en sixième à quatorze ans, le jeune garçon devra accomplir quatre années d'études pour atteindre le baccalauréat. Il sera, en province, généralement interne. A Paris, au contraire, l'externat domine. Au collège de Clermont, fondé par les Jésuites et qui prend en 1682 le titre de collège Louis-le-Grand, les pensionnaires ne dépassent pas 500 sur un effectif total de plus de 3 000. Là fréquentent les fils de la première noblesse, des ministres et de la « grande robe ». On sait que Molière y fut le condisciple du prince de Conti ; la province n'envoie à peu près, dans ce collège renommé, que des fils de gentilshommes ; mais Paris le peuple de petits bourgeois et de roturiers, qui constituent les trois quarts de l'effectif. Le collège reçoit aussi quelques boursiers de Clermont, ou du Roi, destinés au sacerdoce. La vie des internes, qui vivent séparés des externes, est dure ; presque pas de sorties, hors les courtes vacances — le seul mois de septembre ; tous les dimanches sont consacrés aux exercices religieux. Dans les petites chambres qui servent de salles d'études, les *cubicula*, les chambristes, *convictores*, doivent passer d'interminables heures à étudier le latin barbare du Despautère à la lueur de chandelles de suif. La robe de classe, en serge noire, que les parents payent 10 livres, contribue, par l'uniformité, à accentuer la tristesse de cette vie recluse, où la moindre défaillance est sanctionnée par les verges. La nourriture est frugale.

D'autres collèges dépendent directement de l'Université, comme le collège Mazarin ou le collège d'Harcourt, où Nicole, Saint-Évremond, Boileau et Racine firent leurs études. Seuls les collèges *de plein exercice* comportaient un cycle d'études complet, réservaient, après le baccalauréat, deux ans d'enseignement à la philosophie et préparaient au grade envié de *maître ès arts*.

Les élèves avaient cinq heures de classe par jour, de 8 à 10, de 12 à 13 et de 15 à 17 heures ; les philosophes avaient une heure supplémentaire, le matin de 6 à 7. Chaque classe était dirigée par un seul régent, maître unique, qui enseignait toutes les matières. Qu'apprenait-on au collège? D'abord et surtout le latin, enseigné pour lui-même et non comme un moyen de culture générale, sans souci de l'histoire et de la philosophie. On ne parle que latin au collège, même dans la vie courante, un latin macaronique, bien entendu. Le quartier des écoles est alors le vrai « pays latin ». Il n'est fait qu'une place infime au grec, et l'on se moque des « hellénistes » de Port-Royal, qui tentent de restaurer les études grecques, si prisées au beau temps de l'humanisme. Des notions de mathématiques, d'histoire et de géographie, des rudiments de sciences, et voilà tout le programme.

Chez les Jésuites, toujours soucieux de mondanité, on occupe les loisirs à la préparation des spectacles qui accompagnent les distributions de prix et autres solennités de la vie scolaire. Tragédies, — en latin, naturellement — comédies et ballets divertissent un instant les comédiens improvisés de leurs travaux rébarbatifs.

A vingt ans au plus tard, on quitte le collège ; les plus fortunés et les plus aptes poursuivront leurs études à l'Université et y conquerront les grades de licenciés et de docteurs. Certains suivront les cours érudits du Collège de France, toujours en conflit avec l'Université et qui connaît au XVIIe siècle une période d'effacement, en dépit de professeurs comme Guy Patin et Baluze.

A vingt-cinq ans, le jeune homme sortira muni de tous ses grades, farci de latin, tout bourré d'une science formelle, qui n'a guère évolué depuis la scolastique du Moyen Age et qui reste rebelle à toutes les nouveautés : durant tout le XVIIe siècle, la philosophie cartésienne reste bannie de l'enseignement officiel.

Ainsi furent formés tant de médecins latinisants, disciples attardés d'Hippocrate et de Galien, tant d'érudits qui passeront leur vie penchés sur les in-folio poussiéreux. Mais de cet enseignement sortent aussi bon nombre de prêtres, de gens de lettres, de magistrats érudits, qui continueront de participer à la vie intellectuelle de la capitale.

Une carrière, aujourd'hui surpeuplée, reste à peu près fermée à cette jeunesse estudiantine, c'est le journalisme, qui en est encore à ses débuts. Un seul rédacteur suffit à assurer la *Gazette*, organe officiel ; quelques rimeurs continuent jusque vers 1680 la tradition des gazettes rimées, à la manière de Loret ; un conseiller au Parlement de Paris, Denis de Sallo, crée la presse littéraire, avec le *Journal des Savans*, en 1665 ; il définit ainsi son programme : outre des nouvelles générales sur les lettres et les sciences et des articles nécrologiques, « le dessein de ce journal étant de faire savoir ce qui se passe de nouveau dans la république des lettres, il sera composé d'un catalogue exact des principaux livres qui s'imprimeront dans l'Europe, et on ne se contentera pas de donner de simples titres, comme ont fait jusqu'à présent la plupart des bibliographes, mais, de plus, on dira de quoi ils traitent et à quoi ils peuvent être utiles ». Ces comptes rendus objectifs, sérieux, qui font du *Journal des Savans* une publication de haute tenue, n'ont pas l'heur de plaire à la gent de lettres, qui n'est pas encore habituée au libre jugement d'une presse indépendante. Guy Patin s'indigne contre cette « folle et inepte façon de critiquer tout le monde ». Le premier Président du Parlement parle d'intervenir contre cet intolérable abus. On saisit la première occasion : Denis de Sallo s'est élevé contre une censure de l'Inquisition ; on crie au sacrilège. Les Jésuites s'émeuvent, le nonce du Pape intervient. Le *Journal des Savans* est suspendu par voie d'autorité ; son directeur est remplacé et, avant de faire reparaître sa publication, le nouveau directeur doit publier une rétractation et promettre d'être plus prudent à l'avenir.

Mais la presse littéraire était fondée ; le public et les auteurs s'habituèrent à la critique des journaux ; les gazettes de Hollande, interdites en France, mais qui y parvenaient tout de même régulièrement, étaient fort lues ; Bayle, dans sa *République des Lettres*, Le Clerc, Basnage, dans leurs libres gazettes, tenaient le public parisien au courant de l'activité intellectuelle de toute l'Europe. On y discutait librement sciences, philosophie, religion, ce qui n'était pas possible en France. Ainsi le lecteur curieux trouvait-il à ces publications étrangères la saveur supplémentaire du fruit défendu.

La gazette la plus répandue parmi le public mondain et frivole fut le célèbre *Mercure galant*, fondé en 1672 par un habile écrivain, Donneau de Visé, et rédigé entièrement par lui et par son associé, Thomas Corneille. Il paraissait tous les mois et se vendait par abonnements d'un an, de six mois ou de trois mois, et au numéro, 15 sols relié en parchemin, 20 sols relié en veau, prix portés à 25 et à 30 sols en 1679. Mille anecdotes, histoires galantes, madrigaux, énigmes, petits vers, des gravures de mode, des chansons avec musique notée, le résultat des loteries royales, les nouvelles de la cour et de la ville, des comptes rendus des principales pièces de théâtre jouées à Paris lui assurèrent tout de suite un grand succès dans les salons à la mode.

C'est ce caractère de frivolité, la place excessive donnée aux mondanités, aux nouvelles du Tout-Paris, qui détournaient de lui les esprits sérieux. La Bruyère écrivit sévèrement que le *Mercure galant* « était immédiatement au-dessous de rien ». Donneau de Visé se vengea, lors de la réception de La Bruyère à l'Académie française, en publiant un « éreintement » de son discours. La vogue de la nouvelle gazette était telle que le théâtre s'en empara. Les Italiens représentèrent une innocente satire, *Arlequin, Mercure galant*, et Boursault une piquante comédie à la Comédie-Française, qui devait s'appeler *Le Mercure galant.* Mais Donneau de Visé alla se plaindre au lieutenant de police La Reynie, qui pria Boursault de changer le titre de sa pièce ; spirituellement, celui-ci l'appela la *Comédie sans titre.* Elle se passait dans la salle de rédaction même du journal et on y voyait défiler une foule d'originaux cherchant par tous les moyens à avoir leur nom dans la gazette à la mode.

Ces diverses publications n'occupaient cependant que quelques rédacteurs. Mais il y avait déjà des journalistes, avides de nouvelles, vraies ou fausses, scandaleuses de préférence. C'étaient les « nouvellistes à la main ». On les trouvait dans tous les lieux publics, cafés, jardins, promenades, à l'affût des derniers potins parisiens. Ils recueillaient pêle-mêle tout ce qu'ils pouvaient apprendre, aussi bien auprès des secrétaires d'ambassade que des laquais, puis rédigeaient de petites gazettes manuscrites, inlassablement recopiées, qu'ils vendaient sous le manteau, car l'autorité y était souvent brocardée, et qu'ils envoyaient dans toutes les provinces où elles complétaient les informations fournies par les correspondances privées, comme celle de Mme de Sévigné, qui circulaient de main en main.

La police, qui exerçait une censure très sévère sur toute la presse imprimée, pourchassait impitoyablement ces gazetiers amateurs dont les productions échappaient à son contrôle. Dès qu'elle en saisissait un, elle l'emprisonnait ; les condamnations étaient très sévères : exil, prison, galères, potence. Les archives de la Bastille conservent de nombreuses traces de leurs procès et quelques exemplaires de leurs élucubrations.

Ces journalistes improvisés étaient de toutes professions ; on trouve parmi eux, pêle-mêle, des avocats, des gens du Palais, des abbés, des domestiques, un gargotier, un marchand fruitier. C'étaient, en général, de pauvres hères faméliques qui spéculaient sur la curiosité toujours en éveil du public et ne craignaient ni les scandales, ni les mensonges, ni les calomnies. A aucun titre, ils n'appartiennent à la corporation des gens de lettres.

Ceux-ci, mis à part quelques poètes crottés du Pont-Neuf, piliers de taverne et trousseurs de filles, étaient, en général, gens fort honorables. Ils avaient conquis droit de cité dans la société polie, qui constituait leur public, suivait leurs efforts, admirait et critiquait leurs œuvres. Le développement des salons et ruelles littéraires les avaient fait sortir du cercle restreint de leurs confrères. Les écrivains ont connu, à l'époque qui nous occupe, une véritable promotion sociale. Leur place auprès des grands — un La Bruyère auprès de Condé, — le succès d'un Molière, d'un Quinault, d'un Racine, à la cour, l'attention que leur prête une gazette comme le *Mercure galant*, l'éclat de l'Académie qui se réunit au Louvre et dont le Roi est désormais le Protecteur, leur assurent un rang de choix dans la société parisienne. Leurs ouvrages s'étalent, dans la galerie du Palais, aux devantures des libraires, chez Courbé et Sercy. Romans, recueils de poésie, pièces de théâtre connaissent la faveur du public éclairé. Les bibliothèques de magistrats et de grands bourgeois leur font une large place, à côté des ouvrages de droit ou de religion.

Si l'on met de côté quelques grands seigneurs comme Bussy-Rabutin, La Rochefoucauld, le cardinal de Retz ou Saint-Simon, quelques grandes dames, comme Mmes de Lafayette et de Sablé, tous les grands écrivains du siècle, de Molière à Racine, de Corneille à Pascal, de La Bruyère à Bossuet, sont d'origine bourgeoise. Ainsi, par leur prestige, servent-ils grandement cette classe nouvelle, qui a toutes les faveurs du Roi, et dont nous avons noté l'ascension prodigieuse jusqu'aux plus hauts postes de l'État.

Mais leur origine bourgeoise même, la modestie de leur fortune leur font une nécessité de tirer de légitimes profits de leurs œuvres. Les mœurs, à cet égard, sont bien différentes des nôtres. On trouvait alors normal, de part et d'autre, de faire payer les dédicaces flatteuses ; Corneille, pourtant si fier, ne croyait pas déchoir en acceptant 200 pistoles du financier Montauron pour sa dédicace de *Cinna* ; chacun avait ainsi son mécène attitré, dont il refaisait inlassablement l'éloge en tête de ses diverses publications ; Richelieu, Séguier, Mazarin, Foucquet surtout, qui pensionna Scarron, Pellisson, La Fontaine, Mlle de Scudéry, les frères Perrault, s'assurèrent une fidèle clientèle de thuriféraires. Sur l'initiative de Colbert, conseillé par le vétéran des lettres qu'était Chapelain, Louis XIV reprit la tradition. A partir de 1663, chaque année paraissait une liste de pensions royales : on intriguait ferme pour y figurer. La correspondance de Colbert et de Chapelain atteste d'ailleurs qu'il ne s'agissait point, comme on l'a trop souvent répété, d'un mécénat désintéressé, mais de gratifications qui devaient être payées de retour par des éloges du Roi, en prose ou en vers. Le fonds des pensions était, en vérité, un budget de publicité pour la gloire du Roi-Soleil. On désire, avoue ingénument Chapelain, « d'avoir plusieurs trompettes des vertus du Roi ». Et, ailleurs, il parle tout crûment « des maistres qui veulent estre servis pour leur argent ». Rares furent les écrivains qui ne se plièrent pas à l'obligation du remerciement traditionnel. On peut cependant citer le cas de Ménage, qui, estimant que « ces remerciements sentent le poète crotté », refusa de rimer en faveur de Louis XIV. La réponse ne se fit pas attendre ; dès l'année suivante, sa pension était supprimée... D'ailleurs, en 1690, les pensions disparurent ; on avait tout dit sur les mérites et les vertus du Roi ; l'orange pressée, on jetait l'écorce...

Outre les gratifications des mécènes et les pensions du Roi, les écrivains tiraient encore de leur travail un « tribut légitime », comme dit Boileau, par leurs droits d'auteur. L'usage était alors, non d'associer l'auteur, comme aujourd'hui, aux bénéfices de la vente de son ouvrage, mais de lui acheter son manuscrit pour une somme forfaitaire. Le prix de cession était généralement peu élevé ; c'est que le public lettré était fort restreint et la vente limitée. On tirait rarement une édition à plus de mille exemplaires. Descartes se contenta, pour prix de son *Discours de la Méthode*, de recevoir du libraire deux cents exemplaires gratuits ; quelques centaines de livres, c'est tout ce que pouvait rapporter un livre à son auteur. On cite comme exceptionnel le prix que Courbé donna à Chapelain pour sa fameuse *Pucelle*, qui eut six éditions en dix-huit mois : 3000 livres.

Théoriquement, les droits de propriété de l'écrivain et de l'éditeur étaient garantis par le « privilège » obligatoire, enregistré à la Chambre syndicale des libraires, qui assurait un droit exclusif de publication et permettait de poursuivre les contrefacteurs. Mais, en fait, libraires et écrivains étaient désarmés contre les nombreuses contrefaçons hollandaises des ouvrages à succès, qui pénétraient largement en France, et même contre les contrefaçons provinciales, qui portaient de fausses indications d'origine : Cologne, La Haye ou Amsterdam.

De plus, certains libraires n'étaient pas des plus scrupuleux ; on a la preuve qu'ils publiaient parfois des ouvrages sous le couvert de privilèges obtenus pour d'autres livres ou même frauduleusement extorqués à l'insu de l'auteur. Le libraire Ribou, par exemple, qui devait plus tard goûter plusieurs fois de la Bastille pour avoir vendu sous le manteau des libelles hollandais interdits, avait obtenu, par surprise, un privilège pour imprimer *Les Précieuses ridicules*, qui avaient fait courir tout Paris au Petit-Bourbon. Il agit de même avec *Le Cocu imaginaire*. Molière, lésé dans ses intérêts légitimes, dut intervenir auprès du lieutenant civil et de la police du Châtelet, qui condamna l'indélicat libraire. On a d'autres exemples de ces indélicatesses. La première édition des *Satires* de Boileau n'est-elle pas une édition clandestine publiée, sans doute à Rouen, sans son aveu ?

Ainsi les écrivains, dont les revenus étaient assez minces, avaient fort à faire pour se défendre contre les entreprises des forbans qui les dépouillaient. Loin de pouvoir citer un seul écrivain qui ait fait fortune sous Louis XIV par le revenu normal de sa profession, on doit constater que beaucoup restèrent besogneux et que, pour les plus heureux, les sommes qu'ils pouvaient recevoir de leurs libraires ne constituaient que ce que nous appellerions aujourd'hui un « salaire d'appoint », qui ne leur eût pas permis de vivre. Heureusement, nous l'avons vu, la carrière littéraire procurait d'autres ressources.

La vie littéraire était déjà, comme elle fut de tout temps, animée de mille querelles retentissantes, dont se gaussait le public. Jadis, lorsque les écrivains, confinés dans leurs cabinets et leurs bibliothèques, n'écrivaient, en latin souvent, que pour leurs confrères, le public ignorait ces bagarres de cuistres, ces querelles homériques de savants en us. Quand l'abbé d'Aubignac et Ménage se battaient sur la règle des trois unités, quand Costar et Girac s'assenaient réciproquement sur la tête de lourds *in-quarto* relatifs aux lettres de Voiture, c'étaient pures querelles d'érudits ; elles avaient beau se hausser jusqu'à l'injure et aux grossièretés, les bourgeois ne s'en préoccupaient pas.

Mais une révolution sociale, depuis lors, s'était accomplie ; grâce à l'action des salons et ruelles précieuses, sur lesquels nous reviendrons tout à l'heure, les écrivains étaient sortis de leurs cabinets poussiéreux pour hanter les cercles mondains. Ils s'y étaient fait un public d'honnêtes gens, qu'ils acceptaient ou revendiquaient même, comme Molière ou Racine, pour leurs juges éclairés et naturels. Aussi voit-on leurs querelles perdre leur caractère de cuistrerie pour prendre un aspect personnel, un tour vif, sans devenir pour cela moins âpres. De la discussion d'érudits, nous passons insensiblement aux querelles de personnes, qui donnent lieu à maints pamphlets et épigrammes : voilà qui amuse la galerie des badauds. Des clans, des chapelles, des coteries se forment ; les partisans de Racine s'opposent déjà à ceux de Corneille, parmi lesquels figure Mme de Sévigné, et que défend le *Mercure galant*, citadelle cornélienne où écrivent régulièrement Thomas Corneille et Fontenelle, frère et neveu de l'auteur du *Cid*. Molière, de son côté, est l'objet d'attaques venant de diverses parts : marquis et petits-maîtres bafoués s'allient à la cabale des dévots et aux comédiens jaloux de l'Hôtel de Bourgogne pour s'en prendre à l'auteur de *L'École des femmes* et de *Tartuffe*. Racine et Pradon soulèvent les passions avec la querelle des deux *Phèdre* ; le salon de la duchesse de Bouillon prend le mauvais parti, celui de Pradon ; on échange des sonnets aigres-doux, des menaces de bastonnade. Condé lui-même doit intervenir et prendre ouvertement sous sa protection Racine et Boileau.

Pour ce dernier, toute sa vie il fut engagé dans des luttes demeurées fameuses ; jeune satirique, il avait criblé de flèches tous les auteurs arrivés, en place, en dépit de leur médiocrité. C'est à un véritable jeu de massacre qu'il se livre, dont les têtes de Turcs se nomment Chapelain, Scudéry, Quinault, Ménage, de Pure. Il frappe à tort et à travers, plus soucieux d'amuser ses lecteurs que d'établir une doctrine, qui est d'ailleurs déjà élaborée en grande partie. La meilleure preuve en est qu'au gré de ses amitiés, de son humeur, de ses raccommodements avec quelques-unes de ses victimes, celles-ci changent de nom d'édition en édition. Un jour, l'abbé de Pure remplace Ménage ; Quinault prend la place de Boursault sans que la rime en souffre. Mais le grand ennemi, c'est Chapelain, vieillard de soixante-dix ans quand Boileau en a vingt-cinq, l'auteur de cette ridicule *Pucelle* qu'il a portée pendant trente ans et qui distille un si puissant ennui. Avec Chapelle, Furetière et Lignières, le satirique a rimé cet impertinent *Chapelain décoiffé*, qui met tous les rieurs de son côté et que des comédiens errants montent en province, au grand scandale des admirateurs du « maître ». Par cent coups d'épingle, Boileau a dégonflé cette baudruche sans talent, auteur de vers rocailleux et rudes, et qui, de plus, conseiller intime de Colbert, fait véritablement figure de ministre des lettres de Louis XIV. Qui s'étonnerait, après cela, que Boileau ait dû attendre sa mort pour être couché sur la liste des pensions royales?

Lignières, ancien compagnon de débauche de Boileau, devient, après leur brouille, le poète idiot de Senlis. Pinchesne, Pradon, Gacon, vingt autres, tombent sous ses coups. Et, chaque fois qu'une de ces marionnettes s'écroule, le public, charmé et amusé, applaudit. Que nous sommes loin des querelles de pédants, de leurs pesantes dissertations où s'entassaient les citations latines et grecques. *Les Provinciales* avaient montré la voie à Boileau et lui avaient enseigné comment, pour être écouté, il fallait traiter plaisamment des sujets sérieux. La leçon avait porté ses fruits ; dans un cas comme dans l'autre, le public s'était mis de la partie et avait pris goût à ces nouveaux jeux. La vie littéraire est faite de ces querelles, qui divisaient auteurs, lecteurs et salons en groupes rivaux, en petites chapelles, en cabales.

L'Académie elle-même participe à ces jeux littéraires. Ce n'est plus la chétive assemblée des « enfants de la pitié de Boisrobert », à qui le cardinal de Richelieu imposa jadis une protection que nul ne souhaitait. C'est maintenant un corps de l'État, bien constitué, dont les avis sont écoutés ; le Roi en est devenu, après le chancelier Séguier, le protecteur ; elle siège au Louvre ; à défaut de Molière, trop mince personnage, et de Pascal, trop tôt disparu et d'ailleurs suspect de jansénisme, Corneille, Racine, La Fontaine, La Bruyère lui donnent un incontestable éclat. La vie de l'illustre compagnie n'intéresse plus seulement les gens de lettres ; les gazettes se préoccupent d'elle et tiennent leurs lecteurs au courant de ses travaux. Corneille lui-même remanie ses vers pour se mettre d'accord avec les règles grammaticales de Vaugelas, entérinées par l'Académie. La fameuse querelle des anciens et des modernes, née dans son sein, et qui se double d'une lutte personnelle entre Boileau et les frères Perrault, passionne et divise l'opinion publique, emplit les gazettes. Les grandes réceptions académiques sont des événements mondains auxquels on se doit d'avoir assisté. Les salons jouent leur rôle dans la préparation des élections, soutenant des candidats, montant des cabales. C'est de Pellisson et du salon de Madeleine de Scudéry qu'est partie l'offensive contre la candidature de Gilles Boileau, frère aîné du satirique, qui avait bataillé contre Ménage et Scarron et dont Chapelain, pour faire pièce à Ménage, patronnait la candidature.

L'élection à l'Académie se faisait alors en deux scrutins : le premier désignait le candidat proposé à l'agrément du protecteur ; le second, dc pure forme, entérinait le premier. Gilles Boileau, au premier scrutin, obtint dix-huit voix ; Ménage et Pellisson mènent contre lui une ardente campagne ; au second tour, Gilles Boileau est battu. Il faut un arbitrage et une intervention personnelle du chancelier pour faire taire la cabale.

Le choix de La Fontaine, un moment différé par le Roi — on lui reprochait la gauloiserie de ses *Contes*, — la querelle qui s'élève entre le *Mercure galant* et La Bruyère à l'occasion de son élection, autant de petits incidents auxquels s'intéresse un public qui a pris l'habitude de compter avec les gens de lettres.

L'affaire la plus retentissante fut celle de Furetière ; voyant que l'Académie ne parvenait pas à mettre sur pied son *Dictionnaire* (la première édition ne parut qu'en 1694), Furetière se mit en devoir d'en faire un tout seul. Or la Compagnie avait pris soin de prendre un privilège exclusif ; on accusa, bien à tort d'ailleurs, le malheureux Furetière de plagiat : on peut constater aujourd'hui que les deux dictionnaires diffèrent totalement dans leur dessein, leur présentation, leur méthode. En vain Racine et Boileau s'entremirent pour apaiser la querelle. Des deux côtés, on tenait ferme sur ses positions. Furetière en appela à l'opinion publique dans une série de factums, pleins de railleries à l'adresse de ses confrères et surtout des « jetonniers », c'est-à-dire des académiciens les plus assidus, qui se partageaient les jetons de présence. Charpentier répliqua, au nom de l'Académie, par un pamphlet d'où les grossièretés n'étaient pas exclues. Le débat était ainsi porté devant le public, qui marquait les coups et se divertissait des épigrammes piquantes qu'échangeaient Furetière et La Fontaine. Mais Furetière avait affaire à trop forte partie. Ses factums furent condamnés comme libelles diffamatoires et il fut le premier — et longtemps le seul — membre de l'Académie française exclu par ses confrères pour avoir commis « une action indigne d'un homme d'honneur ».

Si le public se passionnait pour ces querelles littéraires qui emplissent tout le siècle, c'est qu'il avait été habitué, grâce au développement de la vie mondaine et de cour, à s'intéresser aux gens de lettres, qui n'étaient plus les écrivains retirés du règne de Louis XIII.

Les salons ont eu à cet égard, sur la formation du goût public, une action prépondérante. C'est à eux qu'on doit ce public tout nouveau d'amateurs, d' « honnêtes gens », qui se pressent au parterre chez Molière et dont le jugement, pour nos grands classiques, a remplacé, comme critère, les fameuses règles péniblement élaborées par les « doctes » du temps de la jeunesse de Chapelain.

L'impulsion avait été donnée à l'hôtel de Rambouillet par la célèbre marquise ; son salon disparaît pratiquement avec la Fronde ; mais la bonne société parisienne y avait pris le goût des choses de l'esprit. Mme de Rambouillet eut des imitatrices qui continuèrent et élargirent son œuvre.

Le *Dictionnaire des Précieuses*, de Somaize, fournit une liste abondante et à peu près complète des salons précieux en 1660 ; il y en a au Marais, au Louvre, à l'île Notre-Dame. C'est une mode, une fureur que Molière exploita dans ses *Précieuses ridicules*. Dévotes ou coquettes, ces dames font une large part dans leurs préoccupations à la littérature, qui prend de ce fait une allure mondaine toute nouvelle. C'est l'époque des grands romans de Madeleine de Scudéry, dont le succès fut immense, des recueils de poésies précieuses, dont le plus célèbre est le *Recueil de Sercy*. Petits vers, madrigaux, stances, bouts-rimés, énigmes, métamorphoses abondent et circulent dans les ruelles. Dans la plus pure tradition de Voiture et de Benserade, la littérature tend de plus en plus vers le jeu de salon. Nos précieuses ont mis à la mode l'habitude de choisir un « jour » pour recevoir leurs amies ; chacun de ces cercles a son poète attitré, Sarasin chez Mlle de Scudéry, Segrais chez Mme de Lafayette et chez Mlle de Montpensier, Pellisson chez Mme de La Suze.

La comtesse de La Suze peut servir de modèle des précieuses coquettes ; elle est de grande naissance, appartenant à l'illustre famille des Coligny. Elle a fait ses classes à l'hôtel de Rambouillet. Depuis lors, elle ouvre largement aux poètes son riche hôtel du Marais, où Mme de Brégy, autre précieuse, vient lire ses lettres galantes et ses « questions d'amour ». Le salon de la comtesse de La Suze devient une officine de poésie précieuse et galante. Elle accumule les minces productions de ses amis dans ses portefeuilles. Avec son fidèle ami Pellisson, elle en publie tout un recueil qui grossit d'édition en édition. L'abbé de Pure et Quinault voisinent chez elle avec Mme Scarron et Mme de Sévigné.

D'autres cercles moins frivoles sont des centres intellectuels extrêmement actifs ; chez Ninon de Lanclos, où l'on n'est pas trop conformiste, Boileau lit ses *Satires* et Molière son *Tartuffe* interdit. Saint-Évremond, avec ses badinages élégants, donne le ton de la conversation, spirituelle et frondeuse.

Mme de Lafayette, grande amie d'Henriette d'Angleterre et de la Grande Mademoiselle, tient également salon ouvert rue de Vaugirard. Segrais, poète pastoral, et Huet, futur évêque d'Avranches, y rencontrent Ménage, qui joue les galants auprès de la comtesse. A l'hôtel de Nevers, elle a rencontré La Rochefoucauld, dont elle deviendra l'amie intime. On décortique une à une ses *Maximes* ; on commente les *Pensées* de Pascal aussi bien que les *Contes* de La Fontaine, car on est très éclectique. Grands seigneurs et gens de lettres se côtoient ainsi journellement, apprenant à se connaître et à s'estimer.

Chez Mme de Sablé aussi, à l'ombre de Port-Royal de

Paris, on s'occupe beaucoup de morale et de littérature ; ses *Maximes* et celles de La Rochefoucauld sont en réalité des œuvres collectives, longtemps mûries et discutées en commun. Julie d'Angennes, devenue duchesse de Montausier, Chapelain, Conrart, Balzac, Arnauld d'Andilly, tous anciens familiers de l'hôtel de Rambouillet, se regroupent autour de la marquise de Sablé, éternelle malade imaginaire ; des mondains, comme le chevalier de Méré ou Saint-Évremond, lient conversation avec un grand seigneur comme La Rochefoucauld, des jansénistes comme Pascal y rencontrent des jésuites comme le P. Rapin ou le P. Bouhours.

Ce développement de la vie mondaine, si profitable aux gens de lettres et à la diffusion de leurs œuvres, ne cesse de s'accroître ; débordant l'aristocratie à laquelle appartiennent toutes les dames que nous venons d'évoquer, il gagne la société bourgeoise du Marais. Dans sa maison de la rue des Oiseaux, Madeleine de Scudéry, oracle des ruelles, règne souverainement sur ce petit monde bourgeois, qui prétend, lui aussi, participer à ces jeux littéraires et goûter les joies de l'esprit. Après *Le Grand Cyrus*, qui a chanté les louanges de la société aristocratique, voici un autre roman à clef, la *Clélie*, où se reflètent la société et l'esprit bourgeois. Les modestes amies de Sapho, Mmes Aragonais, Bocquet, Cornuel, Pilou, Mlle Robineau, y ont leur place. Elles aussi reçoivent stances et madrigaux et patronnent des poètes de ruelles. J'ai dit ailleurs le nombre incroyable de petits vers, le plus souvent insignifiants, qui naissent dans ce cercle. Pellisson et Conrart sont les directeurs littéraires de cette officine de versiculets et de romans précieux. Ménage, Chapelain, Sarasin, Isarn y lisent leurs productions et les font admirer. Mme Cornuel y émaille la conversation de ses mots d'esprit à l'emporte-pièce, qui font la joie des assistants ; Mme Pilou, hirsute et masculine, y crie son mépris des duchesses ; le royaume de Tendre, dont Sapho est reine, a sa gazette, qui relate les moindres événements poétiques du cercle ; les pigeons et les fauvettes, les poires et les oranges du jardin de Madeleine de Scudéry sont l'objet de cent madrigaux galants, pieusement transcrits sur les registres des curieux, comme Conrart, qui ne laissent pas perdre la moindre miette du festin poétique. On disserte à l'infini sur l'amour platonique, on se perd dans les détails de la géographie galante à la mode, on classe les soupirs en douze catégories et on coupe les cheveux en quatre.

Ainsi nos bourgeoises, suivant l'exemple des grandes dames, s'efforcent-elles d'oublier leurs malheurs domestiques et matrimoniaux en se réfugiant dans un monde irréel et galant, inspiré de l'esprit courtois du moyen âge et des romans de chevalerie ; elles y retrouvent une primauté qui leur est refusée dans le ménage bourgeois, où elles ne sont, disent-elles, que des « esclaves ». Les précieuses sont ainsi, à leur manière, les ancêtres des féministes et elles trouvent cette fois un allié et un défenseur en Molière pour protester contre la tyrannie conjugale.

Ainsi, tandis que les grands classiques publiaient leurs chefs-d'œuvre et attiraient le public à l'Hôtel de Bourgogne, de menus auteurs donnaient une importance excessive, sans doute, à toute cette littérature salonnière d'œuvres aimables et faciles, qui séduisait nos mondains et nos mondaines. Peu importe aujourd'hui la valeur intrinsèque de leurs productions. Ce qui compte pour nous, c'est l'audience dont ils bénéficièrent. Elle fut incontestablement considérable. Les poètes, les auteurs dramatiques, les romanciers ne se contentent plus d'atteindre leurs confrères et ceux qu'on appelait naguère les « doctes » ; ils ont maintenant un public d'honnêtes gens sur le goût duquel ils modèlent leurs œuvres et qu'ils contribuent à former et à éduquer. Ce caractère social et mondain de la littérature assure sa diffusion. On a compté plus de six cents romans parus de 1660 à 1700. Les recueils de vers sont aussi nombreux. Si les éditeurs publiaient un si grand nombre d'ouvrages de ce genre, c'est qu'ils les vendaient et connaissaient bien le goût de leur public.

On voit donc la place que la production littéraire et, par

suite, les écrivains tenaient dans les préoccupations du public aristocratique et bourgeois. Les dames de qualité ne craignent pas de mêler, dans leurs cabinets, les livres de piété, toujours en grande vogue, à ces productions légères et galantes. La protection accordée par le Roi à quelques grands écrivains ne fut pas étrangère non plus à la vogue des gens de lettres à la cour et à la ville. Versailles et Paris suivent la production théâtrale ; on y lit des gazettes, on s'y tient au courant des débats littéraires et des querelles d'auteurs ; on y dévore poésies et romans. En même temps qu'il a conquis droit de cité auprès de son nouveau public, qui l'admet dans son sein, l'écrivain a grandement contribué à affiner cette société du grand siècle qui, de son côté, accède véritablement à la vie intellectuelle — sans pour cela connaître les règles élémentaires de l'orthographe.

CHAPITRE X

LES DÉSHÉRITÉS : PAUVRES, MALADES ET PRISONNIERS

TANDIS que la bourgeoisie, enrichie dans le négoce, accède aux charges publiques et se prépare à sa fonction de future classe dirigeante, tandis que le monde du travail vit, au jour le jour, de ses maigres salaires, toute une partie de la population, rongée de misère, de maladie et parfois de vices, croupit dans une affreuse détresse. Aucune loi sociale ne vient en aide aux malheureux, qu'on a la plus fâcheuse tendance à confondre avec les malfaiteurs.

Beaucoup d'entre eux ne sont pas responsables de leur triste sort. Les malades envahissent les trop rares hôpitaux. La Fronde, avec ses ravages et ses pillages, a soulevé une vague de misère qui déferlera sur toute la fin du règne. Le vieil Hôtel-Dieu, le plus ancien de nos hôpitaux, ne peut faire face à la dépense : de 1654 à 1662, il a consommé plus de 1 200 000 livres de son fonds. L'hôpital Saint-Louis, la Charité, créé par les frères Saint-Jean de Dieu, ne disposent de guère plus de cent lits chacun. Les conditions de séjour y sont misérables. Locatelli, un prêtre bolonais qui visita Paris en 1664, se rendit à l'Hôtel-Dieu : « Je n'eus pas le courage de compter les pauvres malades, écrit-il ; pour donner une idée de leur nombre, je crois qu'il suffit de dire qu'ils étaient trois ou quatre dans chaque lit, et les femmes deux seulement. On peut imaginer la puanteur qui infeste ce saint lieu. » Si l'hôpital de la Charité est un peu mieux tenu, avec les fleurs et les oiseaux en cage qui égayent les chambres de malades, les Quinze-Vingts sont aussi insalubres que l'Hôtel-Dieu : « Il contient trois cents personnes atteintes de maladies incurables, et ce nombre est toujours au complet, car il suffit d'y rester une fois pour y tomber malade de la peste. »

Vincent de Paul a multiplié ses efforts en ce domaine, comme en tous ceux qui relèvent de la charité. L'Association des Dames de charité suscite un moment l'enthousiasme et découvre d'admirables dévouements. Les dames pratiquent l'assistance à domicile, font des visites régulières à l'Hôtel-Dieu et distribuent des friandises aux pauvres malades ; l'exemple de Paris porte ses fruits en province ; Alençon, Marseille voient naître de semblables associations féminines de charité. Vincent de Paul encore a fondé en 1638 les Enfants-Trouvés, et en 1653, au faubourg Saint-Germain, les Incurables, où deux pavillons séparés reçoivent quarante vieillards des deux sexes. L'action de la Compagnie du Saint-Sacrement, fondée par le duc de Ventadour, et qui a déjà beaucoup fait pour les prisonniers et les galériens, trop souvent retenus à leur banc au-delà de leur peine, renforce cet élan de charité en faveur des déshérités. Mme la princesse de Condé donne l'exemple en prenant la tête des Dames de Saint-Sulpice. Les curés se dévouent, chacun dans sa paroisse. Des associations d'hommes pieux, organisées sur le modèle des Dames de la Charité, se fondent pour soulager les misères des pauvres honteux et essaiment en province : on en retrouve à Caen, à Amiens. Le Grand Bureau des pauvres, dont la fondation remonte à François Ier, assure les secours à domicile ; en 1664, 2 900 pauvres constituent sa clientèle ; M. Olier, à Saint-Sulpice, fonde la Compagnie de la Passion. La grande Confrérie de Notre-Dame a ses pauvres qu'elle visite et secourt. On agit sur les consciences et, grâce au mouvement de renaissance catholique, on réveille les sentiments de charité et d'amour des pauvres. On obtient de nombreuses dispositions testamentaires en faveur des œuvres de bienfaisance. On crée des « écoles de charité » gratuites pour les enfants des pauvres.

Jean Eudes fonde l'œuvre du Bon Pasteur pour le relèvement des femmes de mauvaise vie. De belles et grandes dames se font quêteuses pour les pauvres à l'église, forcent l'égoïsme des bourgeois et obtiennent ces « misérables aumônes, comme dit Bossuet, que les prédicateurs arrachent à force de crier contre la dureté du cœur ». Le grand prélat consacre un sermon à *L'éminente dignité des pauvres.* Le mouvement gagne la province, où les fondations pieuses se multiplient ; de nouveaux hôpitaux sont créés à Rouen, à Château-Thierry (1650), à Poitiers (1657), à Soissons (1660).

Malgré tous ces efforts, tous ces dévouements, le mal apparaît si grand qu'on ne sait comment y faire face. Les témoignages contemporains concordent pour évaluer à quarante mille — près du dixième de la population — le nombre des mendiants de la capitale. Armée de la misère, où se recrute l'armée du vice et du crime. Déguenillés, ils poursuivent le promeneur dans la rue, le chaland dans la boutique. « La multitude des pauvres et des misérables est telle dans tous les quartiers de la ville, dit Lister, qu'en voiture, à pied, dans la boutique, vous ne pouvez venir à bout de rien, grâce au nombre et à l'importunité des mendiants. C'est lamentable d'entendre le récit de leurs misères ; et, si vous donnez à l'un d'eux, immédiatement tout l'essaim fondra sur vous. » Chômeurs, impotents, innocents, demi-fous sont ainsi mêlés, dans une hideuse promiscuité, aux prostituées, voleurs et souteneurs.

Cette populace, vivant autant de charité que de rapines, se groupe dans des quartiers sordides qu'on appelait les *cours des miracles* ; il y en avait onze dans Paris, où personne n'osait pénétrer, pas même le guet, qui n'était pas en force contre ces milliers de malheureux. Il y avait de ces terribles repaires de gens vivant en marge de la société dans divers quartiers : près de l'église Saint-Martin des Champs, rue Saint-Honoré, faubourg Saint-Marcel, faubourg Saint-Germain, à la butte Saint-Roch. Cette population de truands a ses mœurs particulières, un langage argotique à elle. Le chef suprême de la tribu est le « grand Coësre ».

Estropiés ou simulateurs, couverts d'emplâtres et de plaies purulentes, ils se distinguent, selon leur origine, en *courtauds*, *capons*, *francs-mitoux*, *malingreux*, *marjauds*, *drilles* ou *narquais* (anciens militaires, généralement déserteurs, qui demandent l'aumône l'épée à la main), *piètres* (faux estropiés), *sabouleux* (faux épileptiques), *collets* (faux teigneux), etc. Sauval, l'historien de Paris, nous a laissé de la cour des miracles de la rue Saint-Sauveur une description d'un réalisme saisissant : « Il est situé dans l'un des quartiers les plus mal bâtis, les plus sales et les plus reculés de la ville, comme dans un autre monde. Pour y venir, il se faut égarer dans de petites rues vilaines, puantes, détournées ; pour y entrer, il faut descendre une assez longue pente tortue, raboteuse, inégale. J'y ai vu une maison de boue à demi enterrée, toute chancelante de vieillesse et de pourriture, qui n'a pas quatre toises en carré et où logent néanmoins plus de cinquante ménages chargés d'une infinité d'enfants légitimes, naturels ou dérobés. On m'a assuré que, dans ce petit logis et dans les autres, habitaient plus de cinq cents grosses familles entassées les unes sur les autres... Des filles et des femmes, les moins laides, se prostituaient pour deux liards, les autres pour un double (deux deniers), la plupart pour rien. Plusieurs donnaient de l'argent à ceux qui avaient fait des enfants à leurs compagnes afin d'en avoir comme elles, d'exciter la compassion et d'arracher les aumônes. »

Dans des taudis infects, où grouille la vermine, cette société lépreuse, sale et contaminée, vit d'une existence misérable, faite du produit des aumônes privées et des vols ou des coups de main heureux sur le bourgeois attardé dans les rues obscures. Tous les vices y sont pratiqués ; on ne recule même pas devant le crime, sûr que l'on est d'une impunité totale, la police ne s'aventurant jamais dans ces quartiers réservés. Dans la seule année 1642, on a dénombré trois cent quarante-deux assassinats nocturnes dans les rues de Paris.

Le pouvoir royal n'a jamais voulu comprendre que l'existence de cette population réprouvée de mendiants, de vagabonds et de malandrins posait un problème social ; il n'y vit qu'un problème de police. Il s'agissait avant tout d'éviter à la population saine toute contamination. Jadis, on envoyait les mendiants aux galères ; Henri III les menaça des Petites-Maisons et, sous Henri IV, on décida, après leur avoir rasé la tête, de les faire fouetter par la main du bourreau.

Mais, après la Fronde, le mal devint si aigu qu'il fallut prendre de nouvelles mesures ; à l'instigation de son premier Président, Pomponne de Bellièvre, inspiré par la compagnie du Saint-Sacrement, le Parlement de Paris prit en 1656 un arrêt fameux. Une fois pour toutes, les malheureux envers lesquels on ne montrait aucun sentiment de pitié seraient retranchés de la société. La mendicité et les aumônes étaient désormais interdites. On créait un hôpital général pour renfermer tous les déshérités du sort. C'était la grande pensée du règne, à laquelle rêvait depuis vingt ans la compagnie du Saint-Sacrement.

L'Hôpital général, géré conjointement par le Parlement et par l'archevêché, comprendrait cinq établissements hospitaliers : la Pitié, au faubourg Saint-Victor ; la Savonnerie de Chaillot, réunie à la Pitié ; la maison de Scipion ou de Sainte-Marthe, au faubourg Saint-Marcel, unie également à la Pitié ; Bicêtre et la Salpêtrière. Ces diverses colonies, où l'on entasserait indifféremment les mendiants, les vagabonds et les délinquants, pourraient recevoir de six à sept mille pensionnaires et tiendraient autant de la prison que de l'hôpital. Vincent de Paul, pressenti pour prendre la direction de cette nouvelle organisation, se déroba, car il n'était pas d'accord sur les mesures à employer et n'était pas partisan de la coercition ; il y plaça son fidèle disciple et premier biographe, Abelly, qui y resta d'ailleurs peu de temps.

La nouvelle œuvre reçut de nombreux dons ; le Roi offrit 50 000 livres en capital et 3 000 livres de rente ; Mazarin s'inscrivit pour 100 000 écus. En dépit de l'édit qui prétendait agir « dans la conduite d'un si grand œuvre, non par ordre de police, mais par le seul motif de la charité », il s'agissait bien d'une mesure de police, exclusivement.

Le principe de l'Édit, qui fut affiché, lu et publié à son de trompe à Paris, le 7 mai 1657, était le « renfermement » des pauvres et des mendiants, condamnés au travail forcé sous l'autorité et la surveillance de l'État. L'Hôpital général était une véritable maison de force, « où les pauvres mendiants et invalides des deux sexes devoient estre enfermez pour estre employez aux manufactures et autres travaux, selon leur pouvoir ». On pratiquait ainsi directement le *compelle intrare.* Une brigade de cinquante « archers des pauvres » fut constituée pour leur courir sus. On pense bien que les intéressés préféraient leur vie libre de truands à la réclusion. Ils se dérobèrent en masse, entrèrent en lutte contre les archers ; souvent la population, les prenant en pitié, se mettait de leur côté et les arrachait des mains des archers, d'où bagarres et rixes parfois sanglantes. Malgré l'usage de la force publique, on n'en rafla que quatre à cinq mille, qui n'étaient soustraits à leur vie lamentable que pour connaître de nouvelles misères.

A la Pitié, on « renferme » les petites filles de sept à seize ans et les vieilles femmes, qu'on occupe à filer ; à la maison de Scipion, les femmes grosses, avant leur entrée à l'Hôtel-Dieu ; à la Savonnerie, les garçons de sept à quinze ans, à qui l'on apprenait à fabriquer des tapis de Turquie et de Perse. Des ouvriers des corporations étaient détachés dans les différentes maisons de l'Hôpital général, pour y enseigner leur métier aux pensionnaires.

Les deux principaux établissements étaient la Salpêtrière et Bicêtre. Le premier, dirigé tout d'abord par le président du Parlement, le Procureur général et l'Archevêque, passa bientôt entre les mains du Prévôt des marchands et du lieutenant général de police. Rien donc d'étonnant si les femmes qu'on y recevait étaient traitées comme des coupables et des prisonnières. Parmi ces malheureuses, il y avait des spécimens de tous les déchets de l'humanité souffrante : infirmes, folles, hystériques, voleuses, délinquantes de toute espèce et surtout prostituées étaient entassées pêle-mêle dans la charrette infâme qui conduisait à la Salpêtrière. Un quartier était réservé à quelques « ménages mariez », fondation spéciale de Mazarin.

Toutes ces pauvresses sont entassées dans quinze grands dortoirs de trente à quarante toises. Le premier recensement connu en indique 618 ; mais l'institution prospéra ; en 1697, elles étaient 4 000. Le caractère pénitentiaire de la Salpêtrière ne fit que s'accentuer avec le temps ; à la suite de l'édit du 20 avril 1684 concernant les femmes de débauche publique, on construisit la maison de force, comprenant quatre quartiers distincts : les communs, pour les filles publiques ; la correction, pour les filles débauchées susceptibles de revenir au bien ; la grande force, destinée aux personnes arrêtées par ordre du Roi ; enfin, la prison proprement dite, pour les condamnées de droit commun.

Sauf pour les folles, recluses en un quartier spécial, et les condamnées qui, rasées, marquées au fer rouge et rivées au mur avec un boulet au pied, passaient dans des cachots obscurs et malsains une détention généralement perpétuelle, le régime était le même pour toutes les autres. Habillées d'un vêtement de tiretaine, chaussées de sabots grossiers, les pensionnaires recevaient un potage, du pain et de l'eau pour toute nourriture ; dans la journée, c'était le travail obligatoire et non rémunéré, dans un silence imposé, coupé seulement de quelques chants religieux ; à la moindre incartade, les malheureuses étaient fouettées et menacées du cachot. Le soir, on regagnait en ordre les dortoirs surpeuplés ; le règlement prévoyait que les femmes devaient coucher quatre par lit, deux à la tête, deux aux pieds ; en fait, elles étaient généralement six ; à tour de rôle, deux couchaient par terre, sur le carreau nu. Il n'est point besoin d'insister sur les conditions d'hygiène morale et physique que comportait un tel mode d'existence. Les femmes qui n'étaient pas tout à fait perdues en entrant le devenaient au bout de très peu de temps.

De nombreuses épidémies, le scorbut et la gale notamment, se déclaraient dans l'établissement. Pratiquement, il n'y avait aucun espoir de sortir de la Salpêtrière une fois qu'on y était entré ; lorsque le jeu des maladies et des décès était insuffisant pour assurer des places aux nouvelles arrivantes, toujours plus nombreuses, on procédait à un envoi des filles les moins atteintes aux îles lointaines, pour les marier aux colons. C'était une véritable déportation ordonnée d'office, sans aucun souci d'une liberté individuelle à laquelle nul ne songeait ; mais, comme c'était aussi le seul moyen de sortir de cet enfer, les détenues se disputaient la chance de faire partie de ces convois, d'autant plus qu'à la misère la plus sordide succédait pour elles une relative aisance. On ne voulait pas qu'en débarquant à la Martinique ou à la Guadeloupe ces femmes aient l'aspect de pauvresses rebutantes. Le Roi leur fournissait un trousseau comprenant : « Une cassette fermante, quatre chemises, un habit complet, sçavoir manteau, jupe et jupon, bas, souliers, quatre mouchoirs de col, quatre cornettes, quatre bonnets, deux paires de manchettes, quatre mouchoirs de poche, une paire de gants de peau, une coesfe et un mouchoir de taffetas noir, sans oublier les peignes, brosses et autre menue mercerie... » Pour ces malheureuses, c'était le luxe, la coquetterie retrouvée, après le triste uniforme de la prison, sans parler d'une liberté toujours appréciée des reclus. Pour la police, c'était un moyen de se débarrasser à peu de frais de celles qui n'étaient pas totalement déchues et de faire de la place pour de nouvelles charrettes.

Ce que la Salpêtrière était pour les femmes, Bicêtre l'était pour les hommes, avec une rigueur encore accrue. A la place de l'ancienne forteresse rasée en 1632 avait été installée une Commanderie de Saint-Louis pour les invalides de guerre ; mais, faute d'argent, l'institution ne dura pas. Vincent de Paul obtint l'autorisation d'y recueillir les enfants trouvés, mais l'air se révéla, paraît-il, trop vif. En 1656, Bicêtre fut incorporé à l'Hôpital général ; c'était à la fois un hospice pour vieillards, incurables, paralytiques, épileptiques, une maison d'aliénés et une prison d'État où l'on enfermait les détenus condamnés pour vol, vagabondage, empoisonnement et sorcellerie. A partir de 1685, bien qu'exclus par l'édit, les vénériens, qui n'étaient pas admis à l'Hôtel-Dieu, furent reçus à Bicêtre. On commençait par les fouetter, et on les soignait ensuite.

Les conditions d'hygiène étaient aussi déplorables qu'à la Salpêtrière. La nourriture était la même : potage, pain et eau. Les pensionnaires couchaient jusqu'à six par lit, sans qu'on prenne jamais soin d'isoler les contagieux. La mortalité, dans ces conditions, était naturellement très élevée, mais la population était, comme à la Salpêtrière, chaque jour plus nombreuse. De 600 en 1657, les habitants de Bicêtre passèrent à 1515 en 1661, 1433 en 1662, 1849 en 1663. En 1726, ils étaient 2 454.

De plus, Bicêtre comprenait une maison de correction pour jeunes garçons, enfermés sur ordre du lieutenant de police, à la requête des parents, du tuteur ou même du curé de la paroisse. Détenus jusqu'à leur majorité, ils achevaient de s'y perdre. Le règlement prévoyait, pour dompter ces jeunes rebelles, le travail forcé : « On les fera travailler le plus longtemps et aux ouvrages les plus rudes que leurs forces et les lieux où ils seront le pourront permettre, et, en cas qu'ils donnent sujet par leur conduite de juger qu'ils veulent se corriger, on leur fera apprendre autant qu'il sera possible des mestiers convenables à leur sexe ou à leur inclination propres à gagner leur vie et ils seront traitez avec douceur à mesure qu'ils donneront des preuves de leur changement. » La discipline était stricte et les fautes sévèrement punies : « Leur paresse et leurs autres fautes seront punies par le retranchement du potage, par l'augmentation du travail, par la prison et autres peines usitées dans lesdits hospitals ainsi que les directeurs l'estimeront raisonnable. »

Telle était, dans son ensemble, l'Hôpital général, une institution policière et pénitentiaire, chargée de débarrasser la société de tous les éléments indésirables. Saint-Simon n'avait pas tort de prétendre que, de son temps, les hôpitaux étaient « la honte et le supplice des pauvres ». La disette de 1662 ayant multiplié dans toute la France le nombre des mendiants et des vagabonds, que la détresse transformait bien vite en pillards, un édit nouveau généralisa les mesures prises à Paris et décida la création d'hôpitaux généraux dans tout le pays. Mais, dans la plupart des villes, ce texte, comme tant d'autres, resta lettre morte. La charité publique ou privée, le clergé, les ateliers publics de pauvres faisaient, plus ou moins bien, face aux besoins.

Assujettis au travail forcé, les « assistés » de l'Hôpital général avaient un régime plus sévère que celui des véritables prisonniers, dans la mesure du moins où l'inaction, s'ajoutant à la réclusion, ne constitue pas une aggravation de régime.

Des prisons comme le Châtelet ou le For-l'Évêque étaient la honte de la capitale; la première surtout, où l'on écrouait les voleurs, les assassins, les rôdeurs de nuit, les filles de joie, était renommée par l'insalubrité de ses cachots. Le For-l'Évêque, rue Saint-Germain-l'Auxerrois et quai de la Mégisserie, était l'ancienne prison de l'évêque de Paris. Sa juridiction, ainsi que toutes les « justices subalternes », ayant été supprimée en 1674 et réunie au siège présidial de la Prévôté et vicomté de Paris, au Châtelet, le For-l'Évêque devenait prison d'État.

Au XVIIIe siècle, beaucoup de comédiens y furent incarcérés ; mais, au temps de Louis XIV, on y recevait deux clientèles bien distinctes. La première était composée des prisonniers détenus par ordre du tribunal des maréchaux, qui jugeait souverainement de la discipline militaire et du point d'honneur, et de ceux qui étaient l'objet d'un « ordre du roi », non pas de « lettres de cachet », comme pour Vincennes ou la Bastille, mais de « lettres ouvertes », formules imprimées, souvent remplies par un simple exempt ou un sergent aux gardes. Ces prisonniers de choix ne figuraient pas au registre d'écrou, étaient soustraits aux tribunaux ordinaires et ne relevaient que du ministre de la

Maison du Roi ou, par sa délégation, du lieutenant de police. Tel fut le cas, par exemple, du marquis de Montespan, qui fit en 1668, un séjour au For-l'Évêque avant d'être exilé en Guyenne. Ces détenus de marque vivaient dans des chambres particulières, confortablement meublées, avaient la « liberté du préau » et étaient, de la part du geôlier, l'objet d'attentions particulières.

A ces prisonniers de choix s'opposaient la foule des prisonniers « recommandés » par décret, incarcérés par ordre du lieutenant de police et soumis à la juridiction des tribunaux ordinaires. Ceux-là étaient écroués au greffe. Nombreux parmi eux étaient les prisonniers pour dettes, arrêtés sur requête de leurs créanciers, lesquels devaient d'ailleurs verser quatre sous par jour pour leur nourriture. Tous ces détenus se répartissaient, non selon leur degré de culpabilité, mais selon leurs ressources, entre les différents logements de la forteresse. Les prisonniers en chambre payaient 20 ou 30 sols par jour, selon qu'ils disposaient ou non d'une cheminée ; ceux qui étaient « à la paille », dans des chambres communes, ne payaient qu'un sou par jour et avaient droit à une livre et demie de pain « de bonne qualité de blé ». Pour les mauvais sujets et les insubordonnés, on les enfermait dans les « cachots clairs » ou dans les « cachots noirs ». La paille devait être renouvelée tous les trente jours dans les premiers, tous les quinze jours dans les seconds. Ces cachots étaient d'affreux réduits souterrains. Un mémoire des magistrats qui les visitèrent en 1776, peu de temps avant la destruction du For-l'Évêque, donne ces précisions effrayantes : « Ces cachots sont au niveau de la rivière ; la seule épaisseur des murs les garantit de l'inondation, et toute l'année l'eau filtre à travers les voûtes. C'est là que sont pratiqués des réceptacles de cinq pieds de large sur six pieds de long, dans lesquels on ne peut entrer qu'en rampant et où l'on enferme jusqu'à cinq hommes, même en été. L'air n'y pénètre que par une petite ouverture de trois pouces, percée au-dessus de l'entrée, et, lorsqu'on passe vis-à-vis, l'on est frappé comme d'un coup de feu. Ces cachots, n'ayant de sortie que sur les étroites galeries qui les environnent, ne reçoivent pas plus de jour que ces souterrains où l'on n'aperçoit aucun soupirail. »

Le régime déjà très sévère de la prison était encore aggravé par les machinations du geôlier, chef des guichetiers, qui faisaient leurs rondes accompagnés de redoutables bouledogues. Ce geôlier, qui percevait le prix des pensions et nourrissait les prisonniers, était le maître tout-puissant dans sa prison. Un certain Jean Fradet tint le poste de 1663 à 1688 ; c'était un homme âpre au gain, qui exploitait ses « hôtes » et qui estimait que, prisonnier de fait, comme ses pensionnaires, son état devait lui rapporter gros. Il lésinait sur les fournitures, trafiquait sur toutes les dépenses et dépouillait cyniquement ses administrés sans défense. Ceux qui sortaient de ses griffes étaient beaucoup trop prudents pour se plaindre de ses exactions, de peur de retomber un jour sous sa coupe. L'un d'eux, cependant, qui se garda bien de nous livrer son nom, se vengea du terrible geôlier dans une longue satire, la *Fradine* :

> Sur mille infortunés, ce tyran des guichets
> Exerçoit de ses mains les avides crochets.
> Ses ongles acérés, dans la plus creuse bourse,
> Savoient de l'or caché percer jusqu'à la source,
> Et jamais un oiseau dans sa cage enfermé
> Ne sortit qu'il ne l'eût jusqu'aux os déplumé.

A côté de ces geôles sordides, le roi disposait de deux prisons « aristocratiques » : le donjon de Vincennes et la Bastille, où les plus grands noms de l'armorial ont figuré sur les registres d'écrou. Un état des prisonniers de la Bastille en 1661 nous montre qu'au début du règne la population de la forteresse était encore fort mêlée ; à côté de M. de Sacy, enfermé pour cause de jansénisme, et qui passa le temps de sa prison à traduire la Bible, et d'un comte de Pagan, accusé de magie, vivaient pêle-mêle une douzaine de nouvellistes et de « gazettiers », des espions, des faussaires, des escrocs et des concussionnaires, un certain

Didier « qui tourmentoit le Roi et l'appeloit son compère », un trigame que la Reine mère « a fort recommandé », des coupables d'impiété, d'irréligion et surtout un bon nombre de fous, ou du moins de prétendus tels : c'est un qualificatif qui revient souvent sous la plume du gouverneur, M. de Besmaux : « fol », « fol et extravagant », « fol achevé ».

Plus tard, au moment de l'affaire des poisons, la Bastille abrita les grandes sorcières et empoisonneuses, la Brinvilliers et la Voisin, leurs complices et aussi quelques innocents malignement dénoncés par elles. A partir de 1685, on y trouve de nombreux protestants, soumis à un régime très sévère, et qu'on ne libérait que moyennant une conversion en bonne forme. Beaucoup y moururent et furent enterrés sans confession dans le jardin du château.

Mais tout cela ne constituait que le menu fretin des hôtes de M. le Gouverneur de la Bastille. Les hauts personnages auxquels j'ai fait allusion étaient enfermés par lettre de cachet, souvent signée, d'ailleurs, à la demande des parents. C'était un moyen traditionnel de donner le temps de la réflexion aux jeunes fils de famille qui avaient fait des dettes de jeu ou s'étaient mis en tête d'épouser quelque fille indigne de leur rang, ou encore avaient montré un esprit trop frondeur à l'égard du gouvernement. Les lettres de cachet, signées d'avance en blanc par un « secrétaire de la main » — chargé d'imiter la signature du Roi, — étaient à la disposition absolue des ministres. On pense bien qu'ils en abusèrent quelquefois.

La procédure était très simple ; un exempt de robe courte apportait la lettre de cachet, touchait l'épaule du prévenu de sa baguette blanche et, sur-le-champ, un carrosse royal conduisait la victime à la forteresse. Les soldats de garde, ayant alerté le gouverneur, baissaient le pont-levis et faisaient demi-tour sur place, afin de se trouver face au mur et de ne pouvoir reconnaître le nouvel arrivant, qui était désormais « l'hôte du Roi ». Là, le nouveau pensionnaire était cérémonieusement conduit à sa chambre par le gouverneur lui-même ; très souvent, il gardait un valet dévoué à ses côtés ; ces détenus se nourrissaient à leur guise et faisaient souvent apporter de l'extérieur de succulents repas. Au début, ils eurent loisir de faire meubler eux-mêmes leur chambre en envoyant chercher leur mobilier ; mais, comme ce procédé violait le secret de la détention, le Roi, à partir de 1684, faisait meubler lui-même les détenus au secret.

Le plus souvent, ces fils de famille imprudents restaient peu de temps à la Bastille et tiraient de leur séjour un motif supplémentaire de vanité. On estimait que quelques jours ou quelques semaines au plus de détention suffiraient à leur mettre un peu de plomb dans la cervelle. Souvent, même, les parents qui les avaient fait interner étaient les premiers à demander leur élargissement. Généralement, ces prisonniers distingués avaient la « liberté » de la cour, où ils pouvaient prendre l'air et jouer aux quilles ou au tonneau, et de la terrasse où, malgré le guichetier qui les accompagnait, ils arrivaient souvent à communiquer par signes avec l'extérieur. Ils occupaient les plus belles chambres des tours, qui comprenaient chacune quatre à cinq étages de logements clairs et vastes, où cependant les barreaux des fenêtres et les verrous des portes rappelaient qu'il s'agissait d'une prison. Ces locaux, élevés de plafond, aérés, chauffés et meublés, n'avaient aucun rapport avec les cachots puants du Châtelet ou du For-l'Évêque.

Si ces prisonniers de grande famille ne passaient que peu de temps à la Bastille, sans en recevoir, d'ailleurs, aucun discrédit, il n'en était pas de même des victimes ordinaires des lettres de cachet, soustraites à toute juridiction et qui ne pouvaient attendre leur élargissement que du bon vouloir du Roi et des ministres. Périodiquement, du fond de leur chambre, ils envoyaient des requêtes aux ministres, protestant de leur innocence ou promettant de s'amender. Les ministres, submergés par ces demandes, les laissaient sans réponse. Le plus souvent, lorsque la détention datait de plusieurs années, ils n'en savaient même plus le motif. Ils écrivaient alors au gouverneur de la Bastille pour lui demander les raisons de l'incarcération ancienne d'un prisonnier. Le gouverneur ne le savait pas toujours. C'est ainsi que des malchanceux, arrêtés pour quelque parole imprudente ou quelque action inconsidérée, parfois même des innocents, risquaient de finir leurs jours à la Bastille, faute d'un ami dévoué qui s'occupât d'eux auprès des puissants du jour.

La Bastille, comme les autres prisons parisiennes, était toujours pleine, mais on n'y connaissait pas les horribles entassements du Châtelet ou de Bicêtre. La forteresse, avec ses six tours de la Comté, du Trésor, de la Chapelle, de la Bazinière, de la Bertaudière et de la Liberté, disposait de quarante-deux chambres : trente-sept dans les tours et cinq dans les murs qui les reliaient, sans parler des cachots en sous-sol et de la « calotte » octogonale et voûtée qui coiffait chacune des tours, glacée en hiver, brûlante en été, comme les plombs de Venise. Là étaient incarcérés les indisciplinés et réfractaires, qui étaient rivés au mur. Dans les chambres, qui avaient de dix à treize pieds de long et de large, et autant de hauteur, on réunissait généralement plusieurs prisonniers, ce qui constituait un adoucissement à leur sort ; de 1659 à 1715, les archives de la Bastille conservent la trace du passage de 2 324 prisonniers, dont la plupart ne firent que de courts séjours ; seuls certains prisonniers, par raison d'État, devaient demeurer au secret : tel fut le cas du célèbre masque de fer, lequel, en dépit de la légende, ne portait qu'un loup de velours noir et dont le gouverneur lui-même ignorait l'identité. C'était, dit le registre d'écrou, l'homme « dont le nom ne se dit pas ».

La nourriture était abondante et saine à la Bastille ; chaque repas comportait toujours plusieurs plats et était arrosé de vin ; le Roi traitait bien ses « hôtes ». Parfois, des privations de nourriture étaient prononcées à titre de sanction, mais ce n'est que sur l'ordre exprès de la cour que l'on pouvait mettre un prisonnier au pain sec et à l'eau, *panem doloris et aquam tristitiae*... Outre des jeux de plein air de la cour et d'un billard, les prisonniers disposaient d'une bibliothèque, dont les reliures étaient soigneusement vérifiées. Un chapelain et un chirurgien étaient attachés à la prison. Les détenus trouvaient presque toujours le moyen de communiquer secrètement entre eux, notamment par les cheminées monumentales.

On voit toute la différence qui séparait le traitement des prisonniers de la Bastille de celui des prisons communes ; la province possédait aussi plusieurs prisons d'État, comme les îles Sainte-Marguerite, le château d'If ou le Mont-Saint-Michel, où fut mis au secret absolu, en 1706, le patriarche arménien Avedick, qui avait été enlevé à Chio par notre ambassadeur, M. de Ferriol. Avedick fut transféré à la Bastille en 1709 et libéré l'année suivante, après son abjuration.

C'est au Mont-Saint-Michel qu'était la fameuse cage de fer, origine de tant de légendes, et dont le Roi seul pouvait prescrire l'usage, pour des punitions temporaires.

Le droit criminel de l'époque comportait encore la torture, sous le nom de question ordinaire et extraordinaire. A la Bastille, on ne pratiquait que la torture à l'eau et aux brodequins. C'est celle que subirent les tristes héroïnes de l'affaire des poisons, si curieusement étouffée dès que le nom de Mme de Montespan s'y trouva mêlé, peut-être à tort, d'ailleurs. Vers 1680, Paris connut une véritable psychose du poison ; il n'est que trop certain que les sorcières et sages-femmes qui pratiquaient l'avortement procuraient aisément du poison à qui en voulait. Mais l'imagination populaire surenchérit sur les horreurs de ces mégères criminelles ; toute mort subite devenait suspecte et était attribuée au poison. Les contemporains ont cru déceler son action dans le décès de Madame, de Mlle de Fontanges, de Lamoignon, de Colbert, de Louvois et de bien d'autres.

Les criminels condamnés à mort étaient exécutés en place de Grève ou à la Croix du Trahoir ; les nobles avaient le privilège d'avoir la tête tranchée, les autres passaient à la potence ou au bûcher ; dans ce dernier cas, très souvent, l'arrêt de mort comportait un *retentum* secret, en vertu duquel le bourreau étranglait le condamné en l'attachant au bûcher. C'est un des rares adoucissements prévus par une législation criminelle qui resta si longtemps cruelle.

Pour horribles que fussent ces exécutions publiques, toujours précédées de la cérémonie de l'amende honorable sur le parvis de Notre-Dame, où le condamné, une torche vive en main, demandait à genoux pardon à Dieu et au Roi de ses crimes, elles attiraient une foule de spectateurs mus par une curiosité malsaine. Nos ancêtres étaient à cet égard moins sensibles que nous et supportaient sans gêne le spectacle des souffrances les plus affreuses.

La Brinvilliers, par exemple, fit une fin très édifiante qui émut à ce point le peuple qu'il la prit pour une sainte et s'arracha ses restes calcinés comme des reliques. Mme de Sévigné, d'une des fenêtres du pont Notre-Dame, la vit passer en charrette. La relation qu'elle en fait à sa fille n'est pas empreinte de l'horreur qui conviendrait ; on y remarque même un certain ton de badinage qui nous paraît fort déplacé : « Enfin, c'est fait, la Brinvilliers est en l'air ; son pauvre petit corps a été jeté, après l'exécution, dans un fort grand feu, et les cendres au vent, de sorte que nous la respirerons et, par la communication des petits esprits, il nous prendra quelque humeur empoisonnante dont nous serons tout étonnés... A six heures, on l'a menée, en chemise et la corde au cou, à Notre-Dame, faire l'amende honorable ; et puis on l'a remise dans le même tombereau, où je l'ai vue, jetée à reculons sur de la paille, avec une cornette basse et sa chemise, un docteur auprès d'elle, le bourreau de l'autre côté : en vérité, cela m'a fait frémir. Ceux qui ont vu l'exécution disent qu'elle a monté sur l'échafaud avec bien du courage. Pour moi, j'étais sur le pont Notre-Dame, avec la bonne d'Escars ; jamais il ne s'est vu tant de monde, ni Paris si ému ni si attentif ; et demandez-moi ce qu'on a vu, car, pour moi, je n'ai vu qu'une cornette... » C'est la même cornette qu'on retrouve sur le croquis au crayon rouge et noir pris sur le vif par Le Brun.

Quinze jours plus tard, la marquise revient encore sur cette triste affaire : « Jamais tant de crimes n'ont été traités si doucement, elle n'a pas eu la question... Enfin elle est au vent, et son confesseur dit que c'est une sainte. Il n'est pas possible qu'elle soit en paradis ; sa vilaine âme doit être séparée des autres. »

Quelques années plus tard, Mme de Sévigné, qui ne manquait aucun des grands événements parisiens pour en faire le récit à sa fille, assistait à l'hôtel de Sully, avec Mme de Chaulnes, la comtesse de Fiesque et « bien d'autres », au passage de la Voisin se rendant au supplice. Elle la vit nettement repousser le crucifix et le confesseur avec violence. Ce qu'elle en dit ne comporte toujours aucune nuance de pitié : « Rien n'est pire, en vérité, que d'être en prison, si ce n'est d'être comme cette pauvre diablesse de Voisin, qui est, à l'heure que je vous parle, brûlée à petit feu à la Grève... Elle a donné gentiment son âme au diable tout au beau milieu du feu ; elle n'a fait que passer de l'un à l'autre. »

Quels que fussent les horribles crimes avérés de la Voisin, on souhaiterait un récit plus tragique de ses dernières heures, une trace d'émotion qui fait défaut. Mais on n'était pas encore au siècle de la sensiblerie.

CHAPITRE XI

RURAUX ET PAYSANS

TANDIS qu'une partie de l'aristocratie, souvent de fraîche date, fait sa cour à Versailles et y recueille faveurs, libéralités et charges rémunératrices, toute une autre partie de la noblesse, de souche souvent plus ancienne, continue à vivre en province, sur ses terres. Modestes barons, petits hobereaux de campagne, leur vie est bien différente de celle des courtisans qui assistent chaque jour au lever du Roi. Ils vivent en leurs châteaux, mais il ne faut pas s'abuser sur le terme ; nous sommes loin des fiers châteaux forts, où le seigneur pouvait jadis soutenir un siège, et que Richelieu a démantelés. Le plus souvent, le noble de province n'a qu'une gentilhommière, tout juste confortable. Le livret d'une mascarade de 1665 indique : « La scène représente une de ces maisons de campagne qu'on nomme noblesses ou gentilhommières, composées d'un corps de logis découvert, d'une petite tour ruinée, d'une grange en mauvais ordre et d'une cour où paraissent quelques petites dindes, des lévriers maigres et des bassets. » Le propriétaire vit au milieu de ses terres, qu'il fait exploiter par ses fermiers et dont il surveille attentivement le rendement. C'est que, très souvent, sa fortune est modeste. Beaucoup de ces gentilshommes se sont ruinés en procès coûteux. Or la bourgeoisie et la noblesse de robe, enrichies dans les charges fructueuses et le négoce, guettent la ruine du seigneur et s'empressent de recueillir les débris de sa fortune. Une grande partie de la terre passe ainsi dans les mains des magistrats, des fonctionnaires, des commerçants et des industriels, des rentiers et des hommes d'affaires, contribuant à préparer leur accession à la fortune et au pouvoir.

Par son rang social, sinon par sa fortune, le seigneur du bourg continue cependant à dominer ses vassaux, car les usages et les traditions de la féodalité se maintiennent. Il jouit de droits honorifiques, dispose d'un banc dans le chœur de l'église, y reçoit l'encens et y sera un jour inhumé, tout comme ses ancêtres. Il perçoit aussi des droits réels, plus substantiels : censives, terrages, corvées, péages, droits de justice, droit de chasse et de pêche, droits de banalité du four et du moulin, droits de justice, enfin, que ses intendants et procureurs, les accroissant de leurs friponneries, rendent plus lourds et plus insupportables pour le pauvre paysan. Ces agents et procureurs fiscaux concentrent en leurs mains les pouvoirs et attributions aujourd'hui répartis entre le notaire, le percepteur, le commissaire de police, le président du tribunal et le secrétaire de mairie. Le seigneur perçoit des rentes en argent, très légères, et des revenus en nature, plus importants : froment, seigle, avoine. Le terrage, ou *champart*, se prélève à la dixième, à la sixième et parfois à la troisième gerbe. Écrasants pour le paysan, ces droits sont souvent d'un maigre profit pour le seigneur, dont les terres se démembrent. N'oublions pas aussi que le noble de campagne paie le dixième, la capitation, la dîme et la taille réelle sur les terres non nobles. Les témoignages abondent sur la gêne de la noblesse de campagne, souvent chargée de familles nombreuses, et dont la guerre, l'inactivité économique déterminent l'aliénation des fiefs au profit de la bourgeoisie. Les gens des villes détiennent bientôt la plus grande partie de la terre. Et, dans sa pauvreté dorée, le gentilhomme apparaît comme le vestige périmé d'une classe sociale qui meurt. Le pamphlet protestant des *Soupirs de la France esclave*, rejetant sur le Roi et sa cour cet appauvrissement lamentable de la noblesse provinciale, écrit : « Aujourd'hui, elle est dans un abattement qui la rend le mépris de toute la terre. Elle est réduite à un petit nombre ; ce qui reste est gueux et misérable... Toute l'ancienne noblesse de France est réduite à la mendicité... Il y a des provinces où l'on ne trouveroit pas entre la noblesse cent pistoles... » A la guerre même, nos petits hobereaux n'occupent plus que des emplois subalternes. Parfois ils en sont réduits à quémander des pensions aux États provinciaux, qui leur accordent d'humiliantes allocations de douze à trente livres ! Tout ce qui ne vit pas dans l'éclat de Versailles n'a plus qu'à végéter dans l'ombre.

Cependant, cette noblesse ruinée reste fière de ses origines et de ses privilèges. Le *Mercure galant* regorge de généalogies de ces hobereaux de province, qui payent pour les faire insérer. Et les citadins font des gorges chaudes de leurs cérémonies. Un indice qui ne trompe pas sur le ridicule qui les atteint, c'est l'abondance des comédies qui dénoncent leur humeur tyrannique, leur goût abusif de l'autorité, leur caractère cérémonieux. Au surplus, les auteurs satiriques ne se privent pas de révéler leurs vices et les représentent volontiers ignares, sots, ivrognes, débauchés et, par-dessus le marché, souvent dupés. *Le Campagnard*, de Gillet de la Tessonnerie, *Les Nobles de province*, de Hauteroche, *Le Baron de la Crasse*, de Raymond Poisson, *Le Baron de la Vespière*, dc Maucroix, *Le Gentilhomme guespin*, de Donneau de Visé, *Le Gentilhomme de Beauce*, de Montfleury, *Monsieur de Pourceaugnac* et *La Comtesse d'Escarbagnas*, de Molière, autant de tableaux satiriques destinés à amuser le citadin par la peinture des travers et des ridicules du noble de province. Plus encore qu'un objet de risée, la noblesse de campagne, au jugement des meilleurs esprits, devient un objet de mépris. Écoutez La Bruyère : « Le noble de province, inutile à sa patrie, à sa famille et à lui-même, souvent sans toit, sans habits et sans aucun mérite, répète dix fois le jour qu'il est gentilhomme, traite les fourrures et les mortiers de bourgeoisie, occupé toute sa vie de ses parchemins et de ses titres, qu'il ne changerait pas contre les masses d'un chancelier. »

Comment les nobles provinciaux se conduisent-ils dans

leurs relations quotidiennes avec leurs vassaux ? Leur comportement varie du tout au tout, avec leurs mœurs et leur caractère.

Les uns sont d'abominables tyranneaux locaux, qui se comportent parfois en bandits de grand chemin, volent le paysan, le rançonnent et, au besoin, le maltraitent, avec une cruauté insensée, abusant de ce qu'il est sans défense.

Le scandale prend parfois de telles proportions que le pouvoir central doit intervenir. C'est ce qui arriva par exemple en Auvergne en 1665. Le Roi y envoya les « Grands Jours », juridiction exceptionnelle et toute-puissante, chargée de réprimer les abus locaux. L'abbé Fléchier nous a conservé, dans une chronique prise sur le vif, le souvenir de la session des Grands Jours d'Auvergne : 12 000 affaires au rôle, 350 condamnations à mort (dont beaucoup exécutées en effigie seulement, car les coupables avaient, le plus souvent, pris la fuite), 96 au bannissement, 28 aux galères, tel est le triste bilan de cette expédition judiciaire, qui révéla d'horribles crimes.

Voici le baron de Sénégas, coupable d'avoir nommé des échevins de son propre chef, d'avoir imposé des redevances irrégulières, en nature et en argent, d'avoir démoli une chapelle consacrée à la Vierge pour restaurer les fortifications de son château. Mais tout cela n'est encore rien. Car notre baron est encore convaincu « de deux ou trois assassinats, de quelques emprisonnements injustes et de plusieurs rançons tirées par une violence extraordinaire, de beaucoup d'usurpations, de plusieurs corvées exigées sans justice, exécutées par contrainte ». Cet affreux personnage n'avait-il pas séquestré un de ses ennemis « dans une armoire fort humide, où il ne pouvait se tenir debout ni assis, et où il recevait un peu de nourriture pour rendre son tourment plus long, de sorte qu'ayant passé *quelques mois* dans cet horrible cachot, et ne respirant qu'un peu d'air corrompu, il fut réduit à l'extrémité ; ce qui fit qu'on le retira demi-mort et tout à fait méconnaissable. Son visage n'avait presque aucune forme, et ses habits étaient couverts d'une mousse que l'humidité et la corruption du lieu avaient attachée ». On croit rêver en lisant de tels rapports, qui rappellent les plus sinistres horreurs du temps des guerres de religion. Et encore M. de Sénégas n'apparut-il pas comme le plus coupable des accusés, car il échappa à la mort, à la minorité de faveur, et passa ainsi « à fleur de corde » ; le bannissement perpétuel parut à messieurs des Grands Jours une punition suffisante pour de tels crimes.

La peine de mort punit le vicomte de La Mothe de Canillac, « le plus innocent de tous les Canillac, dit Fléchier, car il n'avait commis qu'un assassinat ». Il eut le malheur d'être le premier pris, le premier jugé et, sans doute à titre d'exemple, le premier exécuté.

Le vicomte de Canillac apparaît cependant comme un moindre criminel que le marquis du même nom qui, jugé par contumace, ne fut exécuté qu'en effigie. C'est le type même du tyran local : « On levait dans ses terres la taille de Monsieur, celle de Madame et celle de tous les enfants de la maison, que ses sujets étaient obligés de payer outre celle du Roi. » Le marquis de Canillac fait figure sinistre de chef de bande ; il entretenait chez lui, pour seconder ses desseins criminels, une douzaine de scélérats, qu'il avait surnommés ses douze apôtres et affublés de noms caractéristiques : Sans-Fiance, Brise-tout. Ces spadassins « catéchisaient avec l'épée ou avec le bâton » ceux qui avaient la malencontreuse idée de résister au marquis. Pour le moindre manquement, il faisait emprisonner arbitrairement ses pauvres sujets et les obligeait à racheter en argent les peines de prison qu'il leur infligeait. Il autorisait le curé du bourg à conserver certaine servante contre le paiement d'un tribut, qui entretenait son écurie.

On pourrait multiplier les exemples de ces dérèglements : M. d'Espinchal, qui empoisonne sa femme et châtre son page ; M. de Veyrac, qui tue un notaire, pas assez complaisant à son gré ; M. du Palais, qui met à la torture les huissiers qui l'assignent ; et tant d'autres qu'on condamne justement aux galères, en dépit de leur qualité de gentilhomme.

Hélas ! les salutaires exemples faits par les Grands Jours n'extirpèrent pas le mal, qui était trop profond. Vingt ans plus tard, en 1685, M. Bérulle, intendant en Auvergne, reconnaîtra encore « qu'il y a bien de ces petits gentilshommes qui tuent, maltraitent et s'emparent par autorité du bien du paysan et de tout ce qui les accommode ».

Toutefois, il ne faudrait pas généraliser. Face à ces détestables hobereaux, il existe toute une noblesse provinciale, honnête et généreuse, qui se considère comme chargée de la tutelle des paysans et l'exerce avec douceur, souvent avec amitié. On voit alors Monsieur et Madame cordialement invités aux noces de village et accepter bien souvent des parrainages chez leurs paysans. Ceux-là vivent en bonne intelligence avec les « vilains » et ne leur réclament que ce qui leur est dû. Voyez Mme de Sévigné, châtelaine des Rochers. Elle fait élever à ses frais, par son intendant l'abbé Rahuel, la petite Louison. Dès qu'elle arrive en Bretagne, tout le monde lui fait fête. Elle a le cœur sensible, s'occupe de ses paysans, prend part à leurs peines et à leurs joies. Elle parle dans sa correspondance de ses « chers ouvriers » (chers à son cœur, car elle les paye huit sous par jour ; il est vrai qu'elle vend son beurre cinq sous la livre et ses poulets deux sous et demi). Et, quand ses fermiers sont dans la gêne, au lieu de les poursuivre à boulets rouges, elle a le geste généreux : « J'ai donné, écrit-elle à sa fille, depuis que je suis arrivée, d'assez grosses sommes, un matin huit cents francs, l'autre mille francs, l'autre cinq, un autre jour trois cents écus... Je trouve des métayers et des meuniers qui me doivent toutes ces sommes et qui n'ont pas un unique sou pour les payer. Que fait-on ? Il faut bien leur donner. »

La bonne dame des Rochers n'est pas une souveraine brutale. Il est vrai qu'elle jouit d'une grosse fortune qui lui rend plus aisées ses générosités. Mais il y eut, sans nul doute, beaucoup de bons châtelains, comme elle, qui entretenaient d'excellents rapports avec leurs sujets. Mais, comme aucune plainte ne s'est élevée contre leur administration et leur justice, les documents ne parlent pas d'eux : les gens heureux n'ont pas d'histoire.

Le marquis dans sa gentilhommière, le grand bourgeois dans son hôtel, l'homme de loi dans son cabinet surveillent étroitement l'administration de leur domaine foncier. Ils se considèrent comme les dépositaires d'un bien reçu de leurs ancêtres, qu'ils doivent gérer en bons pères de famille et transmettre à leurs enfants, après l'avoir accru des fruits de leur travail. Le bien de famille est un édifice collectif auquel chacun doit apporter sa pierre. Chaque génération se sent responsable, à l'égard de celles qui l'ont précédée et de celles qui la suivront, de ce bien qui est un symbole matériel de la continuité de la race.

La preuve du souci quotidien que tout propriétaire de terres porte à la gestion de son bien, nous la trouvons dans ces « livres de raison » qui résument toute la vie d'une famille. On en a publié plusieurs centaines, dans nos diverses provinces. Quelques-uns n'embrassent qu'un petit nombre d'années, beaucoup s'étendent sur plusieurs siècles. Ils se présentent généralement sous la forme de grands registres, soigneusement et même parfois somptueusement reliés, car ils constituent un vrai bijou de famille qu'on se repasse de père en fils. Chacun, à son heure, y note les différents événements, naissances, mariages et décès, qui constituent l'histoire de la famille.

Mais cette histoire de la famille est, pour les gens de l'ancienne France, inséparable de celle du bien de famille. Aussi chaque génération y note-t-elle minutieusement toutes les acquisitions, ventes ou échanges de champs, de prés, de bois, qui ont modifié, au cours des âges, le patrimoine familial. Les revenus et les frais annuels de l'exploitation y sont consignés, avec un sentiment de légitime orgueil, lorsque l'année a été fructueuse ou qu'une heureuse acquisition a pu arrondir, aux moindres frais, le domaine de la maison.

Dans ces livres intimes, l'historien peut glaner aujourd'hui, avec des renseignements sur l'histoire locale, et même nationale, si le rédacteur portait son regard au-delà de son bailliage, d'utiles précisions sur les prix pratiqués dans les diverses provinces. Les renseignements qu'ils contiennent, n'étant pas destinés à la publicité, offrent toutes les garanties nécessaires de sincérité. Nous apprenons ainsi que, dans le Limousin, en 1661, on payait une nourrice, qui mangeait à la table de famille, 24 livres par an. C'est encore le salaire d'une servante à l'année, dans le Vivarais, en 1698. Mais les nourrices font prime ; en 1681, le notaire Borelly, à Nîmes, en payait une 33 livres par an. A Limoges, encore vers 1660, on payait une visite de chirurgien 18 sols, de médecin, 9 sols. Une paire de bœufs gras s'y vendait 203 livres, un veau de 20 à 25 livres, un mouton 2 livres, un gros porc 18 à 20 livres, un cochon de lait 12 à 25 sols. A la même époque, à Vitré, une douzaine d'œufs valait deux sous, un pot de cidre trois sous, une poule sept sous. Une journée de femme nourrie se payait deux sous, une journée d'homme quatre sous, mais ce prix était doublé pour les faucheurs, dont la longue journée était particulièrement pénible.

En proportion, le prix des vêtements est considérable ; on payait, à Nîmes, une cravate 18 sous, une paire de bas de soie de Gênes 8 livres, une paire de bas de laine faits au métier 3 livres 10 sous, une perruque 4 livres, une paire de gants à frange de soie 3 livres, une paire de souliers 2 livres 6 sous. Mais on trouvait des chaises « ouvrées » à 18 sous la pièce ; les objets de luxe, par contre, coûtaient extrêmement cher : il fallait mettre 18 livres pour avoir une montre et 30 livres 12 sous pour un grand miroir. Un bon fusil de chasse coûtait 18 livres. Par contre, on se logeait à bon marché : à Privas, un logement de trois chambres et un grenier valait 55 livres en 1685. A Lyon, en 1701, on avait un appartement, comprenant trois pièces et un grenier, pour un loyer annuel de 70 livres ; à Annonay, en 1703, une boutique se louait 15 livres par an.

A feuilleter ces vieux papiers intimes, on apprend encore beaucoup d'autres choses sur la vie privée de nos ancêtres : le montant de leurs impôts, taille, dîme, etc. ; les rapports des propriétaires et de leurs métayers, qui n'ont guère changé jusqu'à nos jours ; la fréquence dans les familles des prêts sur gages ; la mention de nombreuses fêtes locales, avec séances au cabaret, « beuveries et frairies », qui dénotent une aisance générale. L'avocat Tourton, d'Annonay, nous apprend qu'en 1694 les pommes de terre étaient déjà de vente courante dans le Vivarais et la vallée du Rhône, au prix de 22 sols la « quarte », sous le nom de « truffes ». A Privas, on les trouve mentionnées, dès 1684, sous le même nom de « truffes », qui a remplacé le vieux vocable de *cartoufle*, employé par Olivier de Serres. Parmentier n'a pas inventé la pomme de terre ; il n'a fait qu'en étendre la culture dans le Nord du pays, après la disette de 1769.

Ces « livres de raison » — au sens étymologique du terme, *liber rationis*, livre de comptes — nous renseignent également sur les mœurs et les croyances des contemporains de Louis XIV. Dans les campagnes, notamment, on est encore très superstitieux ; la croyance à la sorcellerie, aux forces obscures et hostiles de la nature, y est très répandue. Il n'y a pas si longtemps qu'en nos campagnes on redoutait les « jeteurs » de mauvais sort, les gens dont le « mauvais œil » décimait les troupeaux. Il ne faut donc pas s'étonner de trouver au XVIIe siècle la trace fréquente de pratiques qui nous font aujourd'hui sourire ; bénédiction des animaux par le curé pour les guérir des enchantements et sortilèges des sorciers, prières publiques et processions contre les « poux et chenilles » qui dévorent les récoltes ; croyance aux « revenants » ; mise en branle des cloches de l'église, pendant l'orage pour éloigner la foudre — c'est généralement une des fonctions du maître d'école ; pratiques religieuses contre les fléaux publics : rats, peste, épidémies. Le paysan, à cet égard, est resté inculte et d'une incroyable crédulité ; il garde les œufs pondus le vendredi saint, parce qu'il leur attribue des propriétés particulières pour éteindre les incendies ; il s'abstient de viande le jour de Pâques, pour guérir de la fièvre ; il choisit le jour de la Saint-Philippe, particulièrement favorable, pour faire saigner ses chevaux.

Cette naïve superstition était d'ailleurs parfaitement compatible avec un profond sentiment religieux. Les « livres de raison » attestent combien ce sentiment était développé, au sein de familles souvent nombreuses. Leur ton, dans l'ensemble, est grave. On sent que le chef de famille, l'ouvrant pour y noter un événement important, a conscience d'accomplir un acte solennel. La mention des naissances est généralement accompagnée de phrases latines, qui reviennent parfois comme des litanies : *Sit nomen Dei benedictum ! Deus prosperet nativitates et vitam illius !* Notant le baptême d'une de ses filleules, un sieur Jarrige, de Saint-Yrieix, écrit : « Dieu, par sa sainte grâce, la fasse femme de bien, ou l'oste de ce monde. » Des anagrammes naïfs et pieux sur les prénoms s'entremêlent aux nombreuses invocations au Seigneur et à la sainte Vierge. Le père marie-t-il son fils ou sa fille? L'union est placée sous l'invocation du Seigneur, et le chef de famille profite de l'occasion solennelle pour noter quelques conseils de morale à l'adresse de ses héritiers. Ceux-ci les retrouveront avec émotion le jour où, la plume étant tombée des mains du père, ils reprendront à leur tour la rédaction du livre de famille.

Toute mention d'un décès est accompagnée d'une courte prière pour le repos de l'âme du défunt et souvent de l'indication d'une fondation de messes à son intention. Ainsi voyons-nous, d'après les témoins eux-mêmes, combien le sentiment religieux imprégnait les âmes, les marquait pour toujours et quelle place il tenait dans les préoccupations d'ordre spirituel de nos ancêtres. Sans lui, le travail, l'effort quotidien, n'aurait pas eu de sens pour eux. C'était à la fois la justification de leur vie et son but suprême.

***

Si le château occupe généralement une position dominante par rapport à l'agglomération rurale, l'église, au contraire, est étroitement enserrée au milieu du bourg, dont elle symbolise l'unité spirituelle. Tout village est d'abord une paroisse, une communauté fondée sur l'unité de foi. Après le châtelain, le principal personnage est le curé. Il a une double qualité, sacerdotale et officielle. Il lit les ordonnances royales au prône, notifie les actes de l'autorité supérieure, tient les registres de l'état civil, reçoit les testaments, assiste à l'assemblée des habitants. Dans une société toute chrétienne, il joue naturellement un rôle de premier plan. Confesseur, le curé est aussi le conseiller habituel des familles, le confident désigné des affaires de cœur et d'argent. Le marguillier, administrateur de la paroisse, partage avec les syndics l'exécution des ordres de l'autorité supérieure.

C'est encore le curé qui baptise les cloches, symbole de la communauté, dont elles sont la propriété : elles appellent chaque jour l'ouvrier au travail, marquent l'heure du repos, de la prière, de la délibération ; le tocsin, le cas échéant, donne l'alarme ; on les met en branle pendant l'orage pour protéger le village de la foudre.

L'église est alors la maison commune ; le presbytère, qui, d'après l'ordonnance de 1695, doit comprendre deux chambres à cheminée, est à la charge des habitants. Des difficultés naissent souvent à propos des réparations et de l'entretien. Il en est de même pour l'église elle-même, qui est soumise à un curieux régime : les réparations du chœur sont à la charge des curés décimateurs, celles de la nef à la charge de la fabrique et des habitants. Pour le clocher, il est à la charge des premiers ou des seconds, selon qu'il est bâti sur le chœur ou sur la nef ; de même pour les chapelles, selon qu'elles ouvrent sur le chœur ou sur la nef. On devine les mille procès qui s'élèvent quotidiennement, à propos de la répartition des frais, car les paysans ont toujours été fort près de leurs écus.

Mais les curés de campagne, de leur côté, ne disposaient que de très minces revenus. Le clergé séculier était divisé en deux classes tout à fait différentes. Il y avait les *bénéficiers* et *décimateurs*, qui percevaient la dîme ecclésiastique, soit directement, soit par l'intermédiaire de fermiers. Ceux-là, à l'exemple des évêques et hauts dignitaires, ne résidaient pas dans leur paroisse. Ils faisaient leur cour et la chasse aux bénéfices, dont le Roi disposait librement. Un certain nombre d'entre eux jouissaient de revenus considérables, car certaines abbayes étaient fort riches. Celle de Saint-Denis valait 100 000 livres de rente. La plupart, cependant, ne disposaient que d'une honnête aisance, la majorité des bénéfices s'échelonnant entre 500 et 1 500 livres de revenus annuels : mais les plus adroits savaient en cumuler plusieurs.

Face à ce clergé privilégié, largement pourvu et souvent insoucieux de ses devoirs, végétaient dans les paroisses rurales les pauvres curés réduits à la *portion congrue*. Celle-ci, payée par un ou plusieurs décimateurs, avait été fixée à 200 livres par an en 1634 et ne fut portée à 300 livres qu'en 1686. Elle était parfois payée partiellement en nature, par abandon d'une partie des fonds ou des dîmes. Et encore, à partir de 1690, les congruistes durent-ils payer les décimes. Même en ajoutant à cette portion congrue le casuel et une partie des fondations pieuses, le clergé rural résidant restait fort pauvre et sans espoir d'améliorer sa situation. Il en marquait une légitime jalousie à l'égard des bénéficiers. Aussi, tandis que les fils de famille se disputaient les bénéfices et les canonicats rémunérateurs, le bas clergé se recrutait presque exclusivement dans la petite bourgeoisie et dans la paysannerie. On signale encore à cette époque de nombreux cas de curés incapables, ignorants ou de mœurs scandaleuses, s'adonnant notamment à l'ivrognerie. Mais, dans l'ensemble, le règne de Louis XIV marque un progrès très sensible sur l'époque précédente, grâce au développement des séminaires dû à la renaissance catholique. Godeau, évêque de Grasse et de Vence, écrit dès 1660 : « Il faut confesser que, si on compare l'état de l'Église de France à celui où elle se trouvait auparavant, on reconnaîtra en ses ministres autant de science, de zèle et de piété qu'autrefois on leur pouvait reprocher d'ignorance, d'indévotion et de scandale. »

***

Si l'église est le foyer spirituel de la communauté, celle-ci s'occupe elle-même de la gestion de ses biens et de ses intérêts. Il ne faut pas oublier que, soumises à l'autorité monarchique, au patronage seigneurial et à l'influence ecclésiastique, les 40 000 communes de France conservent leurs libertés et leurs franchises. Sous la tutelle de l'intendant ou de son subdélégué, qui tranche les différends, la commune s'administre elle-même. Plus libre que les grandes villes, dont les administrateurs sont des officiers royaux, elle élit des magistrats municipaux.

Au dimanche fixé, à la sortie de la messe, les hommes se réunissent en assemblée sur le parvis de l'église. Réunion amicale, sans solennité, au cours de laquelle on échange les dernières nouvelles de la ville, les petits potins du bourg. Puis, en présence du curé, qui souvent dirige les débats, l'assemblée se forme en plein air, sous les grands arbres, délibère et élit ceux à qui elle entend confier la gestion des biens communaux. Ainsi sont désignés les syndics, dans les provinces du Nord, les consuls dans celles du Midi. Bénévolement, les élus s'occuperont de faire mettre en état les chemins ruraux, d'administrer les communaux, bois et prés, qui, depuis 1667, sont inaliénables et imprescriptibles, de procéder aux dépenses mises obligatoirement à la charge de la communauté : paiement du recteur de l'école, entretien de la nef de l'église, du presbytère, clôture du cimetière. Celui-ci est toujours attenant à l'église, attestant ainsi que véritablement la petite communauté est composée de plus de morts que de vivants. Le syndic élu représente en toute circonstance ses mandants ; il soutiendra, en leur nom, s'il y a lieu, les procès où la commune est intéressée, au bailliage ou au présidial. Il conservera les archives communales ; il contractera — trop souvent — des emprunts en son nom, et les communes seront bientôt surchargées de dettes, dont Colbert poursuivra inlassablement la réduction.

Il soumettra à l'assemblée des propositions sur la répartition des frais communs, répartira les corvées des chemins, désignera, avant qu'on procède par tirage au sort, les jeunes gens pour l'impopulaire milice que Louvois crée en 1688. Il marchera le premier, derrière le curé, à la procession solennelle, le jour où l'on célébrera la fête du patron du bourg, et présidera aux fêtes traditionnelles, comme le feu de la Saint-Jean. Il désignera les collecteurs d'impôts chargés de répartir les impositions par *feux*, charge ingrate, qui les mènera parfois en prison, car une réglementation abusive les rend responsables de tous les recouvrements de la commune sur les paysans.

Ces paysans, qui peuplent nos campagnes et arrachent, au prix de durs efforts, un maigre produit à la terre, quelle part en possèdent-ils? C'est une question insoluble, en l'état actuel des documents publiés. On a vu qu'une grande partie de la propriété foncière est passée des mains de la noblesse dans celles de la bourgeoisie urbaine. Cela est attesté dans diverses provinces. Mais la terre reste plus morcelée qu'on ne l'a cru longtemps. Le paysan est souvent propriétaire d'un petit lopin de terre, mais celui-ci reste insuffisant pour le faire vivre. C'est dans les montagnes et les villages retirés que le paysan semble le plus souvent propriétaire de sa maison et de son clos, mais, dans les régions de culture, clairières des plateaux ou vallées généreuses, la terre semble partout en d'autres mains que les siennes. Beaucoup sont en même temps métayers et fermiers, marchands, aubergistes, cabaretiers, artisans, maçons, charpentiers, ou même simples « manouvriers ». Certains trouvent un complément de ressources dans l'industrie rurale, comme celle de la toile en Bretagne. On admet, en général, comme vraisemblable, sans pouvoir apporter de preuves suffisantes de cette proportion, que le paysan, au XVIIe siècle, possède un cinquième environ de la terre, la bourgeoisie autant, le reste étant partagé entre le Roi, la noblesse et le clergé. Le régime du fermage domine dans les provinces riches, comme l'Ile-de-France ou l'Anjou.

Le fermier paye au propriétaire, le plus souvent en nature, un cinquième, un quart ou même un tiers du produit de la terre.

L'agriculture, d'une manière générale, rapporte peu. Les procédés de culture sont encore primitifs. En moyenne, la terre reste en jachère un an sur deux. A la fin du règne, en raison des guerres, des abus de la fiscalité (nous n'avons malheureusement aucun moyen d'évaluer la proportion de l'impôt par rapport au revenu foncier), des représailles douanières de l'étranger, la production a sensiblement baissé. D'où une diminution constante de la valeur des terres, sauf peut-être pour les bois. D'après les statistiques du vicomte d'Avenel, on estime qu'en cinquante ans, de 1675 à 1725, la propriété foncière a perdu 30 p. 100 de sa valeur. C'est exactement ce qu'écrit l'ambassadeur de la République de Venise en 1684 : « Depuis le commencement de la dernière guerre, la valeur des terres a baissé de plus d'un tiers, par l'appauvrissement et l'abandon des peuples, accrus encore par les vexations pratiquées pour expulser les religionnaires. » Et cela doit compter pour l'évaluation de la fortune rurale.

D'une manière générale, le paysan, qui a toujours besoin d'argent, vend sa récolte le plus tôt possible. Et ce sont les spéculateurs, et non lui, qui bénéficient des différences considérables de cours, dues à l'autarcisme provincial et aux difficultés de transport et d'importation. On note des différences tout à fait anormales, même en dehors des périodes de disette ; en Franche-Comté, la mesure de froment, qui valait 6 livres 5 sols en 1680, ne vaut plus, en 1695, que 22 sols. En Artois, la rasière de froment — toutes ces mesures diffèrent de province à province et il est parfois difficile de connaître leur contenance — valait 3 sols avant la guerre de 1688 ; elle se paye 20 livres en 1698, et celle d'avoine 5 livres au lieu de 25 sols.

*
* *

Quel était le niveau de vie réel de cette masse paysanne, qui représente alors les neuf dixièmes de la population? Nous abordons là un des problèmes les plus difficiles et qu'il est encore impossible de résoudre entièrement.

Il faut, tout d'abord, laisser de côté les années de crise : calamités, épidémies, épizooties, disettes, famines, sur lesquelles nous reviendrons, car leur fréquence, hélas! justifie une étude spéciale.

Considérons les années moyennes, de récolte normale ; quel genre de vie permettent-elles au petit paysan, celui qui ne possède qu'un peu de terre, souvent insuffisante à son entretien et à celui de sa famille? A la vérité, pour le XVIIe siècle, les documents chiffrés et sûrs sont d'une extrême rareté (ils se multiplieront au XVIIIe siècle avec les rôles des « vingtièmes »). Même dans les études très poussées d'historiens locaux, on ne trouve pas les éléments d'une appréciation régionale, encore moins nationale. Il faudrait, pour être exactement renseigné, posséder des dépouillements méthodiques d'actes notariés, contrats de mariage et surtout inventaires après décès. Or le nombre de ces documents publiés est infime, et, d'un exemple bien choisi, on pourra toujours tirer des conclusions hasardeuses ou même tendancieuses, dans un sens ou dans l'autre.

C'est qu'en effet le problème historique a été obscurci par des considérations d'ordre sentimental, idéologique, ou, ce qui est pis encore, politique. Pratiquement, on s'est battu autour du texte fameux de La Bruyère, témoignage qu'on ne peut omettre en la matière : « L'on voit certains animaux farouches, des mâles et des femelles, répandus par la campagne, noirs, livides et tout brûlés de soleil, attachés à la terre qu'ils fouillent et qu'ils remuent avec une opiniâtreté invincible ; ils ont comme une voix articulée et, quand ils se lèvent sur leurs pieds, ils montrent une face humaine, et, en effet, ils sont des hommes. Ils se retirent la nuit dans des tanières, où ils vivent de pain noir, d'eau et de racines ; ils épargnent aux autres hommes la peine de semer, de labourer et de recueillir pour vivre et méritent ainsi de ne pas manquer de ce pain qu'ils ont semé. »

Cette triste description correspond-elle à la moyenne de la vie paysanne? Voilà qui est très difficile à déterminer. Encore faudrait-il distinguer entre le petit propriétaire rural et l'ouvrier agricole, dont l'existence est incontestablement misérable.

Pénétrons chez le premier. Il est, bien entendu, inutile de prétendre décrire une maison-type de paysan, car il y en a sûrement de plus ou moins confortables, de plus ou moins riches. Trop souvent, les historiens ont complaisamment insisté sur un exemple favorable à leur thèse, toujours facile à trouver. Malheureusement, les descriptions précises sont trop rares pour qu'on en puisse tirer des conclusions générales.

Cependant, les actes authentiques publiés, auxquels il faut toujours revenir, inventaires et actes de vente laissent entrevoir un type de chaumière fort modeste. Composée le plus souvent d'une pièce unique, dont le sol est en terre battue, construite en torchis et couverte de chaume, munie d'une unique fenêtre sans vitres — l'article est encore rare et cher, — elle rassemble toute la famille autour du foyer, où pend la crémaillère, au-dessus des chenets. Le mobilier se compose la plus souvent d'un lit de plume, d'un grabat pour les enfants, d'une table massive et de sièges de bois. Une armoire renferme le linge et les hardes de la maisonnée. Un ou plusieurs coffres rustiques contiennent la miche de pain, pétrie au foyer, quelques aliments, les écuelles de terre ou de bois, de modestes couverts d'étain, d'acier ou de fer, et quelques ustensiles de ménage et de cuisine. Les fourchettes sont encore rares.

Une simple cloison mal jointe sépare cette pièce unique de l'étable, comme cela se voit encore dans nos campagnes les plus arriérées. Les odeurs du fumier et des eaux croupissantes empuantissent l'intérieur de la chaumière.

Tout cela reflète incontestablement la pauvreté ; beaucoup d'inventaires après décès de paysans ne montent pas à 100 livres, quelques-uns donnent des évaluations variant de 10 à 20 livres. Chez les riches paysans, propriétaires de fermes plus importantes, ces chiffres s'élèvent jusqu'à 1 000 et 2 000 livres. La petite fortune de la famille paysanne varie d'ailleurs avec le genre de vie du chef de famille. Si celui-ci fréquente trop le cabaret, c'est la misère au foyer. S'il est, au contraire, prévoyant, sérieux et économe, assisté d'une épouse qui le seconde courageusement et entretient bien le linge et les hardes, il peut se créer, à force d'efforts patients, un intérieur comparable à celui de petits bourgeois. Tel devait être le cas de cet homme de journée — la situation la plus modeste — dont la femme possédait en son coffre, d'après un inventaire de 1665 : quatre draps de toile de chanvre, douze chemises (bien souvent les inventaires les plus simples ignorent cet article), dix-huit serviettes, dix-huit coiffes, deux douzaines de mouchoirs de col et à moucher, dix-huit collets de toile, un corset de toile garni de ses manches, trois tabliers de toile. Il n'y avait que neuf mouchoirs dans l'inventaire de La Bruyère...

L'habillement de nos campagnards était des plus simples. Il suffit de regarder les tableaux de Le Nain, *Le Repas de paysans* ou *Le Retour du Baptême*, pour s'apercevoir que les coiffes des paysannes, leurs corsages unis, leurs longues jupes plissées étaient encore celles que portaient nos grand-mères au siècle dernier. Le paysan ne se chaussait que de sabots. Il allait rarement à la ville et faisait ses emplettes auprès des colporteurs qui lui apportaient à domicile les étoffes simples et les ustensiles robustes nécessaires à son ménage et à son travail.

C'est à ce marchand ambulant que sa femme achetait aussi les quelques fantaisies qu'elle pouvait s'offrir, le bon linge de toile de chanvre, les modestes bijoux traditionnels : la croix et l'anneau d'argent. La misère des temps, qui s'accentue à la fin du règne, la prive même alors de ces menus affiquets. Un intendant écrit en 1685 : « Les femmes de la campagne qui étaient curieuses d'un cotillon rouge et bleu, n'en portent plus guère ; elles sont fort mal habillées et presque toutes de toile blanche. »

La nourriture des paysans est très frugale. Il ne saurait être question pour lui du pain mollet, tel qu'on en fabrique à Gonesse, et qui fait le régal du bourgeois de Paris ; le paysan, même dans la Beauce plantureuse, ne connaît que le pain de seigle ou de blé noir ; le froment, culture de luxe, lui servant à payer les redevances seigneuriales, les fermages et les impôts. Dans le midi, la bouillie de millet fait le fond de l'alimentation. Le menu quotidien comporte la soupe aux légumes, le beurre, les laitages, le lard, les fèves, les fruits. Régime sain, si l'on veut, mais peu adapté à l'effort de travailleurs dont la journée est longue et dure. Le paysan ne mange pas de viande de boucherie et rarement de la volaille. Dans les régions du midi, les noix et les châtaignes jouent un rôle essentiel dans son alimentation.

Rares sont ceux qui, dans la splendeur de Versailles, se préoccupent du sort de ces humbles travailleurs. Colbert, cependant, qui a l'œil à tout, sait bien que c'est sur les signes extérieurs « qu'on peut juger de la condition réelle des paysans ». Le problème ne lui échappe pas : « Examinez aussy dans toutes vos visites, écrit-il à l'intendant de Tours en 1670, si les paysans se restablissent un peu, comment ils sont habillés, meublés, et s'ils se réjouissent davantage les jours de feste qu'ils ne faisoient cy-devant, ces quatre points renfermant toute la connoissance que l'on peut prendre de quelque restablissement dans un meilleur estat que celuy auquel ils ont esté pendant la guerre et dans les premières années de la paix. » Louable souci, mais qui reste velléitaire, tant le ministre a d'occupations avec ses bâtiments, ses manufactures et ses compagnies de commerce. Dans son expérience mercantiliste, Jacques Bonhomme reste l'oublié, le sacrifié.

Car, si, en dépit des redevances, dîmes, gabelles et impôts, des mauvaises années, de la baisse générale des prix agricoles qu'entraîne la moindre surproduction à une époque où les transports sont rares, chers, difficiles et contrariés par un système périmé de douanes intérieures, le petit propriétaire ou le fermier parviennent, bon an mal an, à joindre les deux bouts, il faut songer à l'immense masse des ouvriers agricoles, des « manouvriers » qui louent leurs services et n'en retirent que tout juste de quoi ne pas mourir de faim. Et ceux-là forment les trois quarts de la population rurale.

Examinons leurs salaires. A la fin du siècle, Boisguilbert les estime en moyenne de 7 à 8 sous par jour, Vauban de 12 à 13. Les jurats de Bordeaux, dans un premier essai de taxation, en 1695, établissent le prix des journées de manœuvres à 10 sous dans les Graves, à 8 sous dans l'Entre-deux-Mers ; leur ordonnance est d'ailleurs cassée par le Parlement de Bordeaux.

Nous possédons les comptes détaillés de l'intendant de Mme de Sévigné aux Rochers pour les années 1669-1676. La marquise payait : les ouvriers ordinaires 8 sous, les couvreurs 14 sous, les maçons, charrons et charpentiers 16 sous, les sculpteurs 25 sous, et ces prix s'entendent pour des ouvriers non nourris. On trouve ailleurs, en 1712, des vendangeurs à 3 et 4 sous par jour, mais sans doute étaient-ils nourris. Les salaires des femmes oscillent de 4 à 6 sous. Une domestique, nourrie et partiellement entretenue, gagne de 20 à 25 livres par an. Nous ne nous livrerons pas au jeu assez vain, surtout dans les circonstances actuelles d'instabilité monétaire, qui consiste à calculer en francs actuels la valeur réelle de ces salaires. De doctes économistes s'y sont trompés et sont arrivés à des résultats arbitraires, faute de distinguer la valeur comparée de la monnaie et son pouvoir d'achat réel.

La meilleure comparaison est celle qu'on peut faire des salaires avec le prix des denrées de consommation courante. Reprenons le livre de comptes de Mme de Sévigné et, à côté des salaires qu'elle payait, voyons ce qu'elle tirait du produit de ses fermes. Elle vendait ses poulets 2 sous et demi — le prix moyen de la viande de mouton et de veau est de 3 sous la livre, de bœuf et de brebis 1 sou et 6 deniers, — son beurre 5 sous la livre, son cidre 3 livres la barrique, ses cochons de 5 à 8 livres, ses cochons de lait 1 livre 17 sous, ses vaches 16 livres, ses chevaux de 26 à 88 livres. La livre de pain blanc, comme la douzaine d'œufs, vaut 5 sous, — une journée de femme.

Rapprochez ces chiffres et vous constaterez que les ouvriers de campagne touchaient des salaires de famine. Et encore les documents démontrent-ils que ces gages étaient souvent payés avec un grand retard. S'il n'y a plus de serfs, il y a encore des vilains.

Dans la classe paysanne, les « laboureurs » forment une petite aristocratie : ils ont charrue et chevaux et occupent plusieurs « manouvriers ». Ceux-là, aux années de bonne récolte, vivent dans une aisance relative ; leur petit train de vie est comparable à celui du maître d'école, de l'arpenteur, du sergent, de l'huissier. Leur garde-robe est mieux garnie que celle du pauvre « manouvrier » qui vit péniblement au jour le jour et qui, pendant les six mois d'hiver, a bien de la peine à trouver du travail. Quand ils marient leurs filles, en habits de fête, ils ont de quoi lui donner son trousseau et une petite dot ; et la noce comporte un plantureux banquet.

Cherche-t-on dans le village des gens d'un niveau de vie un peu supérieur à celui de laboureur? On peut citer le chirurgien, le procureur fiscal, le greffier, l'employé des tailles et aides, le curé ; au-dessus, on ne trouve plus guère que les officiers royaux, notaire, prévôt, lieutenant, bailli.

Le laboureur, petit propriétaire terrien, doit prélever une grande part, impossible à déterminer exactement d'ailleurs, de son revenu pour ses impôts. J'ai signalé déjà tous les droits féodaux dont il est redevable envers le seigneur dont relève sa terre. Il paye aussi la dîme ecclésiastique, moins lourde cependant qu'on ne l'a dit, mais dont le taux est très variable, nouveau sujet de mécontentement ; en Bretagne, selon les contrées, elle se prélève de la huitième à la trente-troisième gerbe ; dans la région privadoise, à la douzième. Ne parlons même pas du logement des gens de guerre, qui entraîne tant de violences et d'exactions. L'État, enfin, intervient ; il prélève des impôts indirects, la lourde gabelle, si vexatoire et tyrannique que le paysan se range d'instinct du côté des faux-sauniers, favorise leurs entreprises et les aide à échapper aux sergents qui les pourchassent ; mais les plus lourds sont les impôts directs dont la noblesse et le clergé, et une bonne partie de la bourgeoisie des villes, sont exempts. La taille, personnelle dans la plus grande partie du royaume, est une sorte d'impôt sur le revenu ; la répartition, à tous les échelons, en est injuste, hasardeuse et arbitraire. L'intendant la répartit dans la généralité ; les collecteurs établissent les rôles dans les paroisses. Ils ne sont pas toujours insensibles aux relations d'amitié ou d'intérêt ; de là naissent de multiples abus. Colbert fit des efforts méritoires pour diminuer cet impôt et en améliorer la répartition. Pour les pays d'élections, qui en payaient la plus grande part, la taille s'élevait en 1661, au temps de Foucquet, à 42 028 000 livres ; dès 1662, Colbert la ramène à 40 969 000 livres ; en 1663, à 37 991 000 livres ; en 1664 à 36 233 000 livres ; après une sensible montée en 1676, elle descend à 32 millions de livres en 1680 ; parallèlement, il fait passer le revenu des fermes, progressivement, de 36 918 000 livres en 1661 à 65 892 000 livres en 1683. Mais les frais de poursuite sont extrêmement lourds ; la saisie des bestiaux, toujours interdite, est cependant de pratique courante ; c'est la seule sanction connue, avec le logement des garnisaires.

Mais, au fur et à mesure que le règne avance, le Roi multiplie les ventes inconsidérées de privilèges pour faire rentrer de l'argent frais au trésor ; et, comme les dépenses augmentent sans cesse, les impôts suivent la même courbe ascendante. De 1661 à 1683, ils s'élèvent de 84 à 119 millions et se maintiennent autour de ce dernier chiffre jusqu'en 1694. A partir de 1680, en dépit de leur accroissement, le déficit s'installe à titre permanent dans le budget.

Mais la taille ne suffit plus à couvrir les dépenses de la

guerre ; en 1695, on crée la capitation, imposition répartie par feux ; cette fois, plus de privilégiés ; sont seuls exemptés les taillables à moins de 40 sols. Tous les autres contribuables sont répartis, d'après leur situation sociale, en vingt-deux classes : la première, qui comprend le dauphin, les princes du sang, les ministres, est imposée à 2 000 livres ; la dernière, où figurent les soldats, les manœuvres et les journaliers, à une livre. Ainsi, la répartition se fait selon les classes sociales et non sur la fortune réelle ; aussi les banquiers, classés en dixième classe, ne payent-ils que 120 livres, et les marchands en gros, en onzième catégorie, 100 livres. Ce nouvel impôt extraordinaire rapporte une vingtaine de millions. Le clergé, selon l'habitude, s'abonne pour une somme de 4 millions, plus 300 000 livres pour le clergé étranger. Supprimée en 1698, la capitation est rétablie en 1701 par une déclaration qui en fait un impôt de répartition, augmenté d'un quart sur le produit de 1695 ; il se transforme ainsi, en fait, en supplément à la taille. Il est d'autant plus lourd que les exemptions et les rachats se multiplient et que l'administration n'ose pas sévir contre la noblesse défaillante. C'est autant qui retombe sur les épaules de Jacques Bonhomme. En 1705, on l'augmente encore d'un dixième, mais le budget de l'État est un gouffre sans fond. En 1710, on établit le *dixième*, sorte d'impôt cédulaire sur toutes les sources de revenus ; on en attend encore une vingtaine de millions, mais, comme les précédents, ce nouvel impôt se dévore lui-même par le jeu des rachats et des abonnements onéreux pour le trésor : tous les expédients sont bons pour faire rentrer de l'argent frais.

Il est incontestable qu'à la fin du règne le paysan est littéralement écrasé d'impôts : la correspondance des intendants en fait foi. Et cette lourde charge porte évidemment préjudice à la petite aisance dont il pouvait disposer précédemment.

CHAPITRE XII

MISÈRES ET RÉVOLTES

DANS le chapitre précédent, nous nous sommes efforcé d'évoquer ce que fut, au XVIIe siècle, la vie du paysan dans son village de campagne, dans sa ferme de hameau. Pour peindre sa vie moyenne, en temps normal, nous avons laissé de côté le témoignage dramatique, trop littéraire, de La Bruyère. Il nous faut y revenir pour dire ce que fut la vie du paysan dans les années de crise, de calamités et surtout de disette.

Alors, tout change. Il faut bien se figurer l'importance, retrouvée aujourd'hui, du problème des grains. Le blé est à la base de la nourriture du paysan, le blé noir s'entend, car le bon froment est trop cher pour lui et, s'il en récolte, il s'en sert pour payer ses droits seigneuriaux. De plus, chacun vit presque exclusivement sur le produit de sa terre ou au moyen d'achats et d'échanges limités aux voisins immédiats. Pour diverses raisons, les douanes intérieures, les difficultés et l'insécurité des transports de vivres, chaque province « exporte » peu et vit sur elle-même. Survient-il une mauvaise année, une calamité agricole, de la grêle, des inondations, la récolte est compromise ; si le malheur s'étend, il se transforme en désastre national. Le manque d'échanges de province à province fait que, si la récolte est bonne, c'est une baisse des prix qui ruine le cultivateur, impuissant entre les mains des spéculateurs ; si la récolte est mauvaise, c'est d'abord une hausse prohibitive des prix, puis, très rapidement, une disette généralisée.

Elles furent si fréquentes, les disettes, sous le règne de

Louis XIV, qu'il faut bien les évoquer à part et retracer l'histoire des misères affreuses que le peuple de France subit en ces années de malheur. C'est alors qu'on peut se reporter valablement au sinistre tableau, peint au bitume, de La Bruyère. Si tragique qu'il soit, il atteint alors à peine la vérité. Écartant les commentaires, toujours discutables et souvent passionnés, nous avons voulu recourir uniquement aux témoignages directs des contemporains. Ils sont, hélas! suffisamment éloquents par eux-mêmes.

Contrairement à une opinion trop répandue, l'histoire de ces misères commence très tôt dans le règne de Louis XIV. L'année 1662, celle du grand carrousel de Paris où le Roi parut, resplendissant de pierreries, au milieu de sa jeune cour, alors tout occupée de fêtes et de galanterie, fut une année de disette. La spéculation et l'accaparement joints à une récolte désastreuse avaient créé une famine généralisée. Sans doute la charité publique et privée s'efforce-t-elle de remédier au mal. La Compagnie du Saint-Sacrement lance un appel pressant auprès de ses membres pour développer l'esprit de charité. Le Roi prend des mesures. Il autorise, exceptionnellement, l'importation du blé. Il en vient jusque de Dantzig. Mais les transports sont longs, et les affamés souffrent cruellement. A Paris, une commission spéciale s'occupe du problème, visite les stocks, contrôle les boulangers. On distribue gratuitement aux pauvres et on vend à prix réduit, au Louvre même, du blé importé. C'est le « blé du roi ». La municipalité délègue des échevins en province pour aller chercher du blé, mais leurs réquisitions se heurtent à la résistance des pouvoirs locaux, jaloux de leurs moindres ressources.

La crise atteint la Normandie, l'Anjou, le Maine, la Touraine, le Blésois, l'Auvergne. La misère est générale ; on assiste à un exode massif des paysans vers les villes, où ils cherchent des secours et envahissent les hospices. Les municipalités sont débordées et incapables de satisfaire les besoins de cette population nouvelle. A Paris, l'affluence des pauvres est telle que, pour supprimer la mendicité, le

Parlement ordonne par arrêt leur internement massif à l'Hôpital général. On compte 12 000 pauvres au Mans ; à Caen, les paysans « ne se nourrissent plus que de racines de choux crus et de légumes » ; le maire d'Orléans écrit qu'avec les pauvres des campagnes la ville « doit consommer un tiers de plus qu'à l'ordinaire ». Une émeute éclate dans cette ville ; les greniers sont pillés, une pauvre femme est pendue. A Valençay, cinq cents personnes meurent d'inanition. Dans la région de Blois, le malheur est à son comble. Nous avons une déclaration, faite sous la foi du serment, par les curés des paroisses voisines de Blois, qui atteste que « lesdits paroissiens, depuis trois mois, vivent de troncs de chou et de racines qu'ils vont dérober dans les jardins, qu'ils paissent l'herbe en pleine campagne ainsy que les bestes, mangent les vaches, veaux, brebis et touttes sortes d'animaux qui meurent de leur mort naturelle, mesme le sang des bœufs et des porcs sytost qu'ils sont esgorgés, et la chair toutte crue des chiens, chats, asnes, chevaux et autres bestes que l'on jette à la voirie ».

Le curé de Chambon déclare avoir enterré vingt-cinq enfants et treize personnes mortes de faim, « sans y comprendre les petits enfants à la mamelle, dont il n'en eschape aucun » ; celui de Candé « a enterré depuis peu cinq enfants aagez de huit à dix ans, tous morts de faim et qui ont esté trouvez dans les chaumes, tenans dans leurs mains des carcasses de charognes pleines de vers » ; à Mer, des paysans ont découvert leurs maisons « pour en vendre la tuille, afin d'avoir un morceau de pain » ; à Saint-Denis, paroisse de deux cents feux, sur un millier d'habitants, « plus de huict cens vivent d'herbes et de racines, et les autres d'un peu de son et de grenage ».

Voilà des témoignages irrécusables et qui font frémir. Est-il besoin d'ajouter — car c'est une loi générale, dont nous avons vu maintes applications — que cette misère physique s'accompagne d'une grave crise morale ? Écoutez parler Guy Patin : « On ne parle que d'argent et de pain, qui est encore renchéri. Tout le monde veut faire fortune.

J'ai peur que nous ne voyions les hommes engagés et acharnés les uns contre les autres, se prendre à la gorge pour avoir de l'argent. »

Un hiver rigoureux, après cette année de famine, vient, dans certaines provinces, aggraver la situation. L'intendant du Dauphiné écrit en 1663 : « On m'a assuré, en quelques endroits où les neiges et la rigueur de l'hiver ont fait mourir les blés, que les paysans faisaient moudre des coquilles de noix avec du gland et du blé noir ou un peu d'avoine et de seigle pour en faire du pain. » Douze ans plus tard, le gouverneur du Dauphiné écrit encore au contrôleur général : « Il est assuré, monsieur, et je vous en parle pour en être bien informé, que la plus grande partie des habitants de ladite province n'ont vécu pendant l'hiver que de pain, de glands et de racines et que, présentement, on les voit manger l'herbe des prés et l'écorce des arbres. » L'intendant Robertot écrit à Colbert, en 1665 : « Dans la province de Berry et les circonvoisines, tous les habitants, et particulièrement les laboureurs qui cultivent les terres, y sont plus malheureux que les esclaves de Turquie et les paysans de Pologne. »

D'autres calamités viennent accabler le paysan ; les épidémies de peste sont encore fréquentes ; le fléau sévit à Dunkerque en 1666, à Lille en 1667, à Soissons en 1668, à Amiens en 1669. Ajoutez à cela la charge des impôts, plus lourds d'être mal répartis, la gabelle si impopulaire, le papier timbré, créé à cette époque, et qui apparaît comme une insupportable brimade. N'oubliez pas la charge écrasante du logement des gens de guerre, les lenteurs et les abus de la justice. Comment s'étonner, après tout cela, si Jacques Bonhomme tente parfois de secouer le joug et se rebelle ? Il ne faut pas chercher ailleurs la cause de tant de révoltes, généralement réprimées avec une extrême dureté. Elles sont innombrables et, par leur ampleur, inquiètent souvent l'autorité. En 1662, c'est la révolte du Boulonnais, qui se solde par trois mille arrestations, l'envoi de quatre cents rebelles aux galères et des meneurs au gibet. En 1674, les nouveaux droits fiscaux nécessités par la guerre de Hollande amènent des troubles en Guyenne. La répression est particulièrement dure : Bordeaux doit loger deux cent neuf compagnies d'infanterie et de cavalerie à ses frais. En 1664, Colbert veut imposer à nouveau la gabelle aux pays rédimés. En Gascogne, un aventurier, Bernard d'Audijos, prend le commandement des révoltés. Il tient tête, pendant plus de deux ans, avec sa petite troupe résolue, à l'armée royale. Il bénéficie de la complicité de tous les paysans, des bourgeois et même, bien souvent, des magistrats qui doivent le rechercher. Sur la frontière d'Espagne, caché dans la montagne, il reste insaisissable et mène une guérilla sanglante. Quand il est enfin pris, le Roi, devant sa popularité, n'ose pas sévir, le gracie, le nomme colonel et lui confie quatre compagnies de dragons. D'Audijos se fera d'ailleurs tuer au service du Roi.

L'augmentation des droits d'octroi soulève la fureur populaire au Mans en 1675, le papier timbré à Bergerac, la même année; les droits sur les vins à Mâcon, en 1680. Cette même année, Mme de Sévigné écrit de Bretagne à sa fille : « Je ne vois que des gens qui me doivent de l'argent, qui couchent sur la paille et qui pleurent. »

Une des plus graves séditions fut la jacquerie vivaraise de 1670. Un inconnu, peut-être quelque agent provocateur, avait fait courir un bruit stupide : un édit allait créer de nouvelles taxes, plus vexatoires encore que celles qui existaient, savoir : 10 livres pour la naissance d'un enfant mâle, 5 livres pour une fille, 3 livres pour un habit neuf, 5 sous par chapeau, 3 sous par paire de souliers, 5 sous par chemise et 1 sou par journée de travailleur de la terre! Il n'y avait évidemment pas un mot de vrai dans cette ridicule histoire. Mais le bruit s'en répandit rapidement — la misère est mauvaise conseillère ; l'émeute grossit à Aubenas et aux environs. On crie : « Plus d'impôts! Mort aux sangsues du peuple! » Les pillages commencent. Le tocsin sonne dans vingt-sept paroisses.

Les révoltés, cette fois, trouvent un chef décidé, Antoine

du Roure, officier des milices, ancien capitaine au régiment de Lespinasse. C'est un gentilhomme aimé des paysans, aux idées avancées, célèbre par ses charités. Il accepte de prendre la tête de l'insurrection. Cinq à six mille hommes se rangent spontanément sous ses ordres. Aux pillages succèdent les incendies, les meurtres ; des consuls sont assassinés. Les « Rourois » ont soulevé une nouvelle jacquerie. Une chanson leur sert de cri de ralliement :

Assez de faim, assez de larmes ;
Du sang, paysan, prends tes armes ;
Sus aux vautours, aux gabelous !
Il faut hurler avec les loups.
Sur les vampires de l'Ardèche
Ton hoïau, ton pic et ta bêche
A leur tour percevront l'impôt.
Hardi, les gars, point de repos !
Pour protéger notre provende,
Là-bas, sur le mas de la Rande,
Flotte le guidon vivarois !
Dieu garde Roure et les Rourois !

Le gouverneur de la province entame des négociations avec Antoine du Roure qui, en uniforme de lieutenant général, discute avec lui d'égal à égal et a vite fait de déceler la manœuvre dilatoire du gouverneur. Déjà l'armée royale a franchi le Rhône ; elle est commandée par d'Artagnan et comprend les mousquetaires, quatre escadrons de cavalerie, trois régiments d'infanterie, six compagnies des gardes, des Suisses, en tout 1 600 à 1 700 chevaux et 4 000 hommes de pied. Du Roure relève le défi, convoque le ban et l'arrière-ban des révoltés. Mais, mal armés, les paysans se débandent devant les troupes régulières. C'est la défaite totale, suivie de la répression sanglante ; une centaine de séditieux périssent sur la roue ou au gibet ; l'exil, les galères, le fouet pour des centaines d'autres ; du Roure est arrêté, condamné à mort et exécuté. De plus, on applique les sanctions collectives, alors en usage, humiliantes et ruineuses : Aubenas est privée du droit d'entrée aux États de la province ; les clochers sont décimés et les cloches descendues. C'est la honte, tout un pays mis hors la loi et livré à la soldatesque qui le pille, le rançonne, fait régner la terreur. Les habitants, ayant entassé leurs hardes sur des chariots, fuient leurs villages maudits et s'éloignent en colonnes lamentables...

Cinq ans plus tard, en Bretagne, une affaire semblable ensanglante la province. L'édit de 1673 a institué l'usage obligatoire du papier timbré ; un autre édit, de 1675, le monopole du tabac et la marque de la vaisselle d'étain. Colbert a bien prévu l'impopularité de ces mesures fiscales et il a tenté, mais vainement, de les adoucir par une application modérée : « Il faut, en cela, écrit-il, éviter, autant qu'il sera possible, les contraintes personnelles. » Mais les employés locaux du fisc n'y regardent pas de si près. Au printemps, des troubles éclatent à Rennes, Saint-Malo, Nantes ; on pille les bureaux de tabac et de papier timbré. On crie dans les rues : « Vive le Roi sans maltôte ! » Louis XIV se décide à faire un « grand exemple », malgré les sages conseils du gouverneur de la Bretagne, M. de Chaulnes ; il envoie des troupes qui vivront sur le pays, et l'on sait ce que cela signifie d'exactions, d'abus et de violences...

A Rennes, qui jouit d'un ancien privilège d'exemption du logement des gens de guerre, l'arrivée des troupes redouble l'agitation. M. de Chaulnes est injurié, traité de « gros cochon », molesté, attaqué à coups de pierres. Il doit se résoudre à renvoyer les troupes à Nantes. Plus de quinze mille habitants ont pris les armes. C'est une émeute qui menace de gagner les provinces voisines et de finir en révolution. Le mouvement s'étend. La basse Bretagne suit : des troubles éclatent à Guingamp, Châteaulin, Quimper. Quarante paroisses ont pris les armes : vingt mille hommes, armés de mousquets, de fusils, de fourches, de hallebardes, parcourent les villes et les campagnes, communiquent leur excitation à leurs voisins. Un programme de revendications sociales est rédigé, sous le nom de *Code paysan* ; les auteurs réclament l'abolition des droits de champart et de corvée, le droit de mariage entre les nobles et les roturiers, la suppression de la dîme ecclésiastique, la fermeture de la chasse de mars à septembre, la suppression du papier timbré et de la gabelle, l'élection des juges ; nous sommes tout près des cahiers de revendications de 1789. Il s'agit de tout autre chose que d'une révolte née de la colère et de la souffrance, de « coquins qui lancent des pierres dans le jardin du patron », comme dit plaisamment Mme de Sévigné ; on se trouve en présence d'un plan complet de refonte sociale. Le mouvement est autant dirigé contre la noblesse et ses privilèges que contre les nouveaux impôts.

A Carhaix, un notaire, plus que suspect, faussaire déjà plusieurs fois emprisonné, Sébastien Le Balp, est l'âme de l'insurrection. Il accompagne les paysans armés chez leurs anciens maîtres, gentilshommes ou ecclésiastiques, et consigne dans des actes authentiques, passés avec eux sous la menace, les bases des nouveaux rapports sociaux que les révoltés prétendent instituer. Sous la menace des « bonnets rouges », les privilégiés signent la reconnaissance de l'abolition des anciennes redevances. Les vols, les pillages, les assassinats se multiplient. La marquise de Trévigny assiste, impuissante, au pillage de son château de Kergoët ; Mme de Rohan est menacée à Josselin ; on compte quinze morts à Pontivy. Les rebelles, selon la tradition renouvelée des frondeurs, songent à demander aide et protection aux Hollandais qui croisent sur les côtes, sous les ordres de l'amiral de Ruyter.

Au milieu de cette effervescence se révèle une série de revendications modérées, ce qui ne les rend que plus dangereuses. Un acte notarié, imposé dans les conditions que nous avons dites, à l'abbaye de Langonnet, démontre cette modération. Les paysans protestent contre les charges arbitraires et excessives, mais ils reconnaissent et admettent le maintien des anciens droits féodaux, corvées, redevances, etc.

L'étranger suit avec intérêt le développement de l'insurrection et espère s'en servir. Le comte d'Estrades, notre ambassadeur à Liége, reçoit de Cologne des lettres de ce genre : « On a de grandes espérances sur les révoltés de France. »

Le Roi songe un moment à venir en personne rétablir l'ordre gravement compromis en Bretagne ; la mort de Turenne l'empêche de mettre ce projet à exécution. Pendant ce temps, le gouverneur, M. de Chaulnes, négocie et temporise en attendant l'arrivée de troupes en nombre suffisant.

Enfin les renforts attendus arrivent de Nantes et de Guyenne. M. de Chaulnes passe à l'action ; fort opportunément, le chef des révoltés, Le Balp, est tué par le marquis de Montgaillard.

La répression commence, avec son habituelle cruauté. M. de Chaulnes écrit au gouverneur de Morlaix : « L'on a exécuté à Quimper, l'un des plus séditieux de tous ces cantons, et les arbres commencent à se pencher sur les grands chemins du costé de Quimperlé, du poids que l'on leur donne. »

L'amnistie pour les paroisses soumises, l'entretien forcé de troupes pour les rebelles. Rennes connaît des mesures de rigueur : outre l'occupation militaire, le Parlement est exilé à Vannes, la rue Haute détruite, les chefs de la rébellion poursuivis et exécutés. Au début de 1676, dans un but d'apaisement, le Roi accorde enfin une amnistie générale.

Au fur et à mesure que le règne avance, au milieu de difficultés financières et extérieures toujours croissantes, la misère s'aggrave. L'industrie est atteinte à son tour. Les métiers de la soie, les fabriques de drap s'arrêtent et le chômage s'étend. C'est par milliers que des grands centres, de Paris en particulier, les ouvriers partent pour l'étranger. Les salaires baissent. A Honfleur, les travaux du port sont compromis en 1685. Les entrepreneurs sont obligés de donner demi-paye les jours de fête, pour empêcher les ouvriers d'aller mendier du pain en ville. M. de Bâville, intendant à Poitiers, écrit en 1684 : « L'état misérable de la ville de Poitiers s'oppose à ce qu'on en assujettisse les maisons à l'impôt du *devoir* ; depuis dix ans, elle est anoblie du logement de guerre et elle paye des entrées et tous les droits d'aides dont elle était exempte jusque-là. Il n'y a plus de commerce, et les artisans sont si pauvres qu'il faut les mettre à l'hôpital dès qu'ils cessent de travailler. »

Dans les campagnes, la misère persiste et s'étend ; le contrôleur général, en 1687, charge d'Aguesseau et d'Ormesson d'une enquête sur place dans les pays du Maine et de l'Orléanais. Leur témoignage est formel : « Les paysans vivent de pain fait avec du blé noir ; d'autres, qui n'ont pas même de blé noir, vivent de racines de fougère bouillies avec de la farine d'orge ou d'avoine et du sel. » Les ambassadeurs étrangers, les Vénitiens notamment, confirment ces dires. En janvier 1692, l'intendant du Limousin a « trouvé plus de 70 000 personnes, de tous âges et des deux sexes, qui se trouvent réduites à mendier leur pain avant le mois de mars, vivant dès à présent d'un reste de châtaignes à demi pourries, qui seront consommées dans le mois prochain au plus tard ».

Les années 1693-1694 voient une nouvelle disette générale, après quelques années d'abondance. Un hiver rigoureux avait gelé les blés. Et ce fut à nouveau la famine, aggravée par les spéculateurs. Le setier de blé, qui valait 18 livres en 1692 à Paris, passe à 45 livres en 1693 et à 51 livres en 1694. Les accapareurs s'en donnent à cœur joie, tandis que la misère sévit partout. L'avocat Tourton, dans son livre de raison, note à cette date : « Grande misère à Saint-Étienne. Outre les personnes aisées mortes depuis peu, il y est mort 500 pauvres et il y a encore 5 000 pauvres. Non seulement la chair de cheval s'y mange communément, mais on y a mangé tous les chiens. » On ouvre un peu partout des bureaux de charité et des ateliers publics, mais, hélas ! aussi de nouveaux cimetières. Les registres d'état civil attestent que la mortalité triple ou quadruple brusquement. On multiplie les processions et les neuvaines.

Un bourgeois de Besse, en basse Auvergne, note que les enfants « avoient de petits bastons pointus d'un costé avec lesquels ils désenterroient les fèves et autres légumes, après que l'on avoit ensemencé les terres », et que les paysans, devant leur détresse, n'avaient pas le courage de les châtier. Pour parer à la disette, le Roi publie une déclaration en vertu de laquelle il était permis de s'emparer des terres en friche, sans formalité, pourvu qu'on les semât.

Cette fois, ce n'est plus une crise locale, mais une calamité générale. De toutes les provinces de France arrivent au contrôleur général des nouvelles alarmantes, où revient comme un leitmotiv la misère du peuple. M. de Bezons, intendant à Bordeaux, écrit : « Je ne puis vous exprimer le nombre des paroisses qu'il y a où ceux qui sont le mieux font du pain avec du son ; les autres n'en ont point. » Du pays de Caux : « Une infinité de peuple y meurt fréquemment de faim... » De Bourgogne : « Le pauvre peuple vit avec du pain de racines de fougère, ce qui cause une telle infection... » De l'évêque de Montauban : « Il meurt bien (dans le diocèse) 400 personnes tous les jours, suivant le calcul que j'en ai fait à peu près, faute de nourriture. » De Châlons : « Les paysans font de la bouillie avec de la paille d'avoine et mangent le marc de raisin. » En Tarentaise et en Maurienne, la plus grande partie des habitants « ont vécu de coquilles de noix moulues, dans lesquelles les plus aisés ne mêlent qu'un dixième ou environ de graine d'orge ou d'avoine. » On pourrait facilement multiplier les exemples semblables. Le chômage gagne du terrain ; à Tours, en 1699, on signale 6 000 tisserands réduits à l'aumône et 4 000 ouvriers en soie sans travail.

Les séditions locales se réveillent ; les ministres ne connaissent pas d'autre solution qu'une brutale répression. Chamillart, en 1705, recommande à l'intendant de Limoges de faire « des exemples des plus coupables... pour faire connaître à ces peuples qu'ils ne se soulèveront pas impunément ».

Sans cesse, les intendants plaident la cause de leurs

administrés écrasés d'impôts qu'ils ne peuvent payer et sollicitent remises et sursis. Le receveur des tailles de Fontenay-le-Comte écrit, le 15 mai 1707 : « La misère est certainement à un si haut point que la plupart des contribuables, réduits à la dernière extrémité, n'ayant rien à perdre, se rebellent contre les collecteurs, qui sont journellement maltraités à coups de faux, fourches et autres instruments de fer. Rien n'est plus constant que ce que j'ai l'honneur de vous avancer. » Lorsque les huissiers et les sergents viennent saisir les meubles ou le bétail des contribuables défaillants, ils ne trouvent pas d'acquéreurs, soit misère, soit solidarité, et on ne peut que rendre les objets saisis en vain à leurs propriétaires. Et pourtant Dieu sait si, dans ces dernières années du règne, le trésor a besoin de rentrées !

Mais rien n'approche de la misère du « grand hiver » de 1709. Les témoignages, pitoyables, abondent. Je ne citerai ici ni Saint-Simon, ni la princesse Palatine, qui parle de vingt-quatre mille morts à Paris, chiffre évidemment exagéré, ni des lettres plus modérées de Mme de Maintenon. Mais il est sûr que la misère est générale et totale. Le froid a été extrêmement rigoureux ; la Seine est prise à Paris ; le vin gèle dans les caves, et l'eau, à Versailles, sur la table du Roi. Dans le Midi, la température est descendue à moins 16° ; c'est la ruine totale des vignes, des oliviers, des chênes-lièges. Les récoltes sont perdues ; la semence a gelé et pourri en terre. Le 4 mai, le procureur général du Parlement de Bourgogne écrit : « Les enfants ne se soutiennent que par des herbes et des racines qu'ils font bouillir, et les enfants de quatre à cinq ans, auxquels les mères ne peuvent donner de pain, se nourrissent dans les prairies comme des moutons. » L'évêque de Mâcon : « Plus de la moitié ne vit que d'herbes et de pain de fougère... La moitié des terres demeurent abandonnées. » Les routes sont encombrées de vagabonds décharnés, squelettiques, prêts à tout pour s'approprier un peu de nourriture. C'est vraiment une époque de deuil national ; on ferme les théâtres ; on multiplie les œuvres de charité ; bourgeois, membres du clergé, parlementaires rivalisent de générosité et de dévouement. A Auxerre, le clergé nourrit à lui seul 1 300 pauvres. On institue, presque partout, une « taxe des pauvres » qui n'épargne personne, et le Roi donne l'exemple en versant 4 220 livres. On ouvre des ateliers publics. A Tours et à Montauban, on fait du pain avec un quart de racines d'asphodèles, M. Fagon ayant déclaré cette racine inoffensive ; en Languedoc, on mêle du chiendent au pain. On compte 2 000 pauvres à Clermont-Ferrand, 12 000 à Reims, à qui on ne peut donner que du pain d'avoine. Les officiers de la ville écrivent : « Le spectacle fait frémir et, sans un prompt secours que nous attendons, il faut tous nous résoudre à mourir de faim. »

Le problème du blé domine tout ; le Roi a ordonné la liberté absolue de circulation des grains. Mais les villes achètent, sur pied, en bloc, au plus haut prix, et les marchés locaux sont dépourvus. Toute charrette qui circule est menacée de pillage ; le cas se produit dans les rues de Versailles même, et le Roi paye la charrette de blé. On est obligé de faire escorter les convois de vivres par la troupe. La farine, qui valait 6 livres le setier à Paris en 1707, monte à 69 livres. En Picardie, où le setier pèse 50 livres, il passe, de février à septembre 1709, de 3 à 12 livres. Les accapareurs font des fortunes scandaleuses qui soulèvent la juste colère du peuple.

Un peu partout, comme en 1694, les séditions éclatent. Il faut envoyer des troupes dans toutes les provinces. Plusieurs boutiques de boulangers sont pillées à Lyon. Des scènes semblables, accompagnées de violence, sont signalées à Tours, Orléans, Limoges, La Rochelle. Les intendants, dans leurs rapports, laissent percer leur inquiétude sur l'état de l'opinion publique. Les couvents et communautés religieuses, soupçonnés d'avoir constitué des réserves de grains, sont mis à sac par des bandes de mendiants pillards, de soldats déserteurs. Toute une partie de la population rurale est devenue errante et meurt le long des routes ;

les curés ne peuvent plus identifier les cadavres et dressent des actes collectifs de six, huit, dix inhumations anonymes. Parfois on relève sur les registres la triste mention : *Fame periit.* Sur le registre d'état civil de la commune de Vincelles, dans l'Yonne, on trouve, à la date de 1710, cette note du curé : « L'on voyoit des hommes et des femmes, enfants grands et petits, le visage et les mains terreuses, raclant la terre avec leurs ongles, cherchant certaines petites racines qu'ils dévoroient lorsqu'ils en avoient trouvé. Les autres, moins industrieux, paissoient l'herbe avec les animaux ; les autres, entièrement abattus, étoient couchés le long des grands chemins en attendant ainsi la mort. »

A Paris, écrit Mme de Maintenon, « il n'y a plus de jour de marché sans sédition ». En dépit de la guerre qui continue, on laisse dans la capitale douze compagnies de gardes françaises et un bataillon entier des gardes suisses, pour maintenir l'ordre. Monseigneur est assailli par des femmes qui crient : Du pain ! Le lieutenant de police d'Argenson reçoit des pierres dans les vitres de son carrosse, à Saint-Roch. Des chansons satiriques circulent. On trouve des affiches séditieuses aux portes de Paris, sur les églises, les places publiques, les statues du roi. Louis XIV reçoit des billets injurieux « qui marquoient en termes exprès, dit Saint-Simon, qu'il se trouvoit encore des Ravaillacs et qui, à cette folie, ajoutoient un éloge de Brutus ». Des émeutes naissent sur les chantiers publics de la porte Saint-Denis, où le pain quotidien n'est plus distribué ; la troupe, sous les ordres du maréchal de Boufflers, doit intervenir.

Le gouvernement ne sait plus où donner de la tête ; aux revers militaires, aux difficultés financières viennent s'ajouter les soucis intérieurs. On a dû renoncer, devant la misère publique, à recouvrer les impôts. Le contrôleur général Desmarets écrit au Roi : « Dans cette agitation, il a fallu les ménager ; il y auroit eu de l'imprudence à exiger les impositions ordinaires sur des hommes qui manquoient de pain. Toutes les recettes ont presque entièrement cessé et les revenus ordinaires des fermes ont diminué du tiers. »

16

Le trésor est vide, et cependant la guerre continue.

Les dernières années du règne, qui marquent, après Denain, un redressement extérieur, laissent le pays dans le même état de dénuement. Les correspondants du contrôleur général continuent à lui apporter le témoignage d'une misère persistante. De Limoges, l'intendant écrit, le 26 mai 1713 : « Des personnes dignes de foi m'ont assuré aussi qu'il y a quelques paroisses où les habitants broutent l'herbe dans les prés, comme les bestiaux ; d'autres, où ils font de la bouillie de cendre ; d'autres, où ils se nourrissent de racines de fougère. » D'Angers, la même année : « Cette province est dans une misère effroyable par la disette des blés. La moitié des gens de la campagne manquent de pain ; il en est déjà mort un grand nombre de faim... Depuis soixante ans que je connois la campagne, elle est dépeuplée au moins d'un tiers. » A Rochefort, il meurt six cents personnes en trois mois. Une épidémie de suicides indique l'extrême désespérance du peuple. A Montauban, où de terribles inondations ont tout ravagé, on ouvre des ateliers publics pour les pauvres, « mais le nombre en est si grand qu'on ne peut donner par jour que 18 deniers aux femmes et enfants, et 2 sols aux hommes, avec quoi ils achètent un peu de pain de millet ». Les manufactures, dépeuplées par la misère, le chômage et l'exode des protestants exilés, sont arrêtées ; les soieries de Lyon, jadis si prospères, ne travaillent plus. A Agen, le marquis du Rozel institue des distributions publiques de vivres ; on doit les suspendre, car chaque distribution s'achève en émeute.

Nous avons cité suffisamment de témoignages authentiques, précis, indiscutables, pour apprécier maintenant à leur valeur les dires des contemporains. Quand la princesse Palatine écrit : « S'il l'on sort, on est suivi d'une foule de pauvres qui crient à la famine... Je n'ai de ma vie vu une époque aussi triste ; les gens du peuple meurent de froid comme les mouches », on sait qu'elle n'exagérait pas.

Fréquentes étaient les scènes dramatiques, comme celle-ci, que conte encore la princesse Palatine : « Hier, on m'a raconté une douloureuse histoire au sujet d'une femme qui a volé un pain à Paris, dans la boutique d'un boulanger ; le boulanger veut l'arrêter ; elle dit en pleurant : « Si l'on connaissait ma misère, on ne voudrait pas m'enlever ce pain ; j'ai trois petits enfants tout nus ; ils demandent du pain ; je ne puis y tenir, et voilà pourquoi j'ai volé celui-ci. » Le commissaire devant lequel on avait conduit la femme lui dit de le mener chez elle ; il y vint et y trouva trois petits enfants empaquetés dans des haillons et assis dans un coin, tremblant de froid comme s'ils avaient la fièvre ; il demanda à l'aîné : « Où est votre père ? » L'enfant répondit : « Il est derrière la porte. » Le commissaire voulut voir ce que faisait le père derrière la porte et il recula, saisi d'horreur. Le malheureux s'était pendu dans un accès de désespoir. »

De son exil hollandais, le protestant Jurieu, dans les *Soupirs de la France esclave*, dénonçait « les tristes effets de la puissance arbitraire et despotique de la cour de France ». En dépit du parti pris politique de l'auteur, ses affirmations n'étaient pas exagérées : « Le peuple est réduit aux dernières extrémités, et la disette d'argent est si étrange que ceux qui ont du bien se trouvent chargés de ce que leurs fonds leur rapportent, blés ou vins, sans que ceux qui ont du vin puissent acheter du blé, et ceux qui ont du blé puissent avoir du vin. »

Mais il n'était pas besoin d'avoir recours aux pamphlets de Hollande pour entendre ces critiques et ces plaintes. Le Roi était assailli, dans son entourage même, par toutes sortes de gens, émus par la misère publique, inquiets sur le sort du pays. Venant confirmer la lamentable évocation des paysans et de leurs souffrances par La Bruyère, voici Saint-Simon qui, s'adressant au Roi, stigmatise les folles dépenses des ministres qui ont recherché les ressources « jusque dans les os de vos sujets, dont la nudité et la défaillance rend les champs incultes, tarit l'espèce du bétail et ne laisse plus en proie aux durs exacteurs des impôts que les restes de leurs maisons délabrées, dont ils démontent la charpente pour être vendue à vil prix ».

Contestera-t-on le témoignage du mémorialiste suspect, à bon droit, d'opposition ? En voici un autre du lieutenant général à Rouen, Boisguilbert : « C'est un fait qui ne peut être contesté que plus de la moitié de la France est en friche ou mal cultivée, c'est-à-dire beaucoup moins qu'elle ne pourrait être et même qu'elle n'était autrefois, ce qui est encore plus ruineux que si le terrain était entièrement abandonné, parce que le produit ne peut répondre aux frais de la culture. »

De son côté, le maréchal de Vauban, qui, pendant quarante ans, a parcouru la France en tous sens et l'a couverte de fortifications, jette, en 1707, au déclin de sa carrière, ce cri d'alarme : « Je me sens obligé d'honneur et de conscience de représenter à Sa Majesté qu'il m'a paru que de tout temps on n'avait pas eu assez d'égards, en France, pour le menu peuple et qu'on en avait fait trop peu de cas ; aussi c'est la partie la plus ruinée et la plus misérable du royaume ; c'est elle, cependant, qui est la plus considérable par son nombre et par les services réels et effectifs qu'elle lui rend : car c'est elle qui porte toutes les charges, qui a toujours le plus souffert, et c'est sur elle aussi que tombe toute la diminution des hommes qui arrive dans le royaume. »

Mais on étouffe ces voix d'honnêtes gens qui dénoncent le péril ; Boisguilbert est exilé et la *Dîme royale* de Vauban condamnée. On ne veut pas à Versailles, déjà assombri par les deuils de la cour, les revers militaires et les embarras financiers, entendre le cri de détresse qui monte des villes et des campagnes. En vain Fénelon joint ses avertissements à ceux de Saint-Simon, de Boisguilbert et de Vauban : « Votre peuple meurt de faim, écrit-il au Roi. La culture des terres est abandonnée, les villes et les campagnes se dépeuplent, tous les métiers languissent, le commerce est anéanti. Au lieu de tirer de l'argent de ce pauvre peuple, il faudrait lui faire l'aumône et le nourrir. La France entière n'est plus qu'un grand hôpital désolé et sans provisions... Le peuple même, qui a eu tant de confiance en vous, commence à perdre l'amitié, la confiance et même le respect... Les émotions populaires, qui étaient inconnues depuis si longtemps, deviennent fréquentes ; Paris même, si près de vous, n'en est pas exempt... »

C'est à dessein que nous n'avons cité ces témoignages littéraires qu'après les documents administratifs et authentiques qu'ils corroborent. On conviendra qu'ils ne sont nullement disproportionnés avec les faits établis.

A la fin du règne, tout concourt à ruiner le paysan, les guerres, les impôts abusifs, les dragonnades, l'exode des protestants, la disette d'argent. Commencé dans une apothéose de gloire, le grand règne s'achève dans un tableau de misère.

Est-ce à dire, cependant, que, durant cinquante ans, le menu peuple des campagnes n'ait fait que souffrir? Il serait abusif de le prétendre. Pour fréquentes qu'elles aient été, les époques de disette et de calamités publiques sont localisées dans le temps et dans l'espace. En raison de la pénurie et des difficultés de transports, telle province manque de blé, tandis que telle autre en regorge. La même année, c'est ici la misère, là, l'aisance et parfois même l'abondance, nouvelle source de difficultés, d'ailleurs, car elle amène vite un effondrement des prix agricoles.

Tout en tenant compte des documents irréfutables que nous avons cités, il faut les interpréter, en faire la critique, pour déterminer leur exacte portée. Les intendants, par exemple, dont nous avons produit tant de tristes témoignages — et il eût été facile de les multiplier, — prennent la défense de leurs administrés et sont aiguillonnés par les municipalités. Ils demandent pour leurs paysans des décharges et des remises d'impôts. Ils ont donc plutôt tendance à noircir le tableau pour renforcer leur argumentation et apitoyer davantage le contrôleur général sur l'état de leur province. D'ailleurs, ils n'écrivent à Versailles que lorsque tout va mal, et l'ensemble de leur correspondance produit ainsi une impression pénible. Mais, quand les choses vont mieux, ils n'interviennent plus ; de sorte que leur correspondance ne reflète que les mauvais jours et passe tout naturellement les bons sous silence. Cette précieuse documentation est donc, de par sa nature même, à sens unique. Il y manque une contrepartie nécessaire, la chronique des bonnes années qui n'y apparaît pas, car les gens heureux n'ont pas d'histoire.

Or, de bonnes années, il y en a et, tout compte fait, peut-être plus que de mauvaises. Les mémoires, les livres de raison abondent en récits de fêtes familiales ou paroissiales. Les baptêmes, les mariages, sont l'occasion de joyeuses réunions de famille ; on y mange copieusement, on y boit sec et on y chante quelqu'une de ces chansons du terroir qui se sont transmises jusqu'à nous. Or on ne chante pas le ventre vide.

Ce jour-là, on sort des coffres les habits de fête, soigneusement rangés, et tant d'étoffes claires ou voyantes donnent un air de gaieté aux femmes qui les portent. Le paysan oublie un moment ses soucis quotidiens pour s'abandonner aux joies de la famille. Et il n'est pas rare de voir le seigneur du village rehausser de sa présence la petite fête intime, pour laquelle il n'a pas manqué d'envoyer pâtés, lapins et chapons.

Au village, à la fête paroissiale, on retrouve les mêmes paysans endimanchés qui dansent l'après-midi, au son de la musette, sous les grands ormes du parvis. Il y a chez nous un vieux fonds de gaieté et d'optimisme que les épreuves ne parviennent pas à abattre. On travaille dur, on peine, mais, l'heure de la détente venue, on s'en donne à cœur joie, on oublie les mauvais jours et les heures noires.

Le paysan, qui fait produire la terre et élève toujours quelques lapins et quelques poules, est rarement à bout de ressources. Il a toujours quelques réserves, car il est prudent de nature. Il les garde jalousement, car il importe, aux yeux du collecteur d'impôts, de ne pas faire étalage d'une trop large aisance. Même aux époques de disette, il a encore quelque ressource cachée au fond de son grenier. Souvenez-vous du paysan chez qui se présente le jeune J.-J. Rousseau et qui, le prenant pour un agent de la maltôte ou de la gabelle, se montre méfiant et déclare qu'il n'a rien à lui offrir. Mais, dès qu'il a vu à qui il a affaire, jambons fumés et bonnes bouteilles sortent comme par enchantement de leur cachette. Économe, et même souvent avare, car il sait le prix de l'argent et le mal qu'il se donne pour le gagner, le paysan se laisse rarement prendre de court. Encore faut-il qu'il en ait les moyens matériels en possédant un carré de terre suffisant. Pour les autres, les années de disette, c'est la famine...

Le paysan connaît donc des époques difficiles, entrecoupées de temps plus heureux. Sa vie quotidienne reste simple, frugale. Il est, beaucoup plus qu'aujourd'hui, à la merci d'une mauvaise année. Mais, tant qu'il possède son petit lopin de terre, il s'arrange toujours pour en tirer sa subsistance et celle de sa famille. Ce sont les journaliers, au maigre salaire, qui ont la vie la plus difficile, car, pour eux, pas de ressources en dehors du boulanger. Si le pain manque, c'est la famine pour l'ouvrier agricole, même s'il a pu mettre quelques sous de côté. La caractéristique de la vie des campagnards, à côté de la régularité des temps modernes, c'est, au contraire, l'instabilité, l'incertitude du lendemain. Le régime économique en est cause. Leurs misères furent réelles et nombreuses, mais correspondent à des époques déterminées de crise. Il convient de se garder de toute généralisation hâtive qui trahirait la vérité, infiniment plus complexe et changeante.

PRINCIPAUX OUVRAGES CONSULTÉS

OUVRAGES GÉNÉRAUX

AVENEL (Georges D'), *Histoire économique de la propriété, des salaires, des denrées et de tous les prix en général*, Paris, 1894-1926, 6 vol.

CROUSAZ-CRETET, *Paris sous Louis XIV*, Paris, 1922, 2 vol.

Correspondance des contrôleurs généraux des finances avec les intendants de province, édit. de Boislile, Paris, 1874-1897, 3 vol.

DEPPING, *Correspondance administrative sous le règne de Louis XIV*, Paris, 1850-1855, 4 vol.

FRANKLIN (A.), *La Vie privée d'autrefois*, Paris, 1887-1902, 27 vol.

GAIFFE (F.), *L'Envers du grand siècle*, Paris, 1924.

GAXOTTE (P.), *La France de Louis XIV*, Paris, 1946.

LAVISSE (E.), *Histoire de France*, Paris, 1905, t. VII.

LISTER (M.), *Voyage à Paris en 1698*, Paris, 1873.

LOCATELLI (S.), *Voyage en France (1664-1665)*, Paris, 1905.

MAGNE (E.), *Images de Paris sous Louis XIV*, Paris, 1939.

REYNIER (E.), *Histoire de Privas aux XVIIe et XVIIIe siècles*, Aubenas, 1946, t. II.

RICHARD (J.-M.), *Laval au XVIIe siècle*, Paris, 1922.

Chapitre premier.

LA COUR

CHARDON (Maurice), *Le Jeu à la Cour de Louis XIV*, « Revue de Paris », 1er juillet 1914.

CONDÉ (Prince DE), *Lettres à la Reine de Pologne*, édit. E. Magne, Paris, 1920.

LA BATUT (Guy DE), *La Cour de Monsieur*, Paris, 1927.

LAFAYETTE (Mme DE), *Histoire de Madame*, édit. E. Henriot, Paris, 1925.

LEMOINE (J.) et LICHTENBERGER, *De La Vallière à Montespan*, Paris, 1908.

MARTIN (G.) et BESANÇON, *Histoire du Crédit sous Louis XIV*, Paris, 1913.

MONGRÉDIEN (G.), *La Vie privée de Louis XIV*, Paris, 1938.

NOLHAC (P. DE), *La Création de Versailles*, Versailles, 1901.

PRIMI VISCONTI, *Mémoires sur la Cour de Louis XIV*, édit. J. Lemoine, Paris, 1909.

SAINT-MAURICE (DE), *Lettres sur la Cour de Louis XIV*, édit. J. Lemoine, Paris, 1911-1912, 2 vol.

SAINT-RENÉ-TAILLANDIER (Mme), *Le grand Roi et sa Cour*, Paris, 1930.

Chapitre II.

LE DÉCOR DE LA RUE

CLÉMENT (P.), *La police sous Louis XIV*, Paris, 1866.
FOURNIER (Ed.), *Histoire du Pont-Neuf*, Paris, 1862, 2 vol.
— *Histoire des enseignes de Paris*, Paris, 1884.
— *Promenade historique dans Paris*, Paris, 1894.
JACOB (P.-L.), *Paris ridicule et burlesque au XVII*e *siècle*, Paris, 1859.
POÈTE (M.), *Paris, de sa naissance à nos jours*, Paris, 1925-1931, t. III et IV.

Chapitre III.

LA BOURGEOISIE

AYNARD (J.), *La Bourgeoisie française*, Paris, 1934.
BABEAU (A.), *La Ville sous l'ancien régime*, Paris, 1884, 2 vol.
BAUDRILLART (H.), *Histoire du Luxe privé et public*, Paris, 1880, t. IV.
BAUMAL (F.), *Le Féminisme au temps de Molière*, Paris, 1926.
DELAUNAY (P.), *La Vie médicale aux XVI*e, *XVII*e, *XVIII*e *siècles*, Paris, 1935.
DU PRADEL (A.), *Le Livre commode des adresses de Paris pour 1692*, édit. E. Fournier, Paris, 1878, 2 vol.
DU PRADEL (J.), *Traité contre le luxe*, Paris, 1705.
FAGE (R.), *La Vie à Tulle aux XVII*e *et XVIII*e *siècles*, Paris, 1902.
FURETIÈRE (A.), *Le Roman bourgeois*, Paris, 1666.
PUECH (A.), *Les Nîmois dans la seconde moitié du XVII*e *siècle*, Paris, 1888.
RAYNAUD (M.), *Les Médecins au temps de Molière*, Paris, 1862.
REYNIER (G.), *La Femme au XVII*e *siècle*, Paris, 1929.

Chapitre IV.

LE COSTUME, LA TOILETTE ET LA MODE

LACROIX (P.), *Histoire de la Vie privée des Français*, Paris, 1852.
MAGNE (E.), *Madame de la Suze et la Société précieuse*, Paris, 1908.
Mercure galant, 1672-1700, *passim.*
QUICHERAT, *Histoire du costume en France*, Paris, 1875.

Chapitre V.

LA TABLE

COURTIN (Ant.), *Nouveau traité de la civilité qui se pratique en France parmi les honnêtes gens*, Paris, 1671.
LA VARENNE, *Le Cuisinier françois*, Paris, 1654.
MASSIALOT, *Le Cuisinier royal et bourgeois*, Paris, 1691.

Chapitre VI.

JEUX ET DISTRACTIONS

ALLEMAGNE (H. D'), *Histoire des Jouets*, Paris, 1902.
— *Sports et Jeux d'adresse*, Paris, 1904.
— *Récréations et Passe-temps*, Paris, 1906.
BABEAU (A.), *Le Jardin des Tuileries au XVII*e *et au XVIII*e *siècle*, Paris, 1902.
DESPOIS (E.), *Le Théâtre français sous Louis XIV*, Paris, 1882.
DU BLED (V.), *Histoire anecdotique et psychologique des Jeux de cartes, dés, échecs*, Paris, 1919.
FOURNIER (Ed.), *Histoire des Jouets et des Jeux d'enfants*, Paris, 1889.
JOSSERAND (J.-J.), *Les Sports et les*

Jeux d'exercice dans l'ancienne France, Paris, 1901.
MÉLÈSE (P.), *Le Théâtre et le Public à Paris sous Louis XIV*, Paris, 1934.
MONGRÉDIEN (G.), *Les Grands Comédiens du XVIIe siècle*, Paris, 1927.
POÈTE (M.), *La Promenade à Paris au XVIIe siècle*, Paris, 1913.
— *Au Jardin des Tuileries*, Paris, 1924.
SCARRON, *La Foire Saint-Germain*, Paris, 1643.
VUILLIER (G.), *Plaisirs et Jeux depuis les origines*, Paris, 1900.

Chapitre VII.

PATRONS, OUVRIERS ET ARTISANS

AVENEL (G. D'), *Paysans et Ouvriers depuis sept cents ans*, Paris, 1899.
BABEAU (A.), *Les Artisans et les Domestiques d'autrefois*, Paris, 1886.
COORNAERT (E.), *Les Corporations en France avant 1789*, Paris, 1941.
DELALAIN (P.), *Les Libraires et Imprimeurs de l'Académie française de 1634 à 1793*, Paris, 1907.
FRANKLIN (A.), *Comment on devenait patron*, Paris, 1889.
HAUSER (H.), *Les Compagnonnages d'arts et métiers à Dijon aux XVIIe et XVIIIe siècles*, Paris, 1907.
HAYEM (J.), *Les Grèves dans les temps modernes*, dans *Mémoires et documents pour servir à l'histoire du commerce et de l'industrie*, t. I, Paris, 1911.
HERBET (F.), *Les Contrats d'apprentissage à Fontainebleau au XVIIe siècle*, Fontainebleau, 1897.
LEVASSEUR (E.), *Histoire des Classes ouvrières et de l'Industrie en France avant 1789*, t. II, 2e édition, Paris, 1901.
MARTIN-SAINT-LÉON (E.), *Le Compagnonnage*, Paris, 1901.
MARTIN-SAINT-LÉON (E.), *Histoire des Corporations de métiers*, 3e édition, Paris, 1922.
MATHIEU (G.), *Contrats d'apprentissage dans le bas Limousin aux XVIIe et XVIIIe siècles*, dans *Mémoires et documents pour servir à l'histoire du commerce et de l'industrie*, t. III, Paris, 1913.
MORIN (L.), *Les Apprentis imprimeurs au temps passé*, Lyon, 1898.

Chapitre VIII.

OFFICIERS ET SOLDATS

QUARRÉ DE VERNEUIL (R.), *L'Armée en France depuis Charles VII jusqu'à la Révolution*, Paris, 1880.
BABEAU (A.), *La Vie militaire sous l'ancien régime*, Paris, 1889-1890, 2 vol.
JABLONSKI (L.), *L'Armée française à travers les âges*, Paris, 1891, t. II.
ANDRÉ (L.), *Michel Le Tellier et l'Organisation de l'Armée monarchique*, Paris, 1906.
SAUTAI (M.), *Les Milices provinciales sous Louvois et Barbezieux* (1688-1697), Paris, 1909.
ESQUIEU (L.), *Le Racolage et les Racoleurs*, Lille, 1911.
GIRARD (G.), *Le Service militaire en France à la fin du règne de Louis XIV, Racolage et Milice* (1701-1715), Paris, 1922.
WEYGAND (Général), *Histoire de l'Armée française*, Paris, s. d.

Chapitre IX.

LA VIE INTELLECTUELLE

ALLAIN (E.), *L'Instruction primaire en France avant la Révolution*, Paris, 1881.
BABEAU (A.), *L'Instruction primaire dans les Campagnes avant 1789*, Troyes, 1875.

BABEAU (A.), *Le Village sous l'ancien régime*, Paris, 1882.
DISSARD (A.), *Un Maître d'école au XVIIe siècle à Saint-Haon-le-Châtel*, Roanne, 1880.
DUPONT-FERRIER (G.), *Du Collège de Clermont au Lycée Louis-le-Grand*, Paris, 1921, t. I.
FUNCK-BRENTANO (F.) et ESTRÉES (P. D'), *Les Nouvellistes*, Paris, 1903.
JOURDAIN (Ch.), *Histoire de l'Université de Paris aux XVIIe et XVIIIe siècles*, Paris, 1862-1866.
LANTOINE (H.), *Histoire de l'Enseignement secondaire en France au XVIIe siècle*, Paris, 1874.
LEFRANC (A.), *Histoire du Collège de France*, Paris, 1893.
LIVET (Ch.-L.), *Précieux et Précieuses*, 3e édition, Paris, 1895.
MAGENDIE (M.), *La Politesse mondaine et les théories de l'honnêteté en France de 1600 à 1660*, Paris, 1925.
MAGGIOLO (L.), *Les Écoles avant et après 1789 dans la Meurthe, la Meuse, la Moselle et les Vosges*, Paris, 1889.
— *État récapitulatif et comparatif indiquant, par département, le nombre des conjoints qui ont signé leur acte de mariage aux XVIIe, XVIIIe et XIXe siècles*, Paris, 1879.
MAGNE (E.), *Ninon de Lanclos*, Paris, 1925.
MONGRÉDIEN (G.), *Les Précieux et les Précieuses*, Paris, 1939.
— *Madeleine de Scudéry et son Salon*, Paris, 1946.
— *La Vie littéraire au XVIIe siècle*, Paris, 1947.
PELLISSON (P.) et OLIVET (Abbé D'), *Histoire de l'Académie française*, édit. Ch.-L. Livet, Paris, 1858, 2 vol.
REYNIER (G.), *La Femme au XVIIe siècle*, Paris, 1929.
VIAL (F.), *Trois Siècles d'Histoire de l'Enseignement secondaire*, Paris, 1936.

Chapitre X.

LES DÉSHÉRITÉS

ALLIER (R.), *La Cabale des Dévots*, Paris, 1902.
BLOCH (C.), *L'Assistance et l'État en France à la veille de la Révolution*, Paris, 1908.
BOUCHER (Dr L.), *La Salpêtrière de 1656 à 1790*, Paris, 1883.
BOURNON (F.), *La Bastille*, Paris, 1893.
FUNCK-BRENTANO (F.), *Les lettres de cachet à Paris*, Paris, 1903.
— *La Bastille des Comédiens, le For-l'Évêque*, 4e édition, Paris, 1903.
— *Légendes et Archives de la Bastille*, 7e édition, Paris, 1904.
BRU (P.), *Histoire de Bicêtre*, Paris, 1890.
DUPONT (E.), *Les Prisons du Mont-Saint-Michel*, Paris, 1913.
FEILLET (A.), *La Misère au temps de la Fronde*, 4e édition, Paris, 1868.
LALLEMAND (L.), *Histoire de la Charité*, Paris, 1910, t. IV.
MONNIER (A.), *Histoire de l'Assistance*, Paris, 1856.
RAVAISSON (F.), *Archives de la Bastille*, Paris, 1856, t. I, Introduction.
RICHARD (Dr E.), *Histoire de l'Hôpital de Bicêtre*, Paris, 1889.

Chapitre XI.

RURAUX ET PAYSANS

BABEAU (A.), *La Vie rurale dans l'ancienne France*, 2e édition, Paris, 1885.
— *Le Village sous l'ancien régime*, 3e édition, Paris, 1882.
BLOCH (Marc), *Les Caractères originaux de l'Histoire rurale française*, Oslo, 1931.
BONNEMÈRE (E.), *Histoire des Paysans*, t. III, Paris, 1887.
BRUNETIÈRE (F.), *Les Paysans sous*

l'ancien régime, *Revue des Deux Mondes*, 1er avril 1883.
FRAIN (E.), *Un Rural de la baronnie de Vitré*, Vannes, 1895.
GUIBERT (L.), *Livres de raison limousins et marchois*, Paris, 1888-1903, 2 vol.
LANGE, *La Bruyère, critique des conditions et des institutions sociales*, Paris, 1909.
LEMOINE (J.) et BOURDE DE LA ROGERIE (H.), *Madame de Sévigné aux Rochers : le livre de comptes de l'abbé Rahuel (1669-1676)*, « Bulletin et Mémoires de la Société archéologique du département d'Ille-et-Vilaine », t. LIII, 1926.
MAZON (A.), *Vivarais et Velay, deux livres de notes journalières au XVIIe siècle*, Annonay, 1890.
OURSEL (C.), *Deux Livres de raison bourguignons*, Dijon, 1908.
PUECH (A.), *La Vie de nos ancêtres d'après leurs livres de raison. Les Nîmois dans la seconde moitié du XVIIe siècle*, Nîmes, 1888.
RIBBE (Ch. DE), *Une grande dame dans son ménage au temps de Louis XIV, d'après le journal de la comtesse de Rochefort (1689)*, Paris, 1889.
ROUPNEL (G.), *La Ville et la Campagne au XVIIe siècle, étude sur la population du pays dijonnais*, Paris, 1922.
SÉE (H.), *Les Classes rurales en Bretagne du XVIe siècle à la Révolution*, Paris, 1906.
TAMIZEY DE LARROQUE, *Deux Livres de raison de l'Agenais*, Agen, 1893.
— *Le Livre de raison de la famille de Fontainemarie*, Agen, 1889.
VACHEZ (A.), *Les Livres de raison dans le Lyonnais et les provinces voisines*, Lyon, 1892.
VAISSIÈRE (P. DE), *Gentilshommes campagnards de l'ancienne France*, Paris, 1903.
VAISSIÈRE (P. DE), *Curés de campagne de l'ancienne France*, Paris, 1933.

Chapitre XII.

MISÈRES ET RÉVOLTES

BOISLILE (A. DE), *Le Grand Hiver et la Disette de 1709*, « Revue des questions historiques », 1903.
— *Correspondance des contrôleurs généraux des finances avec les intendants des finances*, Paris, 1874-1897, 3 vol.
— *Mémoire de la généralité de Paris*, Paris, 1881.
BONDOIS (P.-M.), *La Misère sous Louis XIV, la Disette de 1662*, « Revue d'histoire économique et sociale », 1924.
BOURNON (F.), *La Misère dans le Blésois en 1662*, Blois, 1882.
CLÉMENT (P.), *La Police sous Louis XIV*, Paris, 1866.
COMMUNAY (A.), *Audijos, la gabelle en Gascogne*, Paris, 1893-1894, 2 vol.
FEILLET (A.), *La Misère au temps de le Fronde et saint Vincent de Paul*, 4e édition, Paris, 1868.
JALOUSTRE (E.), *La Famine de 1694 dans la basse Auvergne*, Clermont-Ferrand, 1878.
LEMOINE (J.), *La Révolte dite du papier timbré ou des bonnets rouges en Bretagne en 1675*, Paris, 1898.
LORÉDAN (J.), *La Grande Famine de 1709*, « La Revue », 1er octobre 1909.
MARTIN (G.), *Famines de 1693 et de 1709 et Spéculation sur les blés*, « Bulletin des sciences économiques et sociales du Comité des travaux historiques et scientifiques », 1908.
VISSAC (R. DE), *Antoine du Roure et la Révolte de 1670*, Paris, 1895.

TABLE DES MATIÈRES

LIBRAIRIE HACHETTE
Paris - N° 5249
Dépôt légal : 4e trim. 1948

Imprimé
en France

Imprimerie CRÉTÉ
Corbeil - N° 31-1631

N° 7253 — I-10-1948

Imprimé en France.